한자 속
과학 이야기

한자에서 많은 비중을 차지하는 것은 상형문자(象形文字)다. 상형문자는 옛사람들의 지혜의 상징이며, 자연의 형태와 사물을 인위적으로 간략화한 그림이라고 말할 수 있다. 다시 말하자면 상형문자는 옛사람들이 관찰과 사고를 통해 객관적인 사물을 간략하게 묘사한 것이다. 그러므로 상형문자를 분석해보면 고대 사람들의 자연에 대한 이해와 어떻게 자연을 이용해왔는지를 알 수 있다. 그리고 옛사람들이 이룩한 수많은 창조와 발명을 다채롭고 생동감 넘치는 모습으로 생생하게 보여준다.

다이우싼 지음 • **천수현** 옮김

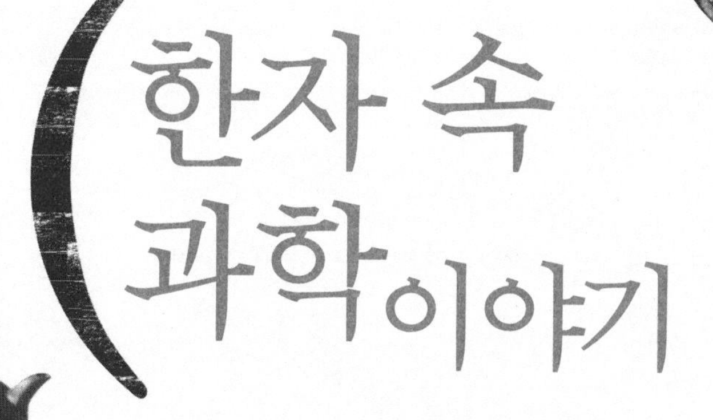

한자 속 과학이야기

이지북
ez-book

초판 1쇄 인쇄 · 2007년 6월 25일
초판 1쇄 발행 · 2007년 6월 29일
옮긴이 · 천수현
펴낸이 · 김동영
펴낸곳 · 이지북

출판등록 · 2000년 11월 9일 제10-2068호
주　소 · 121-840 서울시 마포구 서교동 395-172 상록빌딩 2층
편집부 · 02-324-2347
영업부 · 02-2648-7224
팩　스 · 02-324-2348
e-mail: ezbook21@hanmail.net
ISBN 978-89-5624-288-0(03720)
정가 13,500원

고대문자에 담긴 인류의 지혜

한자에서 많은 비중을 차지하는 것은 상형문자象形文字다. 상형문자는 옛사람들의 지혜의 상징이며, 자연의 형태와 사물을 인위적으로 간략화한 그림이라고 말할 수 있다.

다시 말하자면 상형문자는 옛사람들이 관찰과 사고를 통해 객관적인 사물을 간략하게 묘사한 것이다. 그러므로 상형문자를 분석해보면 고대 사람들의 자연에 대한 이해와 어떻게 자연을 이용해왔는지를 알 수 있다. 그리고 옛사람들이 이룩한 수많은 창조와 발명을 다채롭고 생동감 넘치는 모습으로 생생하게 보여준다. 뽕나무 상桑자를 예로 들어보겠다. 桑은 뽕나무를 말한다. 중국은 세계에서 최초로 뽕나무를 심고 누에치기를 한 나라다. 桑자의 형태를 분석해보면 상商나라(중국 고대의 왕조, BC1600~BC1046) 때부터 이미 울창한 뽕나무 숲과 함께 키가 크고 작은 두 종의 나무가 있었음을 나타낸다. 키 작은 종은 줄기가 짧고 나뭇가지가 많으며 키 큰 종은 줄기가 굵고 크며 위로 줄기가 두 갈래로 갈라져 뻗은 형태였다. 청동기에 새겨진 문양을 참조해도 충분히 알 수 있다. 상형문자 중에는 또 계집 여女자를 편방偏旁—한자의 왼쪽과 오른쪽을 통틀어 이르는 말—으로 하고 桑자가 붙은 것이 있다. 상나라 때 뽕나무 재배는 이미 보편화되었으며 뽕잎을 따고 누에를 치는 것은 여성의 주요 노동 중의 하나였음을 짐작할 수 있다. 아마 이런 것들이 고대 중국이 세계 선진 수준의 견직 기술을 발전시키고 더 나아가 그 유명한 '실크로드'까지 개척할 수 있었던 원인일 것이다.

한자를 분석하다 보면 많은 글자가 고대의 각종 도구의 모양에 기초한 것을 알 수 있다. 예를 들어 쟁기 뢰耒자를 살펴보자. 耒는 원래 고대 농기구의 일종으로 지금은 사용되지 않는다. 하지만 耒를 편방으로 한 글자를 중국에서는 지금까지도 자주 사용하고 있다. 예를 들어 耕(밭갈 경, 耒—총 10획), 耘(김맬 운, 耒—총 10획), 耦(짝 우, 耒—총 15획), 耙(써레 파, 耒—총 10획) 등이다. 이 글자들은 모두 耒자에 기초를 두고 원래 뜻은 모두 농기구 혹은 경작 행위와 관련되어 있다. 耙는 명사로 사용할 경우 농기구를 지칭하고 동사인 경우에는 '흙을 부수다, 땅을 평평하게 고르다'라는 동작을 가리킨다. 만일 耙라는 농기구를 본 적이 없다면 『서유기』의 저팔계猪八戒가 들고 나오는 갈퀴를 떠올려보자. 그 갈퀴 모양의 무기가 바로 耙다.

또 鬲(막을 격, 솥 력, 鬲—총 10획)자 같은 경우는 현재의 상용 단어에서 거의 사용되지 않는다. 그래서 많은 사람들이 그 뜻과 본래의 형태를 모르고 있다. 鬲자의 모양은 고대의 토기의 일종에서 따온 것으로 음식물을 익힐 때 사용하는 굵직한 세 개의 다리가 달린 솥을 말한다. 오랜 세월 동안 鬲으로부터 여러 다른 형태의 토기가 발전하였으므로 鬲이 토기의 '할아버지' 격이라 해도 과언이 아닐 것이다. 鬲은 기원전 4~5세기 때부터 이미 사용되지 않은 고대 토기로 지금은 이미 사라졌지만 鬲으로부터 파생한 글자와 단어는 아직까지 그 명맥을 이어가고 있다. 오늘날 금융金融이라는 세련된 단어 속에도 融자에 鬲이 있다. 또 隔(사이 뜰 격, 阜 — 총 13획)을 예로 든다면, 2003년 봄, 중국 대륙을 떨게 한 사스로 인해 隔과 離(원래는 상형문자)를 결합한 격리隔離는 사용 빈도가 가장 높은 단어였다.

이렇게 고대의 문자들이 아직도 우리의 삶 속에서 살아 숨쉬는 것을 이 책을 통해 느끼길 바란다.

2003년 7월 30일

칭화대학 과학기술사 및 고문헌연구소

옮긴이의 말

한자에 얽힌 '사연'을 듣는 재미

중국의 빠른 경제 발전과 함께 전 세계가 중국의 문화와 전통에 더 많은 관심을 기울이고 있다. 찬란한 중국 문명의 대표라 할 수 있는 한자漢字는 동아시아 각국에서 모국어만큼이나 자주 사용되는 문자다.

이 책은 한자의 유래와 그 정확한 해석, 그리고 현재 중국과 다른 한자권 국가에서의 쓰임새를 재미있게 서술하였다. 지금 중국에서 쓰이는 간체자와 이 책에 등장하는 한자가 본래의 한자와는 모양이 많이 다를 수 있다. 간체자는 문맹을 없애기 위해 복잡한 한자의 모양을 간단하게 만든 글자다. 그러나 무조건 획수를 줄인 것이 아니고 고대 중국의 기록(갑골문, 금문)을 참고하여 만들었다.

원서에는 간체자가 사용됐지만 독자들이 간체자만 보고는 무슨 한자인지 알 수 없기에 옮기는 과정에서 정자체로 바꾸었다. 그렇지만 일부 대목에서 단순히 획수를 줄인 것이 아닌 고대 중국의 상형문자의 원형을 보존하고 있는 간체자는 알아둘 필요가 있다고 생각해서 원문 그대로 표기했다. 중국어나 한자에 관심이 많은 독자뿐 아니라 온고지신溫故知新을 실천하고자 하는 이들에게도 좋은 읽을거리가 되길 바란다.

2007년 여름

차례

우물 정井과 그 기원

井, 가장 기본적인 의미는 땅을 파서 물을 구할 수 있는 깊은 구멍을 말한다. 그 후 범위가 넓어져 지하로 깊이 판 구멍도 井이라고 불렀다. 예를 들면 유정油井이 있다.

井의 고대 글자 모양은 아래와 같다.

갑골문胛骨文

금문金文

井은 땅에 판 깊은 구멍을 말한다. 갑골문에서 井은 왜 정방형 사각틀 모양으로 되어 있는지, 금문金文에서 井은 왜 가운데 점을 찍었는지, 이 점이 의미하는 것은 무엇인지에 대해 아주 재미있는 이야기가 있다.

요즘은 일반적으로 수돗물을 사용하고 있기 때문에 우물이 어떤 모양인지조차 모르는 아이도 많다. 하지만 지금도 농촌 지역에서 생활하는 사람들은 우물물을 마시기 때문에 우물에 대해 잘 알고 있다. 그러나 우물의 기원에 대해 누군가 묻는다면 제대로 대답할 수 있을까?

우물의 기원에 대해 문헌에 기재된 바로는 백익이 발명한 것이라고 한다. 『여씨춘추 · 물궁呂氏春秋 · 勿躬』에는 "백익이 우물을 만들었다"고 기재되어 있다. 『회남자 · 본경훈淮南子 · 本經訓』에서는 말하기를, "백익이 우물을 파자 용이 검은 구름 위로 솟아오르고 신은 곤륜에 깃든다(伯益作井, 而龍登玄云, 神栖昆侖)"라고 한다. 또한 『사기 · 진본기史記 · 秦本紀』에는 "백익은 우禹 시대의 인물로 우 임금(大禹)을 도와 치수治水한 적이 있다"고 한다. 백익이 우물을 판 시기가 지금으로부터 약 4,000년 전의 일이라는 것을 말해준다. 하지만 실질적으로 고고학 자료에서 보면 우물은 이보다 훨씬 전부터 존재했던 것으로, 지금으로부터 6,000~7,000년 전 신석기 시대 유적에서 발견할 수 있다.

우물은 땅을 파서 물을 얻을 수 있는 구멍을 말한다. 그렇다면 왜 옛날 井자는 정방형 모양일까?

가장 먼저 발견되었던 하모도 유적의 한 우물은 내부와 외부로 나뉜다. 외부는 원형에 가깝고 내부는 사각형의 수직이며 우물의 깊이는 지면으로부터 1.5미터다. 이 우물은 원래 자연적으로 생긴 혹은 가마솥을 걸기 위해 일부러 판 구덩이의 물이다. 물이 고갈되면 아래쪽으로 계속해서 파 내려갔는데 그 벽이 무너지는 것을 방지하기 위해서 우물을 파기 전, 우선 웅덩이에 네 개의 나무 말뚝을 박아 사각형의 나무 말뚝 벽을 만들었다. 다음 나무 말뚝 사이의 흙을 파내고 말뚝 윗부분에 사각형 나무틀을 고정시켰다. 그 외관이 바로 옛날 상형문자가 묘사했던 형상이다. 여기서 알 수 있듯이 옛사람들은 문자를 만들 때 사물을 세심하게 관찰한 후 그 모양과 형태를 본떠서 쓴 것이다. 우물의 사각형틀의 구조 역시 옛날 문헌에서 말하는 '정간井干'이다.

후베이 한단 계곡, 하남 탕음백영 등에서도 신석기 시대의 우물을 발견하였다. 한단 계곡 유적의 우물은 깊이 7미터, 지름 2미터다. 그중 하나의 우물 밑바닥에서는 파손된 도자기 50여 점을 발견하였다. 탕음백영 유적의 우물 입구는 둥근 모양으로 입구의 지름은 5.7미터, 아래로 0.5미터쯤 내려가면서 좁아져 밑바닥의 지름은 1.2미터, 깊이는 12미터다. 우물 안에는 우물 벽을 강화하기 위한 井자 모양의 40층의 목재 골조로 되어 있다.

상대商代에 이르러 청동 도구를 사용하면서 우물을 파는 기술은 새로운 발전을 가져왔다. 우물 내벽은 상하가 같은 원통형 구조로 만들어졌다. 허베이 고성의 타이시 마을의 상대商代 유적에서 두 개의 우물을 발견하였는데 모두 원형 형태였다. 그중 좀 깊은 우물은 깊이가 6미터 남짓했다. 두 우물 밑바닥에는 모두 나무로 된 깔판이 설치되어 있었다. 한 우물 바닥에서는 두레박을 발견하였는데 이는 당시 사람들이 물을 직접 길어 사용했다는 증거다. 때문에 어떤 학자들은 금문에서 井자의 가운데 점은 물을 긷는 두레박을 가리키는 것이라는 견해를 갖고 있다.

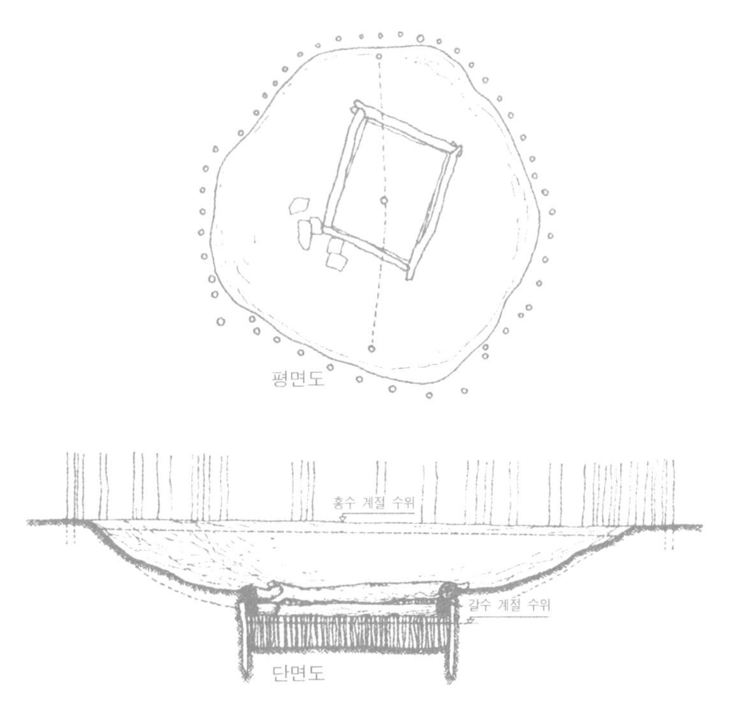

하모도 유적지의 원시 목조 우물의 복원도(양홍쉰楊鴻勛, 〈건축고고학 논문집〉)

전국 시대 도시의 발전과 각종 수공업 공장의 설립으로 물의 수요량은 늘어났고 이는 우물 파는 기술의 발전을 촉진하였다. 이 시기에 토기로 된 우물이 만들어졌는데 고대 초나라楚國, 연나라燕國 지역에서 모두 발견되었다. 베이징 서남 지역에서는 이미 60여 개의 우물이 발견되었는데 대부분이 전국 시대의 것이다.

우물 벽은 우물 井자 모양의 토기로 겹겹이 쌓아 올렸는데 가장 많게는 16겹으로 되어 있었다. 고고학자들은 당시에는 우선 황토층에 간단하게 구덩이를 파서 우물을 만들었는데 물줄기 근처까

하북 고성(藁城) 태서 마을(台西村) 상대 유적 우물, 정(井)자형의 나무틀 모양의 우물

지 파고 우물 井자 모양의 토기 하나를 설치하고 계속하여 그 속의 흙을 파낸다. 아래로 내려가면 그 위에 다시 井자 모양의 토기를 쌓으면서 일정한 깊이의 수위까지 판다. 이러한 방식으로 우물을 파는 방식과 현대의 건설 방식 중 '오픈 케이슨 공법'의 시공 방법이 비슷하다.

서한西漢 시대 이후, 토기 우물은 차츰 벽돌 우물로 대체되었으며 벽돌 우물은 지금까지 많은 중국의 시골 마을에서도 찾아볼 수 있다.

우물은 인류 역사의 대단한 발명이라 할 수 있다. 우물로 인해 사람들은 물가에서 떨어진 평원에서도 농지 개간이 가능했고 새로운 정착지를 세울 수 있었다. 이것은 인류 사회의 발전에 상상할 수 없는 영향을 끼쳤다.

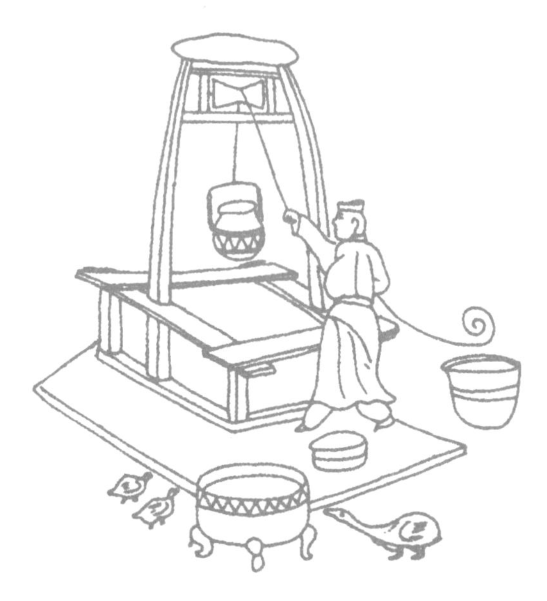

위진(魏晋) 벽화에 등장하는 우물

우물의 출현과 사용에 따라 井자와 관련된 말들도 많이 생겨났다. 가장 대표적인 것이 바로 '우물 안 개구리'를 뜻하는 사자성어 '좌정관천坐井觀天'이 아니겠는가? 중국의 옛 속담으로 '우물 속에 앉아 하늘을 쳐다보다'는 식견이 없고 지식이 결핍된 사람을 비유한 것이다.

쟁기 뢰耒와 파생어

耒는 고대 농기구의 일종으로 사용되지 않은 지 이미 오래다. 고서적에서 耒자를 보는 것 외에는 요즘은 거의 사용이 드문 글자다. 그러나 耒를 편방偏旁으로 사용하는 글자는 아직까지 자주 사용된다. 바로 耕(밭갈 경, 耒 — 총 10획), 耘(김맬 운, 耒 — 총 10획), 耦(짝 우, 耒 — 총 15획) 들이다.

고대 耒의 문자 형태는 다음과 같다.

금문의 형태에서 보자면 耒는 두 개의 갈퀴가 달린 나무 막대기의 모양이다. 흙을 파 일굴 때 사용하는 도구로 초창기에는 하

나의 갈퀴 형태였다. 그 후 서서히 모양이 변하게 되었고 이것이 곧 耜(보습 사, 耒 — 총 11획)가 되었다.

약 1만 년 전, 조상들은 수렵·채집의 유랑 생활에서 점차 농경 정착 생활로 변했다. 농사를 지으려면 농기구가 필요하다. 최초로 사용된 농기구는 아주 간단한 구조를 가졌다. 바로 끝이 날카로운 나무 막대기였다. 민속학에서는 이를 '점종봉点种棒'이라고 하는데 그 형태는 '丨'자 형태였다.

그 후 좀 더 쉽게 흙을 파기 위해 끝 부분에 크로스바를 묶어 발로 밟아 쉽게 흙을 파낼 수 있도록 했다. 또 흙을 팔 때 힘겹게 몸을 굽히는 것을 덜기 위해 일자형으로 된 나무 막대기 끝 부분을 비스듬하게 변형시켰는데 이것이 일자형의 나무 쟁기다. 갑골문에 그 모양이 그려져 있는데 후에 그것이 力자가 되었다. 力과 田(즉 농경지 경작)을 합쳐 또한 '男'을 만들었다.

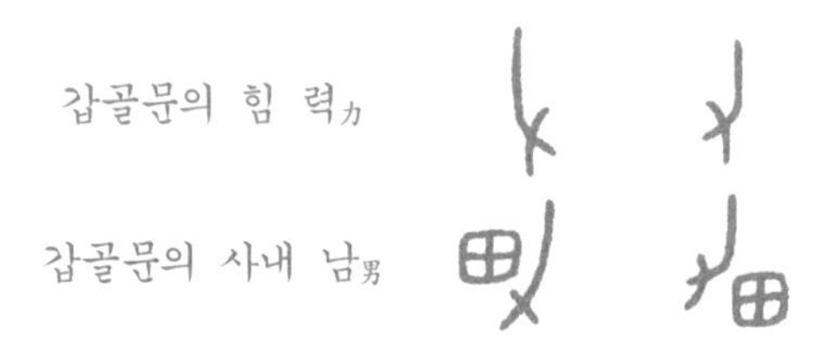

그리고 좀 더 쉽게 흙을 파기 위하여 가래의 끝 부분을 두 갈래로 변형시켰는데 이것을 '쌍날 가래'라고 한다.

쟁기는 나무로 만들어져 현재까지 그 형태가 남아 있지 않다. 때문에 고고학에서 나무 쟁기의 실물을 보기가 거의 힘들다. 허난 샤현河南陝縣 묘저구廟底溝와 샤현 임동강새陝縣臨潼姜寨 같은 신석기 시대 유적지에서 쌍날 가래로 흙을 판 흔적을 발견하였다. 이는 원시 경작 활동에서 쌍날 가래가 확실히 사용되었음을 증명해준다. 비록 쟁기의 실물을 볼 수는 없지만 후세의 문물과 민족학 자료를 통하여 고대 쟁기의 형태를 짐작할 수 있다. 산둥 무량사武梁祠의 돌에 새겨진 신농神農의 모습을 보면 쟁기를 쥐고 있다. 이것이 바로 두 갈래로 된 쟁기다. 윈난 공산貢山 두룽족獨龍族이 사용하는 쌍날 목기 쟁기는 Y자형의 나무를 이용하여 만드는데 최초의 나무 쟁기 역시 이렇게 만들어졌을 거라 짐작된다.

홑날 쟁기의 날은 평평한 판자 모양으로부터 발전하여 '耜'가 되었다. 형태는 오늘날의 삽과 비슷한데 흙을 팔 때는 쟁기보다 더 수월하다. 보습은 신석기 시대에 이미 사용되었는데 특히 신석기 유적에서 많이 발굴된다. 신석기 시대의 보습은 돌조각으로 두드린 후 다시 연마하여 만든 것이다. 공구의 모양은 대부분 평평한 것으로 칼날 부분은 원호 혹은 뾰족한 모양을 하고 있어 속에 집어넣고 흙을 파서 땅을 뒤집기 편리하도록 만들어졌다. 보습은 또 동물의 뼈나 나무로 만들기도 하는데 저장 하모도 유적에서는 200여 점의 뼈로 만든 보습(쇳조각으로 된 삽 모양의 연장—역주)이 발견되었다. 이는 하모도 유적이 같은 시기의 문화 유적과 차별화되는 특징이다. 뼈 보습은 포유동물의 예를 들면 물소, 수록의 어깨뼈로 만들어진 것으로, 어깨뼈 부분에 네모난 구멍을 뚫고 거기에 끈을 매어 나무 자루를 고정시킨다. 중간 부분 끝에 홈을 파 자루를 고정시킨다. 그리고 구멍 두 개를 더 뚫어 나무 자루의 끝

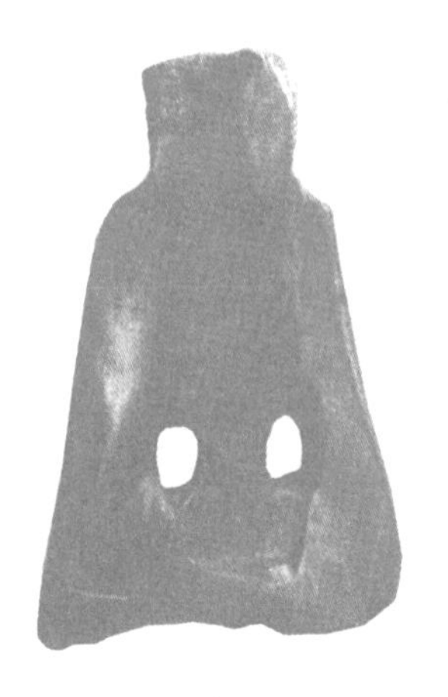
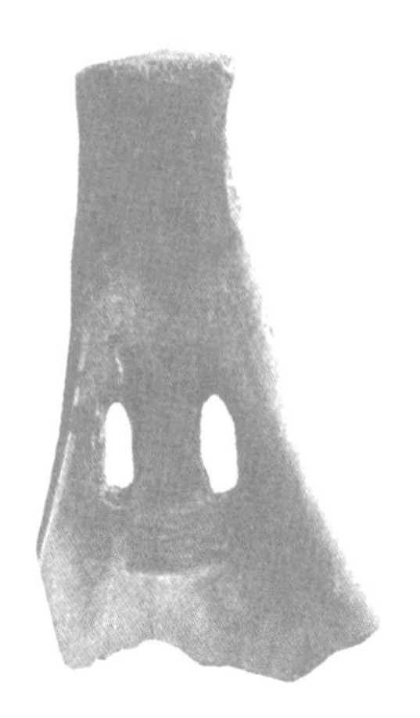

절강 위야오(餘姚) 하모도에서 출토된 뼈 보습

부분을 묶는다. 이렇게 고정시킨 나무 자루는 튼튼하고 흔들림이 없으며 사용할 때 쉽게 느슨해져서 떨어지지 않는다. 뼈 보습은 한동안 사용하면 칼날 부분이 움푹하게 닳아서 벌어지면서 쌍날 모양의 보습 모양으로 변하지만 이 둘은 서로 다른 농기구다.

주나라周代 때부터 쟁기는 이미 중요한 농기구로 사용되었는데 『시경』에 나오는 많은 시에서 쟁기에 대한 많은 묘사가 있다. 예를 들면 "畟畟良耜, 俶載南畝(좋은 보습으로 밭을 갈아 남쪽 이랑으로 옮긴다 — 역주)"(〈주송周頌 · 양사良耜〉), "有略有耜, 俶載南畝(날카로운 보습을 제각기 들어 남쪽의 밭일이 다시 시작되네 — 역주)"(〈주송周頌 · 재삼載芟〉), "三之日于耜, 四之日擧趾(정월에는 보습 손질, 2월에는 밭 갈기 — 역주)"(〈빈풍豳風 · 칠월七月〉) 등이 있다. 이러한 시구를 보면 서주 시대에 쟁기의 사용이 이미 보편화되었고, 서주 시대에 이르러 보습은 아주 광범위하게 사용되었으며 밭을 가는 데 중요

루차

한 농기구였음을 알 수 있다.

농업사 전문가들은 중국 농업은 독특한 발전 과정을 가지며 특히 최초로 사용한 기구가 바로 쟁기와 보습이었다고 한다. 그래서 고대 농업의 초기 형태를 '두 사람이 나란히 밭을 가는 농업'이라고 부른다.

耒와 耜, 모두 농업과 관련되었다. 그 후 두 글자를 농기구라는 의미로 사용하였다. 당나라 말기 유명한 시인 육구몽이 편찬한 『뢰사경耒耜經』이란 책을 보면 강남 일대에서 사용한 밭갈이 쟁기 같은 농기구에 대해 주로 소개하고 있다.

저팔계가 사용했던 병기, 원래는 일종의 농기구였다

耒는 글자의 모양에서 그 단어의 의미가 고대 농기구 혹은 경작 행위와 관련되어 있음을 알 수 있다. 耬(씨 뿌리는 기구 루, 耒 — 총 15획)를 예로 들어보자. 耬는 파종할 때 쓰이는 농기구로, 루차耬車, 루려耬犁라고도 불린다. 외발, 쌍발, 삼발이의 형태로 나눈다. 삼발 耬는 서한西漢 농업학자 조과가 최초로 발명한 것으로 세 갈래의 땅파기 끌이 달려 있는 형태다. 소 한 마리가 파종 시, 앞에서 끌게 하면 끌이 평평한 땅 위를 긁고 지나가며 파종 도랑을 판다. 동시에 파종하며 흙 덮고 다지기를 할 수 있어 노동 효율이 매우 좋은 농기구다. 그럼 耙(써레 파, 耒 — 총 10획)를 예로 들어보

자. 耙는 흙을 부수고 땅을 평평하게 고르는 농기구로서 용도에 따라 다양한 모양의 끌이 달린 써레, 끌 없는 써레, 원반형 써레 등이 있다. 그 밖에 써레는 곡물을 그러모아 뒤집기와 볏짚 등 땔감을 정리하는 데 사용된다. 혹시 써레가 무엇인지 모르는 독자가 있다면 『서유기』에서 저팔계가 들고 다니는 갈퀴 달린 무기를 기억해보자. 저팔계의 무기가 바로 써레라는 농기구다.

농사 농農과 새벽 신辰

農(농사 농)자를 모르는 사람은 없을 것이다. 중국은 예로부터 농경 국가였다. 그리고 오늘날까지도 세계적인 농업대국이다. 중국 인구의 대부분은 농업에 종사하며 농민들 대부분이 농촌에 거주하고 있다. 農은 이런 중국의 오래된 민족성과 관련이 있다. 거의 모든 중국인과 연관된 글자다.

農이라는 글자는 어디에서 왔을까? 또 辰(지지 진, 辰 ― 총 7획)과는 어떤 관계가 있을까?

農의 간체자는 农이며 고대 문자 형태는 아래와 같다.

일부 학자들에 의하면 農의 갑골문은 마치 대합조개를 손에 들고 농작물을 수확하는 모양이라 한다.

중국은 세계적으로 농업이 가장 일찍 등장한 지역 중 하나다. 중국의 지리적 환경과 기후 조건은 농업이 발전하기에 적절했고 부지런하고 지혜로운 중국 선조들은 비옥한 토지 위에 인류 최초의 농업 성과를 만들어냈다.

농업의 범위는 광범위했다. 수확이라는 말은 농작물에만 국한된 것이 아니라 목초, 갈대류 식물 등의 채집도 포함된다. 고고학 발굴에 따르면 신석기 시대의 유적에서 돌, 대합조개, 토기로 만든 칼이 발견되었다. 또한 돌, 대합조개로 만든 낫이 발굴되었다.

몇 종류의 대합조개는 중국의 여러 지역에 분포되어 있다. 두드럭 조개처럼 껍데기가 두껍고 딱딱하며 길이는 약 10센티미터에 달하고 타원형으로 생긴 조개들은 가공 후 칼이나 낫으로 사용하기 적합했다.

신석기 시대의 대합조개로 만들어진 낫

갑골문 辰자

유명한 학자 곽말약郭沫若은 다음과 같은 말을 했다.

"辰과 蜃(무명조개 신, 虫 — 총 13획)은 하나의 뿌리를 갖고 있다. 蜃자는 벌레 虫에서 유래된 글자로 당연히 훗날 생긴 글자다."

곽말약의 자세한 해설을 그의 『갑골문 연구』에서 인용한다.

"蜃은 고대 경작용 농기구로 패각貝殼의 형태나 대합조개로 만든 농기구다. 『회남자淮南子·범론훈氾論訓』에 보면 "고대 사람들은 보습을 날카롭게 갈아 밭을 갈았고 대합조개를 마찰시켜 호미나 괭이로 사용하였다"라는 구절이 있고, 경절磬折의 형태로 만들거나 아니면 석기 형태이기도 했다. 『본초강목』에는 "남방의 등주藤州에서는 개간하여 밭을 만들 때 돌을 칼로 사용하였다"라는 구절이 있다. 요컨대 辰은 원래 농기구로 農(농사 농, 辰 — 총 13획), 辱(욕되게 할 욕, 辰 — 총 10획), 耨(김맬 누, 耒 — 총 16획) 등의 글자는 모두 辰에서 시작된 것이다. 별의 이름이 辰인 것은 이 별이 농사일과 큰 관련이 있기 때문으로 선조들은 이 글자를 농기구에 새겨 넣었다.

곽말약의 설명은 아주 자세하지만 이에 반대하는 의견도 있다.

곽말약은 문장에서 蓐(요 욕, 艸 — 총 14획)에 대해 언급하였는데 이는 마치 손에 대합으로 만든 낫을 들고 풀을 베고 있는 형태를 하고 있다. 이는 薅(김맬 호, 艸 — 총 17획)의 원래 글자다. 薅는 손으로 풀을 뽑는다는 의미가 되겠다. 출토된 유물 중 耨(김맬 누, 耒

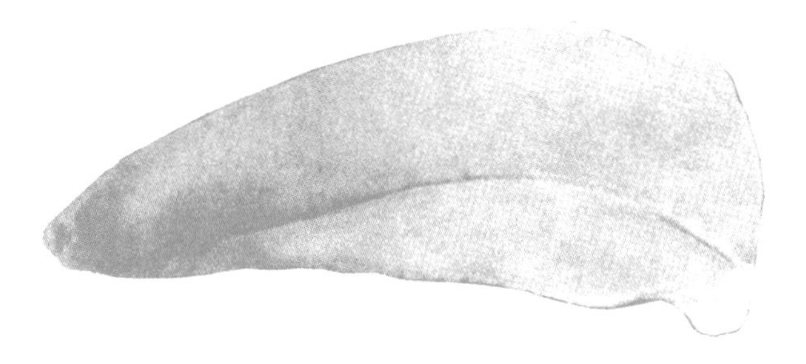

서주(西周)의 마합으로 만든 낫

— 총 16획)라고 하는 청동 농기구가 있었는데 비교적 두껍고 칼날 부분은 넓적하다. 이러한 농기구는 풀을 베는 데 사용했고 처음의 대합이나 돌로 만든 낫 모양에서 발전된 형태로 보인다.

農의 의미는 이제 확실해졌다. 글자의 구조가 약간 복잡하지만 초서체에 근거해 현재 중국에서 사용되는 간체자는 农으로 수정되었다. 이로써 쓰기는 편해졌지만 본래의 의미를 유추해내기에는 형태가 너무 단순화된 것은 아닌가 하는 아쉬움이 든다.

절구杵臼란 무엇인가?

요즘 세상에 절구 보기는 힘들다. 그래서 어떤 물건인지조차 잘 모르는 젊은이도 있다. 하지만 고대에 절구는 식량을 가공하는 데 널리 사용된 기구다. 杵(절구 저)은 형성문자로 문자 연구자들은 午가 杵臼의 杵의 원래 모양이라고 한다.

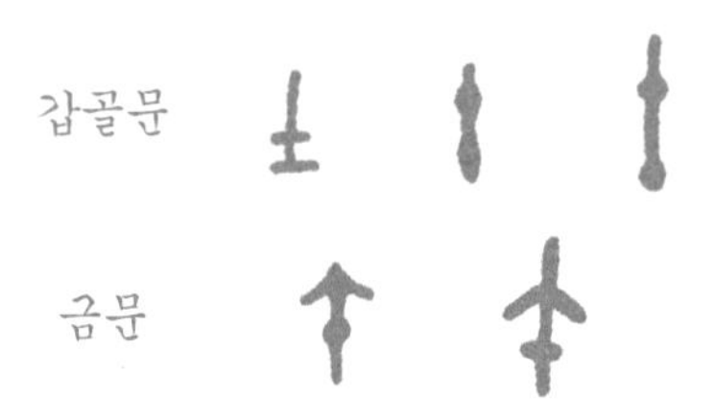

갑골문의 형태로 볼 때, 午는 마치 나무공이杵 형태를 하고 있다.

臼의 고문古文에 나오는 전국 시대의 토기 문양陶文, 석각石刻

고문古文은 마치 절구를 반으로 쪼갠 모양과 흡사하다. 안은 뾰족한 이가 돋은 것처럼 보이는데 어떤 학자들은 이는 절구 내부의 거칠고 고르지 않은 부분을 뜻하는 것이라고 말한다. 또 어떤 학자는 쌀의 형태를 가리키는 것이라고 해석하기도 한다.

인류는 처음으로 농경 사회에 진입하면서 곡물의 껍질을 벗기고 빻아서 부수는 일에 많은 힘을 소비했다. 초기에는 양손으로 비벼서 껍질을 벗기는 방법을 사용하였지만 후에는 돌을 사용하였으며 점차적으로 석판과 연봉碾棒(막대기 형태, 석판 위에 곡식을 놓고 연봉으로 민다 — 역주)을 만들기 시작하였다. 석판과 연봉에 기초하여 절굿공이와 절구통이 만들어졌다.

간략하게 말한다면 臼는 바로 땅에 움푹한 홈을 만든다는 것이다. 고서古書 『역 · 계사易 · 系辭』에서는 "斷木爲杵, 掘地爲臼"라고 말하였다. 뜻인즉 나무를 잘라 절굿공이를 만들고 땅을 파 절구를 만들었다(절구의 내벽은 튼튼한 물건을 깔아놓았다). 훗날 절구는 돌이나 나무로 만들어졌다. 절굿공이는 굵은 나무 몽둥이로 끝 부분은 타원형으로 만들어졌다. 껍질이 있는 곡식을 절구에 넣고 양손으로 절굿공이를 아래로 찧는데 이러한 동작을 舂이라고 말하였다. 이렇게 여러 번 연속하여 마지막에 키질하면 정미淨米를 얻을 수 있다.

갑골문의 春자

마치 양손으로 절굿공이를 들고 절구질하는 모습인 듯하다

절구는 누가 언제 발명하였는가? 이러한 의문점에 대해서 고서에는 여러 가지로 기재되어 있다. 어떤 이는 황제가 발명하였다고 하고 또 어떤 이는 황제의 대신이 발명하였다고 말하기도 하였다. 사실 진정한 발명인은 평범한 백성일 수도 있다. 출토 문물에서 알 수 있듯이 절구의 사용은 이미 4,000여 년의 역사를 갖고 있다. 고대 시문에서는 절구를 사용하는 것이 자주 등장한다. 예를 들어 『시경』에는 "誕我祀如何, 或舂或揄, 或簸或蹂. 釋之叟叟, 烝之浮浮"라고 기록되어 있다. 이는 "제사를 어떻게 지내느냐고 물어보면 어떤 이는 쌀을 찧느라 바쁘고, 어떤 이는 쌀을 퍼내느라 바쁘며, 어떤 이가 절구질 두 번 하면 어떤 이는 쌀겨를 키질하느라 바쁘며, 사락사락하는 소리는 밥 짓는 소리고, 열기가 후끈한 것은 밥 짓는 김"이라는 뜻이다. 시와 노래는 한 폭의 생기 넘치는 생활상을 펼쳐 보였는데 이는 상주商周 시대 절구의 사용이 보편화되었음을 표명하기도 한다.

훗날 옛사람들은 절구를 기초로 하여 '디딜방아碓'로 발전시켰다. 즉 기둥에 굵은 나무 막대기를 올려놓고 굵은 나무 막대기의 절구에 가까운 곳엔 원형 돌이나 나무를 설치한다. 다른 한쪽 끝을 연속적으로 밟으면 돌이 곧바로 오르락내리락하면서 쌀을 찧게 되는데 디딜방아의 원형이 바로 절구였다. 디딜방아는 처음엔 사

절구

람의 힘으로 사용했지만 훗날엔 수력을 빌려 사용하였다. 물레방아는 효율적이고 힘을 더는 쌀 찧는 기계였다. 구조가 간단하고 물의 힘을 빌려 작동하기 때문에 일하는 데 편리를 제공해주었다. 20세기 말에 이르러서도 중국 남방의 많은 시골 마을에서는 여전히 물레방아를 사용하고 있었다.

고대에 절구를 이용하여 쌀을 찧는 것은 단순 육체노동으로 이러한 일에 종사하는 사람은 모두 평범한 노동자들이었다. 그래서 귀천의 신분을 따지지 않고 친구를 사귀는 것을 비유하기도 하였다. 『후한서 · 오우전後漢書 · 吳祐傳』에는 이러한 이야기가 있다. "時公沙穆東游太學, 无資粮, 乃變服客庸, 爲祐賃舂. 祐与語, 大惊, 遂

与共定交于杵臼之間(공사목이 동쪽으로 학문을 닦으러 길을 떠났는데 돈과 식량이 떨어져 변장을 하고 평범한 차림으로 우한테서 품팔이를 하게 되었다. 우는 그와 이야기를 하다 뜻이 통해 절구의 교분, 즉 친구가 되었다 — 역주).” ‘杵臼之交’는 이로부터 유래된 것으로 간략히 ‘杵臼交(귀천이 구별 없는 교제)’라고 말하기도 한다.

가정용 마늘 절구가 바로 소형 절구다

돼지 시豕와 돼지 키우기

돼지고기는 중국인들이 가장 즐겨 먹는 육류다. 그 밖에 돼지의 분뇨는 전통적인 농업에 있어 중요한 비료로 사용된다. 야생의 멧돼지에서 사육이 가능한 양돈용 돼지가 나오기까지 오랜 시간이 걸렸다. 양돈은 인류의 농경 정착 생활과 밀접한 상관관계가 있다. 또한 양돈은 중국식 농촌의 특징이라 볼 수도 있다.

豬(돼지 저, 豕 — 총 16획)는 상고 시대에는 豕(돼지 시, 豕 — 총 7획)라고 부르기도 했으며 고대의 글자 형태는 다음과 같다.

갑골문의 형태로부터 볼 때, 측면에서 본 돼지의 모습을 간단하

게 이미지화했다.

집돼지는 멧돼지가 길들여져 된 것이며 중국은 세계 최초로 양돈을 시작한 국가다. 고고학적 발견에 따르면 이미 9,000여 년 전부터 양돈을 한 흔적을 찾을 수 있다. 최초의 원시 집돼지의 유골은 광시 쿠이린의 신석기 시대 유적에서 발견되었다. 집돼지는 야생 멧돼지와 비교해 체형 면에서 많은 차이점을 보이고 있다. 멧돼지는 먹이를 찾기 위해 자주 땅을 파기 때문에 주둥이가 길고

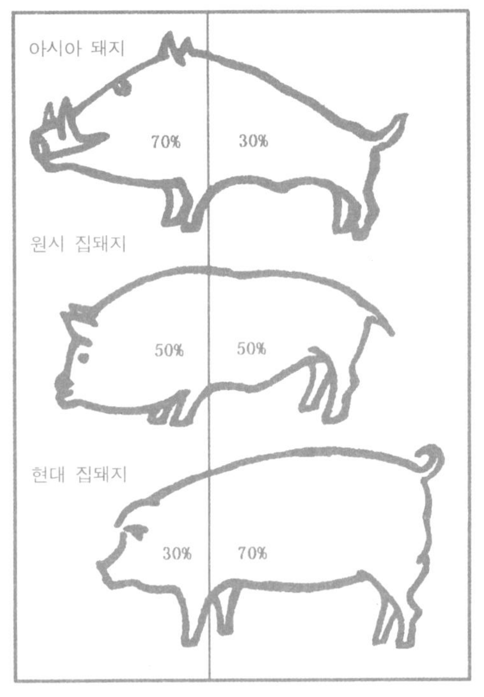

돼지의 진화도

힘이 세다. 엄니가 발달하였으며 머리 부분이 크고 곧게 뻗어 있다. 때문에 상체가 몸길이에 비해 긴 편으로 전체 몸길이의 70퍼센트를 차지하는 반면, 하체가 비교적 짧아 전체 몸길이의 30퍼센트를 차지한다. 하지만 수천 년의 사육 과정을 거쳐 현대의 집돼지는 머리 부분이 현저하게 짧아졌고, 엄니 또한 퇴화되었으며 몸통이 길어졌다. 상체가 몸 전체의 30퍼센트, 하체는 전체의 70퍼센트를 차지한다. 저장 여요현의 하모도 유적에서 출토된 토기에 돼지 한 마리가 그려져 있었다. 그림에서 볼 때, 형태는 아시아 멧돼지와 현대 집돼지의 중간 정도다. 이는 6,000여 년 전의 돼지지만 이미 사육되는 원시 집돼지 단계에 들어섰음을 알 수 있다.

토기 주발(陶鉢)에 그려진 돼지 그림(저장 하모도 유적)

그럼 돼지는 맨 처음 어디서 사육되었을까? "어디긴 어디야 돼지우리지"라고 간단히 말하고 넘어갈 문제가 아니다. 돼지는 말이나 소, 양과는 달라 방목엔 적합하지 않다. 그래서 옛사람들은 돼지를 우리에 가두고 사육하였다. 갑골문에 口자에 豕를 결합시킨 글자를 학자들은 이를 圂, 즉 돼지를 사육하는 우리라는 뜻으로 해석했다. 『시경 · 대아 · 공유詩經 · 大雅 · 公劉』에는 "돼지를 길들이려면 우리에 가둬라"라는 시구가 있다. 이는 곧 상주 시대부터 돼지를 우리에 가두어 사육했음을 의미한다. 그렇다면 우리 사육과 인류의 정착 생활이 무슨 관계가 있는가? 家(집 가)의 고대 문자 형태를 살펴보면 알 수 있다. 이 글자의 모양은 집 아래 宀 돼지 한 마리(豕)가 누워 있는 것을 표현한 것이다. 요즘 家자를 떠올리면 흔히 인류와 관련이 있는 글자로 여겨진다. 하지만 상고 시대의 家자는 豬(豕)와 관련되어 있었다. 돼지를 방 아래에서 사육한다. 이는 돼지 사육과 인류의 주거 공간이 밀접한 관계가 있다는 것을 설명한다.

어떻게 돼지를 집에서 키울 수 있을까? 저장 하모도 유적에서 수많은 난간식幹闌式 집의 흔적이 발견되었다. 이러한 건축은 우선 말뚝을 박고, 말뚝 위에 밑판을 받쳐주어 공간을 만든다. 다시 그 위에 기둥을 세우고, 지붕을 얹어 집을 완성한다. 조사 결과에 따르면 이러한 집의 기둥은 길이가 약 260센티미터로 지면보다 위로 80~100센티미터 정도 높게 지어졌다. 이런 난간식 집은 습기의 피해를 최소화하기 위해 지어진 것으로 그 아래 공간에는 돼지를 키우기에 적합했다. 현재 중국 남부의 많은 지역에서는 아직도 이런 난간식 집에서 가축을 키우고 있다.

家(집 가, 宀 — 총 10획)자를 만들어낼 때 아마 '돼지(豕)가 있고 없고'를 중시한 것 같다. 돼지는 심지어 신분을 결정하는 기준이기도 했다. 이렇게 돼지(소나 양 등 다른 가축도 마찬가지다)는 가정에 없어서는 안 될 재산으로 여겨졌다.

돼지가 왜 그렇게 중요했을까? 이는 중국인의 전통적인 식습관, 그리고 전통적인 농업 방식과 연관이 있다. 식습관을 볼 때, 고대 중국인들은 일상적으로 옥수수나 쌀을 주식으로 삼았는데 이것만으로는 단백질이 부족했다. 이에 돼지를 키워 해결하였다. 닭이나 오리와 같은 가축들은 그 수량이 부족했고 소나 양, 어패류도 초원이나 강, 호수 등이 근처에 있어야 사육이 가능했기에 한계가 있었다. 흔히 어미지향(魚米之鄕, 쌀과 고기가 풍부한 지역 — 역주)이라 일컬어지는 지역에서도 양돈은 비료 문제를 해결해주었다. 제아무리 풍부한 어패류도 이는 해결할 수 없었다. 중국 전통 농업 생산 방식에서 가장 심각한 문제는 바로 비료였다. 무기 비료(광물질의 비료나 초목의 재 따위 — 역주)의 사용량은 적었고 풀이나 나뭇재, 조개껍데기를 구하는 일은 어렵지 않았다. 토양에서 부족한 질소(동식물 단백질)는 반드시 보충되어야 했으나 고대에는 질소 비료가 없었기 때문에 유기 비료의 공급은 양이나 돼지의 퇴비로 해결하였다.

豕와 비교해볼 때, 猪는 나중에 만들어진 것으로 회의會意문자이자 상형문자다. 정자체는 豬로 현재 중국어에서는 豕의 간체자를 犭로 하고 있어 중국어 간체자로는 猪라고 쓴다.

豕는 대부분 돼지와 관련이 있다. 예를 들어 豚(돼지 돈, 豕 — 총 11획)의 본뜻은 새끼 돼지를 뜻하는 것이며 豪(호걸 호, 豕 — 총 14획)의 본래 뜻은 '큰 돼지'인데 그 뜻이 변화되어 영웅호걸의 豪杰(호걸), 그리고 더 나아가 횡포 부리고 기세 높은 사람을 뜻하는 의미가 되었다. 즉 토호(호족, 지방에서 재산이 많은 세력가와 그 일족을 가리키는 말)를 뜻한다. 豢(기를 환, 豕 — 총 13획)의 본래 의미는 울타리를 치고 양, 돼지, 개에게 먹이를 준다는 뜻으로 훗날 동물을 사육하는 것을 뜻하게 되었다.

소 우牛로 알아보는 소의 사육

소는 친숙한 가축 중의 하나다. 길들인 소는 밭을 갈고 또는 수레를 끌며 쇠고기, 쇠가죽, 우유를 제공한다. 소는 이처럼 인류의 생활과 밀접한 관계가 있다. 특히 농사에 쓰인 소는 의미가 크다. 중국 전통 농업의 형성과 발달에 큰 영향을 미쳤기 때문이다.

牛의 고대 문자 형태는 다음과 같다

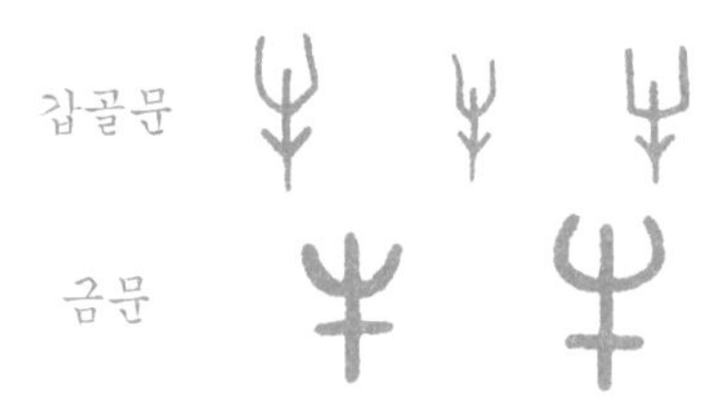

고대 글자 형태로 놓고 볼 때, 두 뿔은 위로 향한 소머리를 정면에서 보고 간략화한 그림과 흡사하다.

중국에서 일반적으로 말하는 소는 황소다. 그러나 농삿소는 한

물소 머리뼈(은하 유적)

국과는 달리 두 종류다. 바로 황소와 물소를 말한다. 황소와 물소는 생물학적으로 볼 때 다른 부류에 속하는 동물이라 서로 교배하지 못한다. 황소와 물소는 모두 중국에서 자체적으로 길들인 뿔 달린 대형 가축이라 할 수 있다.

고고학 자료에 따르면 허난, 산둥, 내멍구, 간쑤 등의 신석기 시대 유적에서 모두 소뼈를 발견했다. 저장 하모도 유적에서는 물소의 뼈가 나왔다. 물소의 사육은 중국에서 이미 7,000여 년의 역사를 가지고 있음을 설명한다.

우리가 말하는 갑골문에서 갑은 거북 등껍질 갑甲이고, 골은 소뼈 골骨이다. 허난 안양의 은허殷墟에서 대량의 짐승 뼈가 출토되었는데 대부분 소의 견갑골이었다. 상나라 때도 제사를 지낼 때는 많은 소를 제물로 바쳤다. 최소 수십에서 수백 마리, 심지어는 1,000마리 넘게 사용했다는 기록도 있다. 어느 생물학자의 연구에 따르면 안양 은허의 포유동물 유물에는 소와 물소 종류가 있다고 한다. 라틴어로 하면 각기 Bos exiguous, Bubalus mephistophele 이다. 전자는 소(즉 지금의 황소), 후자는 물소다. 소 종류의 뿔은 비교적 동그랗고 앞으로 많이 구부러졌다. 물소 종류의 뿔은 좀 넓고 납작하다. 두 소의 겉모습은 완전히 다르나. 출토된 유골로 볼 때 안양 은허의 물소는 1,000마리 이상이었고, 소(은우殷牛라고 부르기도 한다. 은 시대, 즉 고대의 소 품종으로 현재의 황소와 흡사—역주)는 100마리 이상이었다. 은상殷商 시대에는 물소가 은우보다 훨씬 많았다는 것을 알 수 있다. 즉 은상 시대에 주로 사육된 소는 바로 물소라는 말이다(장즈지에, '은상 시대의 가축에 관한 고찰', 『자연과학사 연구』 1998년 4기 참조).

갑골문의 牛자는 물소와 은우 중 어느 소를 가리킬까? 물소가 가축으로 사육되면서 두 뿔이 알파벳 U자형으로 구부러져 흡사 갑골문의 牛자와 모양이 같다. 이 때문에 많은 학자들은 갑골문의 牛자는 물소에서 비롯되었다고 한다.

소는 상주 시대에 대량으로 사육되었다. 당시에는 말보다 소중한 가축이었다. 『시경・소아・무양詩經・小雅・無羊』에서 "누가 양이 없다고 하는가? 300의 무리를 이끌고 있네. 누가 소가 없다고 하는가? 90의 무리를 이끄네. 양을 생각하니 서로 뿔을 부딪치는 소리가 들린다. 소를 생각하니 소가 오는 소리가 들린다. 비가 내리기도 하고 연못 물을 마시기도 하고 들판에서 잠을 자며 이동하

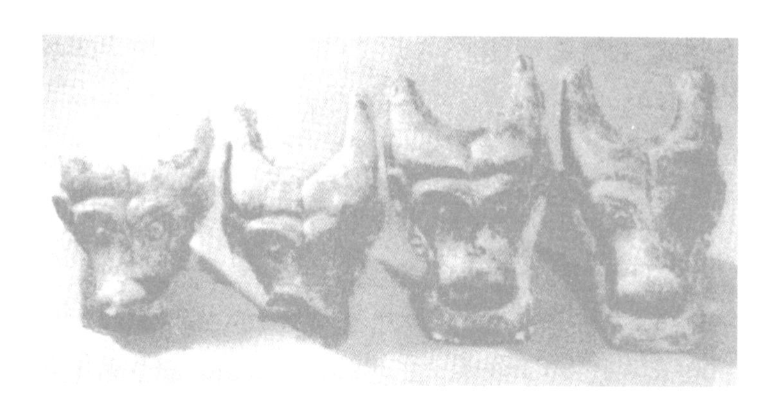

상청동우면

네. 유목 생활을 생각하니 그 무엇이 부담스러운가……"라고 소와 양이 무리를 지어 들판의 풀을 뜯고, 물을 마시며, 유목민들에게 길러지는 모습을 생동감 넘치게 묘사했다.

상주 시대에는 왕실, 귀족과 민간에서 모두 소를 중시하였다. 귀족들은 옥돌로 소를 조각하여 순장품으로 사용했고, 청동 제기에도 소머리 문양 장식이 자주 사용되었다. 심지어는 방 안의 모든 장식품을, 소를 주제로 제작하기도 했다. 허난 안양 부호 묘에서 출토된 두 점의 돌로 만든 소 조각 중 한 점은 큰 뿔이 위로 향하면서 안으로 구부러진 형태로 물소의 뿔과 비슷하다. 당시 안양 일대의 기후는 지금보다 훨씬 따뜻해 물소를 기르기에 적합했을 것이다.

나중에 물소는 그 개체 수가 점점 줄어들었다. 아마 춘추 시대 후기쯤 짐소Bostaurus가 기존의 물소를 대신했을 것이다. 기후의 변화와 짐소가 물소보다 길들이기 쉬워 대량으로 번식되었을 가능성

토기 우차

이 있다.

소를 잘 부리기 위해 고대인들은 소의 코를 뚫어 코뚜레를 끼었다. 산시 훈위엔리위촌에서 한 점의 청동우상靑銅牛像이 출토되었다. 이 청동우상의 코에는 코뚜레가 끼어져 있다. 아마 춘추 전국 시대에는 집소에게 코뚜레를 끼는 것이 보편화되었을 것이다. 코뚜레가 동물 학대라고 잔인하다 욕할 일만은 아니다. 만일 코뚜레가 없었다면 인류가 어떻게 소에게 순순히 쟁기와 수레를 맬 수 있었겠는가? 이는 중국 농경문화 발전에 영향을 끼친 큰 사건이라 볼 수 있다.

양 양羊자로 이야기하는 양 길들이기

양은 낯익은 동물이다. 그리고 그 품종 또한 매우 다양하다. 가축으로 양은 크게 면양과 산양을 말한다. 양은 성질이 온순해 사람들의 귀여움을 받고 또 고기, 젖, 가죽, 털 따위를 제공한다. 이처럼 쓰임새가 많은 양을 옛사람들은 길조吉兆로 여겼다.

고대 羊의 글자 모양은 다음과 같다.

고대 글자 모양으로 볼 때 羊은 양의 두 뿔과 긴 얼굴을 형상화한 것이다.

양은 고대 중국인들이 비교적 일찍부터 길들인 가축 중 하나다.

그 온순한 성질 덕에 일찍부터 사육되었다. 약 8,000년 전의 허난 페이리강裴李崗 유적에는 양의 이빨, 머리뼈, 그리고 토기로 만든 양의 머리가 발굴되었다. 약 7,000년 전의 간쑤 태안 타티완大地湾 유적에서도 10여 개의 양 머리가 발굴되었다. 곧 중국이 아주 오래전부터 양을 사육했다는 증거다.

그렇다면 중국(특히 중원 지구)의 면양은 어디에서 왔을까? 이 문제에 대해 일찍부터 학계의 논쟁이 분분했다. 최근 들어 고대 문헌의 기록과 첨단 과학기술로 분석한 결과(동물의 염색체 비교) 중국의 면양은 대륙의 구판양古盤羊(양의 품종 — 역주)으로부터 왔고, 처음에는 서부 지역의 서강족에 의해 사육되었다. 당시 길들여진 면양을 강양이라 부른다. 민족의 형성과 이동, 융합 과정에서 강양은 전 중국 지역에 퍼지게 되었다. 일부 강양은 독립적으로 생존하고 중앙아시아의 즈웨이양脂尾羊(양의 품종 — 역주)과 교배하지 못해 지금도 나선형 뿔과 짧고 얄팍한 꼬리라는 특징을 가지고 있다. 오늘날 간쑤, 칭하이, 시장 등에 분포되어 있는 면양은 나선형 뿔과 짧은 꼬리를 가졌다. 그러나 시엔난, 쓰촨, 윈난 등의 양은 아직도 얄팍한 꼬리라는 특징을 가지고 있다. 기타 지역의 양들은 중앙아시아의 즈웨이양과 교배하여 다양한 꼬리 모양을 갖게 되었다(바오우칭, 『판양盤羊에 관하여』, 『농업고고』 2000년 제1기 참조).

양은 길들여진 이후 중요한 식량 자원뿐 아니라 제물과 순장품으로도 사용되었다. 고대 서적인 『하소정夏小正』에는 이런 기록도 남아 있다. “2월……고운 새끼 양.” 『시경 · 빈풍 · 칠월』에는 “새끼 양으로 제물을 바친다"라는 구절이 있다. 은허에서 출토된 점괘 유물에서도 제물로 양을 수백 마리, 심지어 수천 마리를 썼다는 기록을 찾을 수 있다. 『시경』에는 13편의 작품에서 양에 대해 묘사했다. 『소아 · 무양』에는 "누가 양이 없다고 하는가? 300의 무리에 이른다"고 노래했다. 이는 당시 방목하던 한 무리의 양 떼가 300마리에 달한다는 말로 서주 시대에 목축업이 얼마나 번성했는지를 보여준다.

양은 성질이 온순해서 옛사람들이 특히 선호하는 가축이었다. 그래서 양의 모습을 장식품으로 만들기도 했다. 출토된 유물 중에는 양의 모양으로 정교하게 장식된 상나라 때의 청동기도 볼 수 있다. 후난 영향에서 출토된 사양방존四羊方尊(사방에 양 머리가 달린 그릇의 일종 — 역주)은 아주 귀중한 예술품이다. 이 유물의 몸체는 네 마리 양의 상반신으로 장식되었다. 양 머리의 두 뿔이 휘어진 것으로 보아 면양의 모습을 본뜬 것으로 추정된다. 그러나 턱 아래에 수염이 있는 것을 보면 산양 같기도 하다. 매우 정교하고 화려하게 만들어진 유물로 후난 지역의 청동기에는 양을 장식하는 것이 유행한 것으로 보인다. 또한 이는 상나라 때 남방 지역의 양 사육이 발달했음을 의미한다.

고대 기물에는 吉羊이라는 두 글자를 자주 보게 된다. 이 羊은 바로 후세의 祥(상서로울 상, 示 — 총 11획)이다. 羊, 祥은 길상吉祥을 의미할 때 비슷한 글자로 사용 가능하다. 나중에 좀 더 명확하게 의미를 표시하기 위해 글자 羊 앞에 示변을 더하여 祥자를 만들었다. 길하다는 의미로 쓰인다. 어휘 중에는 羊자가 자주 사용된다. 의미는 모두 양과 관계있다. 羌(종족 이름 강, 羊 — 총 8획)자는 양羊과 인人에서 나온 글자로 본뜻은 중국 고대 서부 지역 유목민에 대한 호칭이다. 이 민족은 양을 토템으로 한다. 또 姜(성 강, 女 — 총 9획)은 羊과 女자에서 온 것으로 이는 성씨로 사용된다. 저명한 학자 구지에강은 이런 말을 했다. "羌자와 姜자는 동일한 자원字源에서 나왔다. 羌彼족이 양을 토템으로 하기에 성은 姜이고 종은 羌이나"(구지에강, 『고대 서적 속의 중국 서부 민족 — 강족』, 『사회과학전선』 1980년 제1기 참조). 또 羔(새끼 양 고, 羊 — 총 10획), 본은 새끼 양이다. 후에 어린 동물을 가리키기도 했다. 群(무리 군, 羊 — 총 13획), 본뜻은 양 떼다. 후에 사람과 물건이 모인 것을 가리켰다. 美(아름다울 미, 羊 — 총 9획), 본뜻은 맛있다는 뜻이다. 후에 좋다, 아름답다 따위의 의미로 확대되었다. 지금은 사용 빈도가 아주 높은 글자다.

말 마馬로 알아보는 고대의 말 사육

말 또한 인류의 오랜 친구다. 말은 소와 같이 일을 할 수 있을 뿐 아니라 훈련을 거친 후 전쟁에서도 사용할 수 있다. 말은 소나 양보다 늦게 길들여졌다. 그러나 말에 대한 엄청난 수요는 말의 번식과 사육을 발달시켰다.

고대의 馬자는 다음과 같다.

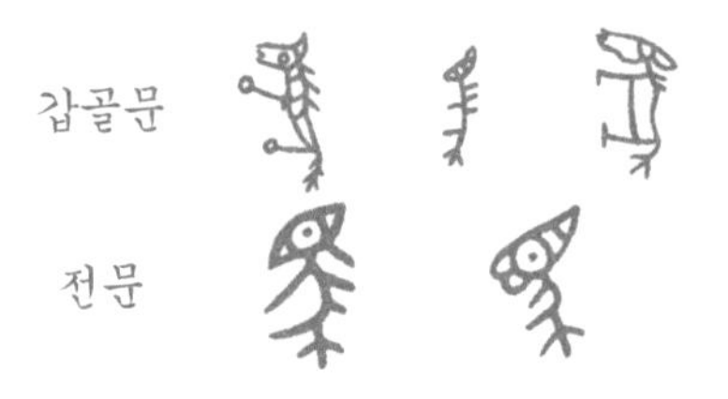

말의 고대 문자 형태는 한 폭의 옆모습 그림과 비교할 수 있다. 소나 양이 정면의 모습을 이미지화시킨 점에 비해 대비가 뚜렷하다. 학술계에는 말의 사육 시초에 대한 다양한 이론이 있다. 어떤 사람은 박씨薄氏 야생마로부터 진화한 것이라 하고, 어떤 사람은 박씨 야생마는 아시아 유일의 마종 동물이며, 몽골 말과 외형이나 골격 구조 면에서 큰 차이가 있어 몽골 말의 조상이라 할 수 없다고 하기도 한다. 소위 박씨 야생마의 특징은 몸체가 작고, 머리가 크며, 다리가 짧고, 꼬리가 길며, 갈기와 귀가 곤두섰다. 이 말은 1950년대에 멸종 위기에 처했다. 지금은 유럽과 베이징의 동물원에 소수만 살아남있다. 20세기 말, 옛날처럼 개체 수가 늘어나기를 바라는 마음에 국제 협력을 통하여 한 무리의 박씨 야생마들이 몽골 초원으로 돌려보내졌다.

말 길들이기와 사육이 소나 양에 비해 늦은 이유는 말의 성질이 거칠어 길들이기 쉽지 않아서다. 고고학 자료에 따르면 산둥 리청 청즈야룽산 문화 유적에서 말의 뼈가 출토되었다. 유적은 지금으로부터 약 5,000년 전의 것으로 추정되니 당시 이미 말이 사육되었음을 증명한다.

말은 힘이 세고 지구력이 좋으며 달리는 속도가 빠르기에 옛사람들이 말을 타고 다니거나 사냥하는 데 많은 편리함을 주었다. 두 바퀴 마차의 발명 이후 말은 더욱 쓰일 곳이 많아졌다.

주나라 시대의 왕족과 귀족들은 사냥을 즐겼다. 당시 사냥은 모두 말이 끄는 마차를 타고 진행되었다. 『시경』에는 많은 왕족과 귀족이 마차를 타고 사냥하는 모습이 묘사되었다. 『정봉 · 대숙우전鄭風 · 大叔于田』에는 이런 구절이 있다. "숙위전, 말을 타자. 고삐를 당기니 두 마리의 말이 춤추듯 달린다." 시구 중의 轡(고삐 비, 車 — 총 13획)는 말의 고삐이고, 驂(곁마 참, 馬 — 총 11획)은 마차의 양옆에 묶인 말을 뜻한다. 『진풍 · 사철秦風 · 駟驖』에는 진환공과 대신들이 말을 타고 사냥하는 모습이 묘사되어 있다. "강철처럼 번쩍이는 말갈기, 6개의 고삐가 한 손에, 눈썹이 휘날리게 사냥해보세." 시구 중의 사철은 마차에 매인 네 마리 말의 털 빛깔이 강철의 빛깔 같다는 뜻이다.

춘추 시대는 전쟁의 역사였다. 각국의 말에 대한 수요가 급증했다. 말과 전차의 수량은 한 나라의 경제력, 군사력을 의미했다. 한때는 '백승지국百乘之國'이니 '천승지국千乘之國'이라는 말이 유행했다. 한 대의 마차를 가리켜 일승一乘이라 칭한다. 마차 한 대에 말 네 필이 필요하니 각국에서 기르던 말이 몇 마리인지 대충 계산이 나온다. 춘추 시대의 말 사육 상황은 고고학 유물로 증명할 수 있다. 산둥성의 제나라 유물에서 발굴된 제경공의 순마갱에는 600여 필의 말이 순장되었다. 감정 결과, 순장된 말은 모두 6~7년 된 건장한 전마戰馬로 체형이 크고 그 몸집이 서로 비슷하여 순장을 위해 정성껏 고른 것을 알 수 있다. 이로 보아 제나라의 말 사육 상황이 얼마만큼 번성했는지 알 수 있다.

이런 말에 대한 수요는 말의 사육을 발달시켰다. 또한 말의 몸집에 대한 인식도 발달했다. 말을 기르는 경험에서 옛사람들은 말의 몸 생김새와 생산 기능 사이의 일정한 관계가 있다는 것을 알게 되고 말에 대한 지식도 축적하게 되었다. 춘추 전국 시대에는 전문적으로 말의 형태를 연구하는 전문가가 생겨났으며 능히 말의 털색, 이빨, 골격, 근육, 표정, 발굽의 상태를 보고 말의 우열을 구분해냈다.

진한 시대에 이르러 군사와 동력의 수요로 인하여 국가는 말의 사육을 특별히 중시하게 되었다. 진나라는 전문 목축업 관리 기구를 만들고 마정 조례를 제정했으며 태부경太仆卿(벼슬 이름 — 역주)이 국마를 관리하게 하였고, 중국 최초로 관련 법률인 『구원율廐苑律(마구간법 — 역주)』을 제정했다. 진나라는 주로 몽골 말을 사육하였다. 방목과 가두어 기르는 방법을 병행했고, 곡식을 주 사료로 하였다. 구유를 나누어서 한 마리씩 길렀고 전문 인력이 사육을 책임졌다. 밤에 사료 주는 것을 중요시해 정해진 시간에 정해진 양의 사료를 상황에 맞게 먹여 길렀다.

한나라에 이르러 말 사육법은 또 한 차례 발전했다. 한무제는 대량으로 전마를 사육했으며 일반 백성들에게도 말을 기르게 했다. 전국 각지에 많은 마원馬苑(말 사육장 — 역주)을 건립하고 말과 관련된 법령을 발표하였으며 품종을 개량하고 서역에서 우수한 종자를 들여왔다. 『사기 · 대완렬전』에는 이런 기록이 있다. "신마神馬가 서북에서 오니 우손이 천마天馬라 했다. 또한 대완한혈마를 얻었다. 이름을 고쳐서 우손마 또는 서극이라 하고 대완마는 천마라 한다." 한무제는 태초 원년(공원전 104년)에 대완으로부터 '좋은 말 수십 필, 중간 아래의 암말 3,000여 필'을 얻었다. 외부에서 온 우수한 품종의 말은 중국 말의 품종 개량에 중요한 역할을 했다. 말을 좀 더 잘 키우기 위해 서한 정부는 또 대완으로부터 양질의 사료용 풀을 들여왔다. 이는 중국 목축사에 중대한 사건 중 하나로 볼 수 있다. 말 사육이 번창하면서 한나라 때는 말 고르는 기술도 발달했다. 동으로 우수한 말의 표본을 제조했다. 명장 마원이 만든 높이 3척 5촌, 둘레 4척 4촌의 동마는 낙양궁 안에 있다. 이 모형은 누구에게나 개방되었으며 좋은 말의 표본을 인지하고 연구하는 데 큰 역할을 했다.

숙菽의 유래

菽자는 옛날에는 자주 쓰이던 글자였다. 그러나 지금은 그 사용 빈도가 많이 줄었다. 菽자를 처음 볼 때는 조금 낯설 수 있지만 한마디로 잘라 말하면 菽은 곧 콩을 뜻한다. 바로 우리가 늘 먹는 그 콩 말이다.

그럼 예전에는 어째서 콩을 菽이라 했고 어느 시대에 이르러 그 글자와 독음에 변화가 생겼나 궁금하지 않은가?

菽은 나중에 완성된 글자다. 맨 처음의 글자 형태는 '그림'이다. 콩의 형태와 같다. 또한 尗(숙)이라고도 한다.

금문의 형태는 아래와 같다.

어떤 학자는 금문의 菽은 손으로 콩깍지를 뜯는 모양이라 했다.

왼쪽 아래의 삼수변은 콩 뿌리의 가닥가닥을 뜻한다고 한다.

菽은 고대의 대두大豆다. 고대 글자는 그림(shu로 읽는다)이고, 동한 때의 학자 허신許愼은 『설문해자』에서 이렇게 해석했다.

“그림, 콩이다. 그 형태는 콩을 닮았다.”

청나라 때의 주준성朱駿聲은 『설문통순정성』에서 다음과 같이 말한다.

“고대에는 그림, 한대에는 콩이라 하고, 지금은 菽이라 한다.”

한나라 이후 叔은 숙백叔伯에서 아저씨를 지칭하는 말로 사용했기에 일부러 풀초변을 더하여 菽자를 만들어 두류의 식물 명칭으로 했다. 또 나중에 豆(본뜻은 고대의 그릇이다)를 빌려 콩과 식물의 명칭으로 하였다. 사람들은 점차 습관적으로 콩 豆자를 사용하고 숙은 천천히 사라지게 되었다(뒷장에 나오는 “이 두豆는 그 콩 두豆가 아니라는데?” 항목 참조).

대두에 대해 이야기하자면 원산지는 중국으로 현재 세계 각국의 콩은 직접 혹은 간접적으로라도 중국에서 전해진 것이다. 해외의 콩에 대한 명칭은 거의 콩의 중국 이름 菽의 독음을 땄다. 예를 들면 라틴어로 soja, 영어로 soy, 프랑스어로 soya, 독일어로 soja 등이다.

야생 대두는 중국 전 지역에 고루 분포되어 있고 황하 중류 강가 지역에서는 매우 번식이 빠르다. 지금도 채집되어 식용과 사료용으로 사용된다.

『시경 · 대야 · 생민』에는 주족周族의 선조인 기弃가 어릴 때부터 농사일을 잘하고 콩을 심을 줄 알아 후에 요 임금으로부터 농업

야생 대두

대신직을 맡아 후위가 되었다는 기록이 있다. 시구의 荏(들깨 임) 菽은 곧 깨와 콩을 뜻한다. 藝(재주 예, 艸 — 총 7획)의 본뜻은 '재배, 심다'라는 의미로, 시구의 藝在荏菽은 즉 '대두를 심다, 재배하다'라는 의미가 된다. 이 이야기는 『사기 · 주본기』에 기록되어 있다.

만일 이런 기록이 신빙성이 있다면 지금으로부터 4,000년 전 요 임금 시대부터 중국은 대두를 재배했던 것이다.

재배하는 대두는 야생 대두와 비교하여 종자가 좀 더 크고 유분이 많으며 줄기는 덩굴로부터 곧게 섰으며 그루도 실해졌다. 점차적으로 대두는 옛사람들의 오곡 중의 하나가 되었다. 식량인 동시에 영양이 풍부한 먹을거리였다.

중국의 대두 재배의 기원지에 대하여 어떤 학자는 남에서 북으로의 야생 대두 분포로 보아 '다기원지'의 관점을 제기하였다. 그러나 야생 대두가 자라는 지역이 꼭 대두 재배의 기원지라 할 수는 없다. 왜냐하면 야생 대두는 반드시 인간의 손을 거친 재배 순화를 거쳐야 재배 대두가 되기 때문이다. 따라서 많은 학자들은 문헌 연구와 현재의 고고학 자료를 기초로 재배 대두의 기원을 중국 북방 지역으로 보고 있다(구어원타오, 『중국 콩 재배 기원 문제에 관하여』, 『자연과학사 연구』 1996년 제4기 참조).

대두의 영양상의 특징은 단백질(30% 이상)이 풍부하며 아미노산의 구성이 우수하다는 데 있다. 중국은 예부터 쌀, 밀을 주식으로 해왔다. 이는 모두 전분을 주로 하는 식품이다. 대두를 통해 단백질을 보충하였고 그제야 균형 잡힌 섭생을 하게 되었다. 이 점만 보더라도 대두는 중국 민족의 발전에 적지 않은 공을 세웠다.

보리 맥麥의 유래

麥은 옥편에 보리 맥으로 나온다. 넓게 보면 맥은 밀과 귀리, 보리 등을 모두 통틀어 말한다. 이 장에서 이야기할 麥은 밀 맥을 의미한다. 밀은 중국인의 주식이다. 밀 재배 문화는 중국 북방 농업의 확실한 특징이다.

麥의 간체자는 麦이다. 글자의 구조에는 1개의 來(올 래{내}, 人 ― 총 8획, 간체는 来)자가 있는데 이는 곡류 작물을 대표하는 글자다.

고대의 麥의 글자 형태는 아래와 같다.

중국 초기의 볏과 작물을 지칭하는 한자 중에서 모두 禾(벼 화, 禾—총 5획)자 변이 있다. 기장, 조, 벼 등이다.

고문학 학자들은 갑골문의 來는 상형문자로 보고 있다. 아래로 드리운 잎, 곧게 솟은 이삭과 같은 모양으로 보아 이는 밀을 대표하는 글자라 볼 수 있다.

밀은 중국 고대의 오곡 중 하나다. 고대 서적의 기록된 바에 따르면 맥에는 보리와 밀을 포함한다. 농업사 전문가의 연구에 따르면 밀 종류는 황하 중·하류 유역에서 재배되었으며 기장, 조, 벼보다 늦게 재배된 것을 보아 늦게 들여온 것으로 추정된다.

중국에서 발견된 유적 중 가장 오래된 밀의 흔적은 신장 지역 유적에서 찾아볼 수 있다. 지금으로부터 3,000년 전의 공작하변의 고대 묘지에서 순장품으로 사용된 밀이 발견되었다. 고문서를 종합해보면 밀 종류를 중국 서북 지역의 소수 민족이 재배했음을 알 수 있다. 예를 들어 전국 시대에 완성된 『목천자기』에 의하면 주 목왕이 서쪽 지역을 유람할 때 신장, 칭하이 일대의 부락에서 제공한 것은 소, 말, 양, 그리고 조와 밀이었다고 한다. 『한서·조충국전』과 『후한서·서강전』에도 강족이 밀을 심은 것을 기록하였다. 서아시아는 국제 역사학계가 공인하는 밀의 원산지다. 밀은 아마 신장, 허황의 경로를 통해 중원 지역으로 들어왔을 것이다(량쟈미엔, 『중국농업과학기술사고』, 농업출판사 참조). 문헌 기록에서 알 수 있듯이 대량으로 밀이 재배된 것은 춘추 시대부터다.

이전에 보리의 원산지를 국제적으로 서아시아로 인정했다. 그러나 최근 중국 학자들이 칭장 고원에서 야생 두각보리, 야생 육각보리, 육각보리와 중간 형태의 야생 보리를 발견했다. 실험을 통하여 두각짜리 야생 보리가 재배 밀의 원종임이 밝혀졌다. 따라서 중국의 서남 지구가 보리의 원산지일 가능성이 높다. 『고당수·투판전』의 기록에 따르면 고대의 장족은 "밀이 여물 때를 한 해의 시작으로 한다"고 했다. 이는 중원의 화하족華夏族이 조가 여무는 시기를 1년이라 했다는 것과 비슷하다. 천문력이 생기기 이전에 작물의 재배를 계절에 맞추는 것이 시작되기 전에 형성된 시간의 흐름을 판단하는 방법이었다. 아마 장족이 제일 먼저 재배했던 작물 중 하나가 밀이었을 것이다. 『시경·주송·사문』에서 "나에게 밀을 준다면 잘 키워보겠다"는 구절이 있다. 이 구절을 통해 보리와 밀은 소수 민족에게 재배되다 중원으로 흘러 들어옴이 증명된다.

글자 모양의 변화도 매우 흥미롭다. 명사 來(원 글자는 麥)는 후에 동사 行來(오고 가다 — 역주)의 來로 나왔다. 來자 밑에 글자를 더해 麥을 만들어 동사로 오고 가다의 의미를 나타냈다. 오랜 시간을 거쳐 글자의 뜻은 서로 뒤바뀌었다. 來는 동사로, 麥자는 반대로 명사가 됐다. 그리고 세월을 거쳐 그 의미가 익숙해지게 되었다.

재미난 이야기가 하나 더 있다. 面과 麵은 서로 다른 글자다. 중국어에서 본래 面은 얼굴을, 麵은 밀가루를 뜻했다. 그러나 두 글자의 발음이 동일해 요즘 중국어에서는 밀가루도 面으로 쓴다. 간체자도 마찬가지다. 오랜 세월 습관적으로 쓰다 보면 모두가 익숙해진다. 그러나 타이완 지역에서는 아직도 정자체 麵을 사용한다. 또 노인들도 두 글자를 엄격하게 구분해 사용한다. 타이완의 한 노인이 대륙의 친척 집을 방문했을 때의 일이다. 친척들은 노인에게 특별한 국수를 대접하고자 삭면削面(칼로 깎은 면 — 역주)집에 데려갔다. 노인은 가게의 간판을 보자마자 매우 화를 내며 돌아섰다. 이유는 削面이 '체면을 깎다'라는 의미로 타이완에서 쓰이기 때문이다. 체면을 깎는 국수를 어찌 먹겠는가?

비록 우스갯소리에 지나지 않지만 한자의 심오함을 알게 해주는 이야기다.

뽕나무 상桑자에서 배우는 고대의 뽕나무 재배

桑, 뽕나무를 뜻한다. 중국은 세계에서 가장 먼저 뽕나무를 재배해 누에를 키운 나라다. 상나라 때 뽕잎을 모으는 일은 부녀자들의 중요한 업무 중 하나였다. 갑골문, 금문에서도 桑자를 찾아볼 수 있다.

桑은 주로 은허 시대의 점괘에서 쉽게 발견된다. 아마 농업과 양잠업의 발전을 위해 기도하던 제례 의식에 사용되었을 것으로 추정된다. 또한 옛사람들이 어떤 방법으로 뽕잎을 재배해 누에를 키웠는지 많은 정보를 알려준다.

桑, 낙엽소교목 또는 관목으로 중국 남・북방 지역에 균일하게 서식한다. 뽕나무 잎은 누에의 먹이가 되고 나뭇결이 고와 여러 도구를 만드는 데 사용된다. 또 뽕의 열매인 오디는 술을 담그는 식용으로도 사용된다.

고대의 사전인 『설문해자』에 따르면 "桑, 누에가 먹는 나뭇잎이다. 뽕나무에서 왔다"고 되어 있다. 또 "桑, 동방의 연못에서 해가 떠오를 때 이 상나무에 걸린다. 모양은 상나무 桑과 닮았다"고도 한다. 근대의 유명한 학자 원이타오가 처음으로 桑자에 대한 해석을 내놓았다. 그는 "桑, 뽕나무를 가리킨다"고 했다(원이타오, 『釋桑』 참조).

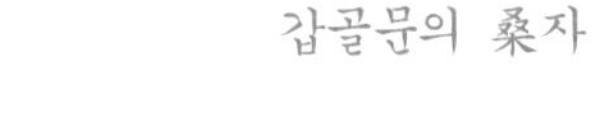
갑골문의 桑자

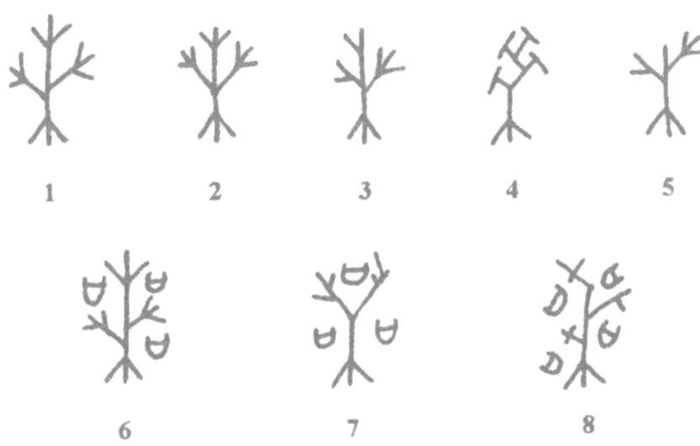

6~8의 정방형 그림은 뽕잎을 모으는 소쿠리를 의미한다

뽕나무

갑골문에는 桑자가 20여 군데 등장한다. 그 모양은 각각 다른데 크게 두 종으로 나눈다.

모양으로 분석하자면 갑골문의 桑자 1~5는 나뭇가지가 짧은 나무를 의미한다. 가지는 여러 갈래로 키가 작으며 가지를 많이 치는 방식으로 성장하는 종인 것 같다. 아마 오늘날의 저간상 혹은 지상이라 불리는 품종일 것이다. 갑골문의 桑자 6~8은 키가 큰 종에 속하며 두 개의 큰 가지로 나뉘는 형태로 고간상, 또는 수상이라 불리는 품종 같다. 이 두 종류의 뽕나무의 모양은 전국 시대의 청동기에 새겨진 뽕잎을 따는 그림에서 확인할 수 있다.

지상은 그림 1과 같이 허난 후이현 유리각에서 출토된 청동 주전자의 뚜껑에 새겨진 그림에서 확인할 수 있다. 그림을 보면 부녀자들이 왼손에 바구니를 들고, 오른손으로 뽕잎을 따고 있다. 뽕나무 가지와 부녀자들의 키는 비슷한 높이로 키 작은 지상 품종의 뽕나무임을 확인할 수 있다. 그림 2는 베이징 고궁박물관에 소장된 전국 시대의 청동기 유물에 그려진 그림으로 뽕잎을 따는 부녀자들의 모습과 손에 들고 있는 바구니의 모양이 그림 1과 매우 흡사하다.

갑골문의 6~8번 桑자는 키 큰 종의 뽕나무다. 전국 시대의 유물에 새겨진 채상수렵도는 그림 3과 그림 4와 같다. 그림에서 알 수 있다시피 나뭇가지는 크게 두 갈래로 갈라졌고 뽕잎을 따려고 부녀자들이 나무를 타고 올라가 두 개로 갈라진 나뭇가지 위에서 잎을 따고 있다. 어떤 바구니는 나뭇가지에 걸려 있고, 어떤 것은 바닥에 놓여 있다. 뽕잎을 따는 부녀자들은 나무 아래에서 손에

뽕잎 따는 그림(허난 후이현에서 출토된 청동 주전자 뚜껑)

뽕잎 따는 그림, 고궁박물관 소장

바구니를 들고 마치 뽕잎을 손에 들고 막 넣으려는 모습 같다. 다시 한 번 갑골문의 1~5번 桑자를 살펴보면 바구니는 보이지 않고 나뭇가지만이 보인다. 6~8번 桑자는 뽕나무 가지 사이에 바구니가 걸려 있고, 어떤 바구니는 땅 위에 있거나 여자들의 손에 들려 있다. 어떤 여자는 뽕나무 밑에서 춤을 추는 것이 마치 풍성한 수확을 기뻐하는 것 같다. 그래서 갑골문의 桑자를 분석하면 상나라 때 이미 울창한 뽕나무 숲이 존재했으며 위에서 언급한 두 종의 뽕나무가 키워졌음을 알 수 있다(카오한위, 『중국 견직업 기원에

채상수렵도(뽕잎을 따고 사냥을 하는 그림), 고궁박물관 소장

채상수렵도, 고궁박물관 소장

관한 연구』, 『아시아문명론』, 쓰촨인민출판사).

갑골문에는 또 女자가 붙은 桑자도 발견할 수 있는데 이 글자는 뽕잎 채집이 주로 부녀자들의 몫이었다는 걸 증명한다. 상나라 때 뽕 재배와 누에 사육을 여성들이 주로 담당했음을 알 수 있다. 이런 기초에서 중국 고대 견직물 산업은 눈부신 발전을 했다.

누에 잠蠶으로 이야기하는 고대의 양잠

양잠養蠶, 중국어로는 흔히 蠶(누에 잠, 虫—총 24획)이라고도 한다. 중국에서 처음 시작되어 뽕나무 잎을 이용해 누에를 키우는 일이다. 상주 시대에 누에는 최소한 세 가지 품종이 있었다. 갑골문의 글자 모양으로 고대 중국인들이 누에를 어떻게 여겼나를 알 수 있다.

중국 고대의 양잠업은 견직 산업의 발전을 도모했다. 또한 견직 산업의 발전은 양잠 기술의 수준을 한 단계 높였다. 문헌 기록을 보자면 춘추 전국 시대에 고대 중국인들은 누에치기에 관한 양식을 이미 마련했다.

인류는 뽕나무 숲에서 우연히 야생 누에를 발견해 실을 뽑은 이후 정착 생활을 시작하며 실내에서 누에치기에 대한 이해를 하게 되었다. 오랜 경험을 축적해 이제 야생 누에는 실내에서 키워지며 중요한 경제 수단이 되었다.

고대 중국은 세계 최초로 누에를 키운 국가다. 저장 하모도 유

누에 무늬 장식(저장 하모도 유적)

적에서 출토된 조각품들을 보면 네 마리의 누에를 새겨 넣었다. 마치 천천히 기어가는 듯한 그림인데 머리 부분과 몸에는 선명한 주름이 새겨져 있다. 더욱 흥미로운 사실은 표면에 견직물과 비슷한 그림도 새겨져 있다는 점이다. 이렇게 양잠하는 모습을 새긴 걸로 보아 적어도 7,000년 전에 누에는 고대 중국인들에게 사육되었을 것이다.

누에고치를 이용하면서 사람들은 누에가 의복의 발전에 큰 공이 있음을 알게 되었다. 그래서 옥, 토기, 뼈 등의 재료를 이용해 누에의 형상을 만들거나 혹은 누에의 무늬를 새겨 장식용으로 사용했다. 이는 어느 정도 숭배의 의미를 가지고 있다. 상나라 때의 청동기에서 자주 볼 수 있는 누에 무늬는 주로 다리 부위나 입구, 혹은 배 부분에 새겨져 있다. 이러한 누에 무늬로 살펴볼 때 누에의 머리는 둥글고, 눈은 튀어나왔으며, 몸은 올록볼록 마디가 있

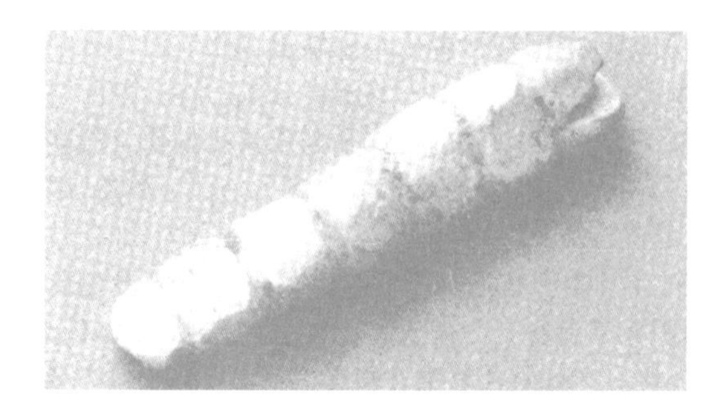

상나라 옥 누에(약 3.1센티미터)

상나라 청동기의 누에 무늬

고, 기어 다니는 것을 상상하게 만든다.

갑골문의 蠶자를 분석하면 아주 재미있는 사실을 알게 된다.

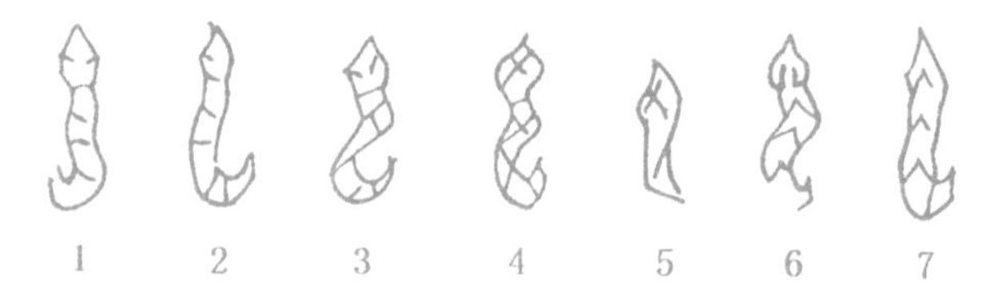

갑골문 상의 蠶자

직물역사 전문가 카오한위의 말에 따르면 1~3번의 머리 부위에는 무늬가 있는 모양이며 이는 현재의 저장 타이후 지역의 보통 누에종의 눈 부위의 무늬와 일치한다. 4번과 5번 蠶자의 등 부위에는 X자의 무늬가 있다. 일본 학자의 연구에 따르면 이는 누에의 시조 중 하나라고 한다. 예를 들면 중국 토종인 한커우지충종의 무늬와 같다. 6번과 7번의 등 부위에는 '∧'자의 무늬가 있는데 이는 중국 토종인 타안차오종의 무늬와 같다. 고대 문자학자인 후호우이는 갑골문 점괘의 의미를 다음처럼 해석하고 있다.

蠶자는 은무정 시대의 제물용 농작물로 7번 蠶자는 은주강, 조갑 시대에 사용되던 세 점의 제기에 새겨진 누에 신의 기록이다. 원문은 "貞元示五牛, 蠶示三牛, 十三月(조상 갑위에게 소 다섯을, 누에 신에게 소 셋을 제물로 바치다 — 역주)"이다. 문장의 元示는 즉 조상 갑위에게 제를 지내는 것을, 蠶示는 즉 누에 신에게 제사 지낸다는 것을 뜻한다. 蠶자의 무늬에서 중국 은상 시대는 최소 이미 세 종류의 누에종이 있었음을 확인할 수 있다.

갑골문의 점괘 중 사람이 양잠을 관찰하는 기록이 있다. 점괘는 아홉 군데 이상 발견되는데 이로써 양잠업이 상나라 때 이미 꽤 중요한 농업 활동으로 여겨졌으며 주요 생산 항목이었음을 알 수 있다.

문헌에 따르면 춘추 전국 시대까지 중국의 양잠 기술은 빠른 발전을 거듭했다. 『예기』의 기록에는 당시 이미 전문적으로 양잠을 하는 가옥이 세워졌으며 전문 기구 설비도 있었고, 매년 3월이 되면 양잠의 계절을 맞아 왕실 조정에서 뽕나무 베는 것을 금했다고 한다. 또한 양잠업에 필요한 각종 도구를 제대로 준비하도록 했다.

양잠은 또 소독과 세척 설비를 필요로 한다. 어미 나방이 알을 낳은 후 누에의 몸 표면에는 비늘과 나방의 배설물 같은 불순물이 묻어 종종 세균이 번식하게 된다. 그래서 알을 키우기 전에 반드시 세척과 소독을 통해 병충해를 예방해야 한다.

중국은 이처럼 일찍부터 뽕나무를 재배해 누에를 키운 덕분에 비단이 유명해졌고 기술 또한 최고라고 할 수 있다. 이런 기초 위에 한나라 때 무역을 번영시킨 '실크로드'도 생기게 되었으니 전설 같은 이야기라 할 수 있겠다.

가는 실 사糸자와 관련 한자

糸(가는 실 사{멱} 糸—총 6획)는 가느다란 실을 의미한다. 아주 오래전에는 명주실 사絲자의 간단한 서법으로 사용되었다. 糸는 현재 纟로 간단하게 쓰이며 부수로 활용된다. 중국어 사전을 뒤적여 보면 纟를 편방으로 삼는 글자가 꽤 많으며 그중 대부분이 직물이나 비단의 명칭 혹은 관련 행위와 연결된다. 또한 어떤 글자는 이런 직물의 염색되는 색과 관련된다. 고대의 양잠은 주로 비단을 짜기 위해 실시되었다. 오랜 경험을 통해 옛사람들은 고치에서 실을 뽑는 법과 기술을 익혀 비단과 직조 기술을 발전시켰다.

고대의 糸자는 다음과 같은 모양이다.

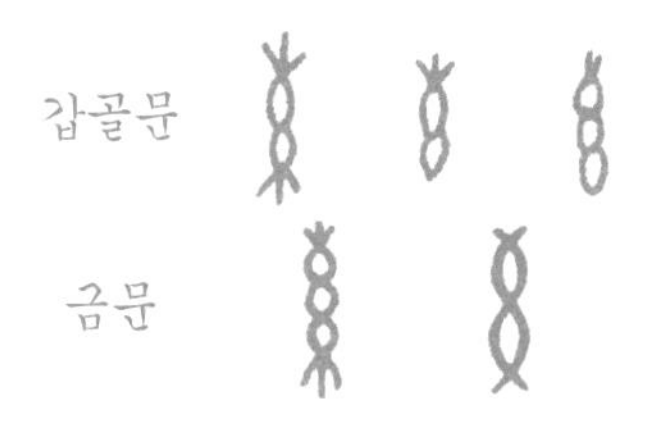

糸의 고대 문자는 한 타래의 실 모양이다.

비단은 누에에서 나온다. 누에고치에서 뽑혀 나오는 견사는 윤기가 흐르며 촉감이 부드럽고 탄성이 좋아 훌륭한 직물의 원료가 된다. 누에 한 마리를 에워싸고 있는 고치를 실로 뽑으면 아마 800~1,000미터에 달할 것이다. 현미경으로 관찰하면 견사의 단면이 삼각형임을 볼 수 있다. 주요 성분은 명주와 아교다. 명주는 투명한 질감의 섬유소로 고치의 본체이며 물에 용해되지 않는다. 아교는 명주를 둘러싸고 있는 점성의 물질로 일정한 온도의 물에서 쉽게 씻겨나간다. 이렇게 아교를 분리해 견사를 뽑아낸다. 누에가 스스로 실을 토해내 견사를 만들던 상황에서 인공적으로 누에고치를 가공해 실을 뽑아내기까지는 아주 오랜 시간이 걸렸다.

직물 역사 전문가의 연구에 따르면 처음에 누에에서 고치실을 뽑아내는 방법은 여러 가지였다. 우선은 원시 인류가 고인 빗물 등에 장시간 잠겨 있던 누에고치를 발견하고 손가락이나 나뭇가지로 건졌을 때 실 가닥이 걸리는 것을 보게 되었다. 또 이 실이 당기면 당길수록 계속 나오고 빛나면서도 가늘며 끊기지 않는다는 사실을 알게 되었다. 그래서 인공적으로 물에 누에고치를 담가 부드럽게 해 원래의 점성이 있는 아교질을 씻어내고 쉽게 고치실을 뽑아내게 되었다.

그러나 찬물에 누에고치를 담그면 시간이 많이 걸리고 생산량도 적었다. 끊임없는 탐구를 통해 원시 인류는 여름에 수온이 높아진 상태에서는 시간이 짧아도 쉽게 고치실을 뽑을 수 있다는 사실을 알게 되었다. 그래서 끓는 물에 누에고치를 삶아 더 짧은 시간 안에 고치를 부드럽게 하고 아교질을 제거했다. 누에고치가 떠오른 후 실타래를 건져내는 방법이 최초의 고치실 뽑는 방법이었다. 언제부터 누에고치를 물에 삶아 실을 뽑았는지는 확실한 고증학 자료가 남아 있지 않다. 그러나 상나라 때의 갑골문에서 관련 정보를 찾을 수 있다.

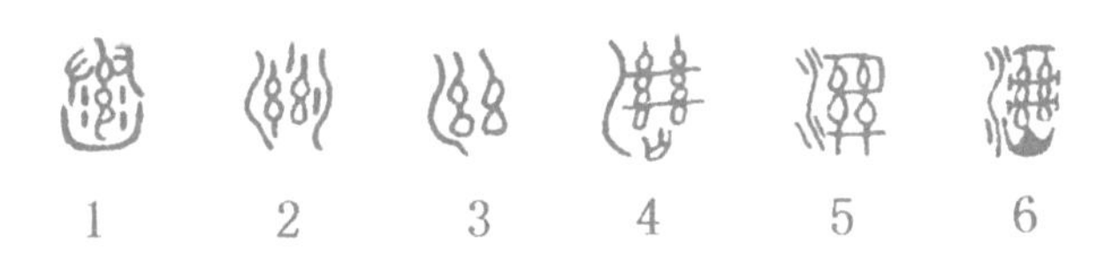

갑골문에 나타난 고치 삶는 솥에 관한 정보

이런 문자의 형태에서 아래 부분이나 한 측면의 둥근 선은 고치를 삶는 솥이고, 점은 물을 나타낸다. 그림 1에는 아주 정확하게 손으로 실을 잡아 뽑는 모습을 나타냈다.

고치를 켜 실을 뽑을 때 사용하는 소사거繅絲車(고치의 실을 켜는 물레 — 역주)라는 물레의 소繅는 고치의 실을 켠다는 의미의 한자다. 사실 繅자는 비교적 늦게 등장했다. 『설문해자』의 고치 결 소繰와 소繅의 해석은 다르다.

누에가 뽑아내는 실은 매우 가늘다. 겨우 20~30미크론에 불과해 하나하나의 가닥으로는 사용이 불가능하다. 그래서 고치를 켤 때는 실을 모으거나 꼬기 위해 몇 가닥의 견사를 함께 뭉쳐 한 가닥의 생사를 뽑아낸다. 어떤 갑골문의 글자 모양(아래 그림 참조)과 繅자의 예서체를 비교해보면 매우 비슷하다. 어떤 학자들은 繅자가 갑골문에서 변화된 것이라고 한다.

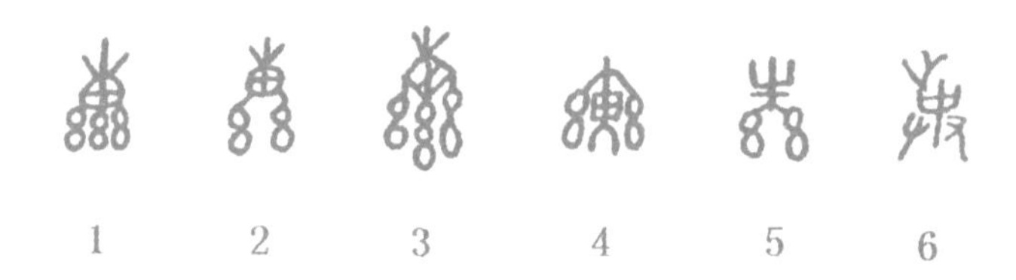

고치실을 켜는 기술은 은상 시대에 이미 완성되었다. 고치실을 켜는 작업은 비단을 짜기 위해 아주 중요한 과정이다. 그래서 상나라와 주나라 때 '상사'라는 전문 관직을 만들어 고치실을 켜내는 생산량과 품질을 감독하게 했다. 『주예』에는 '전사'라는 관직을 두어 양잠의 생산과 품질 그리고 판매 세금을 관리하게 하였으며, '금원잠'이라는 특별법을 발표해 민간에서 누에를 잘 키워 좋은 제품을 생산하도록 권장했다고 전한다.

고대의 고치실을 켜는 작업은 처음에는 모두 수작업으로 이루어졌으나 나중에는 점차 기계를 사용하게 되었다. 명나라 때의 『천공개물』에는 소사거를 그린 그림이 있다. 누에고치가 솥 안에서 끓어오르면 대나무 발을 이용해 수면에 물결을 일으킨다. 그러면 자연스레 고치실이 퍼지게 된다. 그럼 손으로 실을 뽑아 대나무로 만든 '성정두'라는 바퀴 모양의 도구에 감고 실을 뽑는 대 위에 올려놓는다. 그 후에 '대관차(발로 움직이는 실을 감는 도구)'로 다시 실을 감는다.

고대 고치실을 감는 기술은 비단을 짜는 기초가 되며 견직업의 발전을 촉진한 동시에 사糸자와 관련된 파생어를 낳는다.

糸자에서 나온 글자는(편방으로 할 때 좌측에 '纟'라고 쓴다) 대부분 의미가 비단과 관련이 되며 아래의 몇 갈래로 나뉜다.

1. 비단의 종류 및 부위 명칭

絲(실 사), 糸자가 두 개 겹친다. 원래 뜻은 잠사蠶思다. 당나라 이상은의 유명한 시 구절 "春蠶到死絲方盡, 蠟炬成灰淚始干(누에는 죽어서 실을 내뿜고, 촛불은 재가 되어야 눈물을 거둔다 — 역주)"에는 絲자가 본래의 의미로 사용되었다. 絲는 또한 견직물이라는 의미도 가지고 있으며 중국어에서 현악기를 뜻하기도 한다. 그 외에 세밀함을 비유하기도 한다. 예를 들면 중국어 성어 '一絲不苟(조금도 빈틈이 없다 — 역주)', '一絲一毫(추호도 — 역주)' 등에 사용된다.

純(순수할 순, 실 순), 원래 뜻은 실이다. 또 특별히 같은 색의 견직물을 뜻하기도 한다. 후에는 모든 물체가 한 가지 색인 것을, 더 나아가서는 순수함, 불순물이 없는 것을 의미한다.

緖(실마리 서), 본래 의미는 실의 첫머리, 실마리다. 뜻이 확장되어 두서, 시작의 의미를 뜻하고 성어로는 '千頭萬緖(얼기설기 뒤엉키다 — 역주)'가 있다. 또한 심정, 정서를 뜻하기도 한다.

2. 끈의 종류를 의미

組(짤 조), 원래 뜻은 넓고 얇은 띠를 말한다. 의미가 확대되어 편직물을 의미한다.

經(날 경), 원래 뜻은 직물의 종선, 또 원시 시대의 베틀을 의미한다. 남북 방향으로 뻗은 도로를 뜻하고 또한 경맥, 경로를 의미하기도 한다. 나중에 경서經書, 즉 고대의 귀히 여기던 책, 대부분이 유가의 경전을 뜻했다. 동사로도 사용되어 지나다, 겪다 따위의 의미도 있다. 경經 자에서 파생된 경제經濟야말로 현대인이 가장 많이 쓰는 단어가 아니겠는가?

縷(실 루), 원래 뜻은 가닥 실을 의미한다. 의미가 확장되어 실 모양의 사물을 가리키기도 한다. 성어로는 '千絲万縷(천 갈래 만 갈래로 복잡하게 얽혀 있다 — 역주)'가 있다. 가늘고 가닥이 있다는 의미도 된다. '條分縷析(조목조목 명확하게 분석하다 — 역주)'도 있다.

綱(벼리 강), 원래 뜻은 사물의 가장 주가 되는 것이다. '통괄하다'라는 의미도 있다. 성어로는 '綱擧目張(사물의 핵심을 파악하면 그 외의 것은 자연히 해결된다 — 역주)'이 있다.

3. 견직물의 종류

素(흴 소), 본래 의미는 아무런 염색도 하지 않은 비단을 뜻한다. 흰색이라는 뜻이다. 또 아무런 장식을 하지 않은 것을 의미한다.

絹(명주 견), 원래 뜻은 견직물의 통칭이다. 옛사람들은 종종 비단 위에 시를 적거나 그림을 그리거나 장식을 해서 絹자는 서화 혹은 장식물의 의미도 가지고 있다.

綺(비단 기), 본래 의미는 잔잔한 꽃무늬가 있는 견직물을 뜻한다. 화려하고 아름답다는 의미도 있으며 중국어에서는 綺麗(곱다 — 역주)라는 단어도 자주 사용된다.

綜(모을 종), 원래 의미는 비단을 짜는 베틀 위의 실을 오가게 하는 북을 의미한다. 집합, 모이다 등의 의미로 사용되고 綜合(종합)은 현재 우리가 자주 쓰는 단어 중 하나다.

繪(그림 회), 본래 뜻은 색깔이 있는 자수를 뜻한다. 회화, 묘사 등의 의미로 확장되었다.

4. 견직물과 관련된 행동을 의미

織(짤 직), 본래 뜻은 베틀에 북을 교차시키는 방법으로 견사로 비단이나 천 등을 짜는 것을 의미한다. 서로 교차되는 방법으로 짜여진 직물을 통칭한다.

約(묶을 약), 원래 뜻은 속박, 세트를 의미한다. 약속, 제재, 후에는 정약, 약정 등의 의미도 갖게 되었다. 約자는 간단하다는 의미도 있다.

絶(끊을 절), 본래 뜻은 '실이나 밧줄을 끊는다'이다. 후에는 모든 물건의 절단을 뜻하고 인간관계의 단절도 의미한다. 또한 '숨쉬는 것을 멈추다(죽다)'라는 의미도 있다.

續(이을 속), 원래 의미는 '이어지다'이다. 동작이 끊기지 않고 반복되는 것을 의미하며 또한 계승을 뜻하기도 한다.

5. 색의 종류를 표시

紅(붉을 홍), 본래 의미는 분홍색, 또 불이나 피의 색을 뜻하기도 한다. 나중에는 중국어에서 꽃을 통칭하는 글자가 되었다.

綠(초록빛 록), 본래는 푸른색에 황색을 섞은 색을 말한다. 때로는 연두저고리를 뜻하기도 한다. 이청조가 지은 『여몽령如夢令』을 보자.

"知否? 知否? 应是绿肥红瘦"

"아느냐 모르느냐? 아느냐 모르느냐? 잎은 무성하고 푸른데 꽃은 이미 졌구나."

아홉째 천간 임壬은 무엇인가?

壬, 지금 일반적인 중국어 사전에는 아홉째 천간 壬으로 해석한다. 고대의 사전 『설문해자』의 해석을 보자. "사람이 임신한 모양이다." 이 해석을 보면 도대체 무슨 소리인지 알 수가 없다. 사실 壬은 그다지 복잡한 글자가 아니다. 처음에는 단지 실을 감는 도구인 실타래를 의미했다.

고대 壬자의 모양은 다음과 같다.

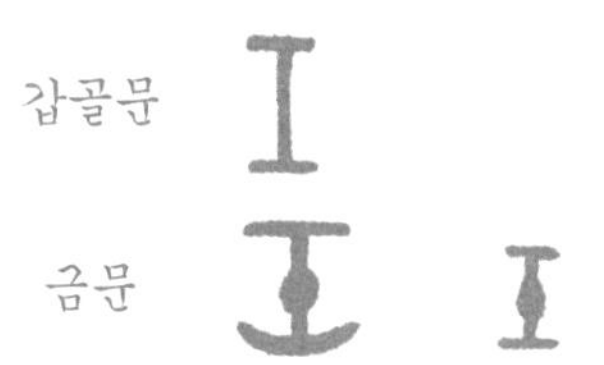

壬은 紝(짤 임)의 초기 형태다.

원시 인류는 양잠을 하면서 점차 고치실을 켜는 기술을 숙련하게 된다.

베 짜기에 사용되는 고치실은 반드시 켜는 과정을 거쳐야 사용할 수 있다. 고치실을 켜는 작업을 한자로 繅絲(소사)라고 한다. 소사는 바로 고치에서 실을 뽑아내 실타래에 감는 과정이다. 나중에 정리를 해서 필요에 따라 실을 꼬아서 견 섬유를 만들어 비단을 짤 준비를 한다. 문헌 기록과 출토된 유물의 정황으로 보아 상나라 때 이 기술은 이미 자리를 잡았으며 꽤 안정적인 시스템으로 진행되었다 볼 수 있다.

가공되지 않은 고치는 아교 성분으로 이어진 둥근 모양이다. 이 때문에 고치실을 켜기 전에는 반드시 누에를 끓는 물에 넣고 삶아 고치를 부드럽게 하고 고치실이 서로 잘 떨어져 물에 떠오르도록 한 후 실 걷어내기, 실 꼬기, 실 감기 같은 몇 단계를 거친다.

실 감기에 사용된 도구는 초기에는 그다지 복잡한 구조가 아니었다. 그러나 그냥 나무 막대기만을 사용한 것도 아니다. 추측컨대 아마 간단한 구조의 H자형의 나무 얼레였을 것이다. 이런 도구는 눈으로 보기에는 단순해 보인다. 하지만 고대에는 그 사용 용도가 매우 다양했다. 실을 감거나, 실타래를 엮을 때 두루두루 사용되었다. 지금도 연을 날릴 때 H자형의 얼레가 사용된다.

중국 고대에 자주 사용되던 亂(어지러울 란)은 실을 푼다는 의미다. 예를 들어 『상서 · 연명』에는 "그것은 사방으로 실을 풀어낼 수 있다"라고 했고 『상서 · 주관』에는 "실을 풀자 꼬인 것이 풀렸다"라고 되어 있다. 이 두 亂자는 비록 정치적 사건의 비유로 사용되었으나 그 원래 의미는 실을 푼다는 뜻에서 왔다.

亂의 간체자는 乱이고 좌측 그림이다. 학자 량수다의 연구에 따르면 그림 幺에서 유래되었다 한다. 즉 糸자의 고문자 형태를 간략화하고 H를 幺의 중간에 놓고 도구를 사용하여 실을 감는 형식을 본뜬 것이다. 그림의 위아래는 爪와 又에서 시작되었고, 이 두 글자 모두 손의 모양을 본떴다. 그래서 그림은 바로 실을 푸는 사람이 한 손에 H자 모양의 나무 얼레를 들고 다른 한 손으로 실을 푸는 모습(천위에위, 『중국 빙직 과학기술사』 고내 편 참소, 커쉐출판사)과 같다. 이로써 H자 형태의 얼레는 상형문자가 만들어지던 원시시대부터 존재했음을 증명한다. 갑골문과 금문의 壬자 모양은 후에 예서체 壬으로 변하고 나중에 紝(짤 임 糸 — 총 10획)과 軠(물레 님{임} 車 — 총 11획)이라는 파생자도 생긴다.

실 감는 효율을 높이기 위해 H자 얼레는 그 기능이 개량되었다. 1979년 장시 쿠이위엔 춘추 말기의 묘지에서 발굴된 방직 도구 중 몇 조각의 H자 모양의 얼레를 발견했다. 길이는 62~73센티미터이고, 통나무를 깎아 제작된 것으로 보이며 표면이 반질반질했다. 그 외에 실 감는 기구가 한 점 더 발굴되었다. 모양은 X자 형태이고 가운데에 대나무로 못이 박혀 있었으며, 막대에 구멍을 뚫어 엇갈리게 꽂은 모습으로 매우 정교하게 만들어졌다. 길이 37센티미터(그림 참조)이다. X자 모양의 얼레는 그 크기를 조정할 수 있어 감긴 고치실을 뭉치로 빼내어 실꾸리를 만들 수 있었다. 『시경』에는 "抱布貿絲(돈을 안고 명주실을 거래하다 ― 역주)"라는 시구가 있는데 고치실로 만든 실꾸리가 이미 당시에 교역되었음을 의미한다.

이렇게 壬자를 보면 원래는 실을 감는 간단한 도구였다. 그러나 『설문해자』의 해석을 보면 읽어도 이해가 되지 않는다. 역시나 아는 한자들로 쓰여 있으나 일반인으로서는 이해하기 불가능하다. 이렇듯 문서만을 의존해 연구한다면 실수를 면하기 어렵다.

壬자에서 봤듯이 고대 문자를 연구할 때는 문헌 기록뿐 아니라 당시 사람들의 삶의 모습까지 이해해야 한다.

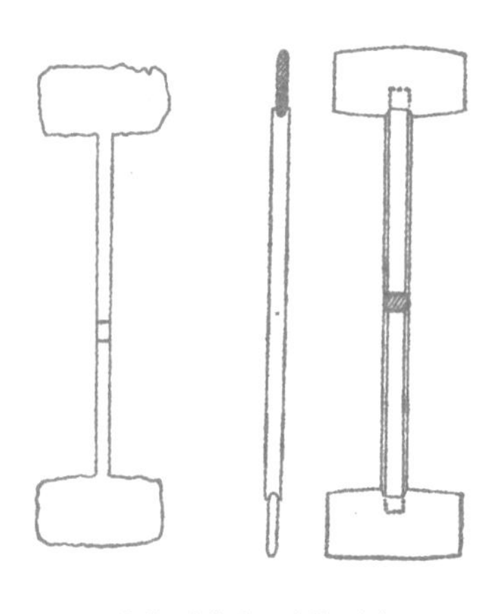

춘추 시대의 H자형 얼레

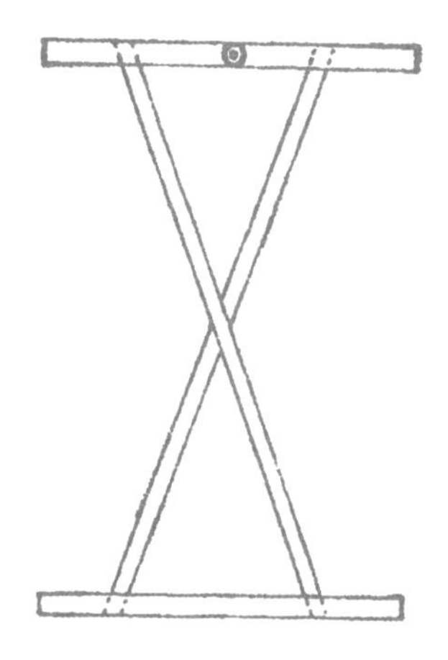

춘추 시대의 X자형 얼레

오로지 전專자의 진짜 의미는?

專, 비교적 자주 쓰이는 한자다. 이 專자를 가지고 만들어진 단어도 많다. 專의 본래 의미는 크게 두 가지로 나누어볼 수 있다.

1. 한 가지 일에 집중함

전심專心, 전문專門, 전업專業 따위

2. 독자적으로 장악하거나 점유함

전제專制, 전리專利, 전매專賣 따위

그러나 이 專자의 기원을 거슬러 올라가면 최초의 뜻은 이와는 전혀 비슷하지도 않다.

專, 간체자로 쓰면 专이다. 갑골문의 모양은 구체적으로 고대에 실을 꼬는 데 사용되었던 도구를 뜻한다.

專, 고대의 사전인 『설문해자』의 해석은 다음과 같다. "專, 도구이다." 어떤 학자들은 이 專자의 본래 뜻이 '소를 몰다'라고도 하는데 이는 억지스럽다.

고대 專의 갑골문 모양은 아래와 같다.

專에서 우리는 쉽게 글자의 기원을 살펴볼 수 있다. 갑골문에 그려진 모양에서 위 부분은 세 가닥의 섬유(사실 더 많은 가닥의 섬유가 있었겠지만 간단하게 세 가닥만 그린 것)가 있다. 중간에는 막대를 휘감고 올라가는 실꾸리이고, 아래의 동그라미는 바퀴로 한 귀퉁이에는 손(寸으로 쓴다)이다. 이로써 움직임에 따라 많은 가닥의 섬유가 한 뭉치로 꼬여지면서 막대에 감기고 꼴수록 그 뭉치가 커진다는 것을 알 수 있다.

고고학 자료에 따르면 초기에 삼마류 섬유에 사용된 도구가 '방추紡隊'라고 불렸는데 그 주요 부품이 바로 물레바퀴였다. 대략 지금으로부터 1만여 년 전에 등장했다.

후베이 자산 신석기 유적에서는 약 7,000년 전의 것으로 추정되는 물레바퀴가 발견되었다. 좀 더 늦은 시기의 것으로는 저장 하모도 유적, 산시 시안 반포 유적지 등에서 다량의 물레바퀴가 발견되었다. 발굴 수량이 가장 많은 것은 1974년 칭하이 러두류완 유적지로 한 번에 100여 개의 물레바퀴가 출토되었다.

방추는 그 자체의 중량과 연속해서 회전하는 회전력을 사용하는 도구다. 상주 시대부터 방전(방박), 방두, 현추 따위로 불렸으며 근대의 중국 각 지역의 농촌에서는 연대, 승발자 따위로 불렸다.

방대의 모양은 크게 두 가지로 나뉜다. 하나는 단면, 다른 하나는 가운데에 축을 통과시킬 수 있는(분고分鼓형과 산주算珠형으로 다시 나뉜다) 모양이다.

방추는 손으로 돌리고 실을 꼬면서 생겨난 것으로 초기에는 아마 단지 섬유를 잡아당기는 역할의 나무 막대였을 것이나, 후에는 실을 감기 편하게 하기 위해 가로의 짧은 막대를 덧붙여 실을 꼬는 축과 실을 감는 중심의 역할을 겸하게 했다. 더 나아가 회전의 안정성과 속도를 높이기 위해 가로로 덧붙인 막대를 원판으로 바꾸고 中자 모양을 갖추게 되었다. 원판이란 신석기 시대 초기에는 돌을 갈아 만든 것으로 직경이 비교적 크고 두껍고 묵직한 돌판을 말한다. 신석기 시대 중기에는 점토로 만들어 직경도 작아지고 얇고 가벼워졌다. 어떤 것은 무늬를 넣거나 색칠도 했다.

방추의 사용은 고정해서 사용하는 것과 회전, 두 가지 방법이 있다.

고정 사용은 방추를 매달아놓고 사용하는 것이다. 우선 느슨한 섬유를 높은 곳에 놓고 혹은 왼손에 들고 그 중간에서 섬유 일부를 집어내 손가락으로 비벼 실로 꼰다. 그리고 실꾸리의 끝에 붙이고 실꾸리의 다른 쪽을 돌린다. 방추는 뒤따라 공중에서 회전하게 된다. 동시에 계속해서 손의 섬유를 살살 풀어주면 방추는 회전하면서 점점 아래로 내려간다. 어느 정도 실이 완성된 후 제때에 들어 올려 손으로 실타래에 감는다.

회전법과 고정법은 대강은 비슷하나 축심 원리를 이용하는 것이 다르다. 축의 실꾸리는 좀 긴 편인데 원판은 일률적으로 실꾸리의 중간에 위치한다. 실을 꼴 때 준비한 실꾸리를 왼손에 놓고, 동시에 방추를 다리 위에 놓고 섬유 한 가닥과 실꾸리의 한끝을 연결해 오른손으로 원판 윗부분의 실꾸리를 움직이고 난 후 손으로 만들어진 실을 정리한다. 근대까지도 일부 소수 민족 사이에서는 이런 방법으로 실을 만들었다.

방추의 구조는 매우 간단하나 현대 방적기 부품의 기능을 일부 담당하고 있었다. 실을 꼬면서 또한 늘리는 작업을 할 수 있었다. 디지털 시대를 살고 있는 현대인의 눈에 이런 방추는 허술하기 이를 데 없으나 그 속에 과학 원리가 숨어 있음을 부인하지는 못할 것이다. 이런 방추의 기초 위에서 또 원시 방적기를 만들어냈고 계속해서 고급 기술을 개발해냈다.

專의 기능이 여러 가닥의 섬유를 한데 꼬아 더 이상 복잡하게 엉키지 않게 하는 것이었기에 나중에 자연적으로 사람들은 '어느 한 가지에 집중하다'라는 의미로 사용하게 되었다. 그래서 전심專心, 전문專門, 전업專業 등의 단어가 생겨났다.

돌 석石자로 이야기하는 석기의 제작

石은 웬만한 유치원생도 알 만한 낯익은 한자다. 石을 편방으로 하는 글자도 많다. 돌은 건축 재료로 여기저기서 볼 수 있다. 인류의 역사가 시작되면서부터 이야기를 하자면 인류 최초의 문명기는 바로 석기 시대石器時代라 할 수 있다. 역사라는 기나긴 강을 건너며 인류는 돌을 이용해 각양각색의 도구와 기묘한 공예품을 만들어냈다.

고대 石자의 모양은 다음과 같다.

갑골문

금문

石자의 모양이 산의 큰 암석 밑의 돌과 같다는 학설도 있다.

石, 고대의 사전인 『설문해자』의 해석에 따르면 "산돌이다. 厂자 밑에 口자의 모양을 넣었다"라고 했다. 나중에 학자들 대부분이 이런 해석을 받아들여 石자의 원형은 윗부분 반은 암석, 아랫부분 반은 그 암석 밑의 돌 모양이라고 여겼다. 또 일부는 石자가 "석경의 모양이다. 口는 석경에서 나오는 소리를 뜻한다"는 해석도 내놓았다(왕홍위엔, 『한자 자원 입문』 참조, 화위교학출판사). 이런 해석은 그 증거가 불충분하다.

필자 생각에 石은 사실 돌조각의 모양을 본뜬 것이라고 믿는다. 그 주된 이유는 산턱에서 자연적으로 떨어져 나온 돌조각의 모양은 규칙적이지 못하다. 그러나 石자의 아랫부분은 붓으로 아주 그럴듯한 모양이 그려져 있다(주의할 점은 두 그림이 조금씩 삐쳐 나온 것, 그리고 아래가 둥글게 굴려진 점이다). 자연적으로 생겨난 돌조각의 모습을 그린 것 같지는 않고 인공적으로 만들어진 석기의 모습을 그린 것 같다. 석기는 원시 시대의 아주 중요한 농사 기구이자 수공업 도구였다. 원시 인류는 도구의 제작이라는 관점에서 석기를 아주 중시했다. 사물의 특징에 따라 한 자 한 자 글자를 만들어냈다. 이렇게도 말할 수 있을 것이다. 소위 말하는 '암각화'를 새기기 위해 사용하는 예리한 석기가 아니었을까? 단독으로 사용되어 石자를 표현한 것은 아닌지(갑골문 점괘에서 이런 의미로 사용되었다) 혹은 넓적한 모양의 석기와 짝을 이루는 일정 모양을 가진 도구를 표현한 것은 아닌지 말이다. 왜냐하면 날카로운 석기와 넓적한 날이 달린 석기는 고대 석기를 대표하는 두 가지 모양이기 때문이다.

석기 제작에 관해 말하자면 그거 뭐 지천으로 널린 게 돌 아니냐고 쉽게 말할 수 있지만 사실 그렇게 쉬운 일은 아니었다. 왜냐하면 초기에는 아무런 도구가 없어 석기를 만들기 위해서는 다만 다른 돌을 이용해 두드리는 방법밖에 없었다. 두드리는 방법에서 돌끼리 갈아 만드는 방법까지, 허술하고 투박한 구조에서 정밀한 석기의 완성까지 아주 오랜 시간이 걸렸다.

두드려 만드는 방법은 아주 원시적인 방법이나 구석기 시대에 널리 응용되었다. 어떻게 만드는가 하면 우선 돌을 두드려 날카롭게 만들어(이를 석편이라 부른다) 석기를 완성한다. 돌로 두드려 만들어진 몇 가지 석편은 나중에 모양이 바뀌어 석핵이 되는데 표면에는 많은 돌조각이 떨어져 나간 흔적이 남는다.

저우커우디엔 베이징 원시인原始人 유적에서 출토된 석기를 분석하면 두드려 만드는 방법도 다음과 같이 다양하다.

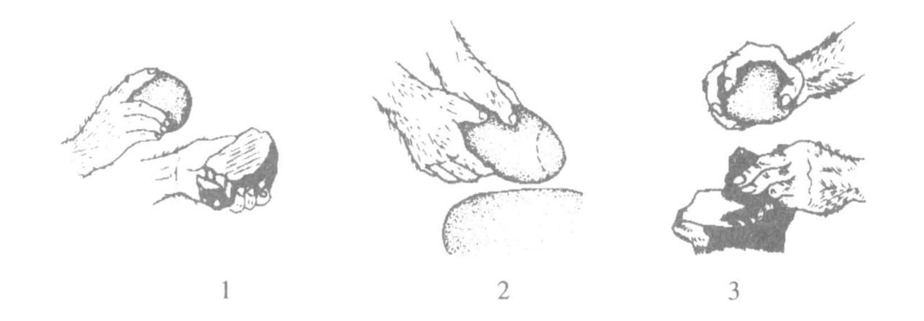

1. 양손으로 두드리기

손에 돌을 쥐고 다른 돌의 넓적한 부분을 두드려 석편을 만들어 낸다. 이런 방법은 사암, 맥석영 등에 많이 사용된다. 만들어지는 석편은 길이가 길고 얇은 특징이 있다.

2. 두드려 치기

비교적 넓적한 돌을 손에 쥐고 석판 위에 두드려 석편을 만들어 낸다. 이런 방법은 일반적으로 사암에 사용된다.

3. 수직 두드려 치기

석판 위에 다른 돌 하나를 올려놓고 손으로 잡아 고정시키고 나머지 손으로 알 모양의 둥근 돌을 들고 수직으로 내려쳐 석편을 만든다. 이렇게 만들어진 석편은 폭이 좁고 길다.

돌을 갈아 만든 석기는 약 1만 년 전에 등장했다. 가는 법은 석기 제작의 일대 혁명이었다. 두드려 만들기에서 갈아 만들기까지의 구분을 우리는 일반적으로 구석기 시대와 신석기 시대로 나눈다.

갈아 만든 석기는 석기 시대 중반에 등장하였다. 가장 먼저 석기의 칼날 부분에만 제한적으로 사용되었다가 나중에 전체를 활용하게 되었다. 갈아 만드는 방법은, 두드려 만든 석기의 둔하고 거친 표면에 모래를 섞은 물을 부어 힘주어 갈면서, 원하는 모양과 예리한 정도를 조절해 여러 가지 다양한 수요에 따라 만들었다.

나무 막대를 연결하거나 미관상의 장식을 위해 석기에는 거의 구멍이 뚫려 있다. 구멍 뚫는 기술은 도려내기, 뚫기, 갉아내기 같은 세 가지 방법이 활용됐다. 도려내기는 아주 날카로운 단단한 나무를 구멍을 뚫을 부위에 대고 계속 쉬지 않고 회전시키는 방법이다. 뚫기는 날카롭게 잘라진 대나무로 뚫는 것이고, 갉아내기는 말 그대로 마찰을 이용해 갉아내는 것이다. 구멍을 뚫을 때 물을 붓거나 연마재를 더하고 깊은 구멍을 팔 때는 위와 아래의 두 방향에서 파 들어간다. 출토된 유물에서도 이런 흔적을 찾아볼 수 있다. 석기를 갈아 만드는 기술과 구멍 뚫는 기술은 나중에 대나무, 나무, 뼈, 상아 같은 가공에도 사용되었으며 인류가 사용하는 도구의 모양과 형식, 효능에 큰 발진을 가져왔나.

석기의 사용은 인류 문명의 시작을 대표한다. 그래서 고고학 연구의 아주 중요한 부분이라 할 수 있다. 석기는 오래되었으나 우리에게 낯선 것은 아니다. 예를 들어 맷돌, 절구, 방아 같은 것이다. 돌을 이용한 장식물도 흔히 볼 수 있다. 대도시 빌딩의 내벽 장식과 수석은 현대 석기 사용의 단적인 사례에 속한다.

칼 도刀자와 관련 글자

刀, 자주 쓰이는 한자다. 이 刀자를 편방으로 하는 글자도 아주 많다. 또한 칼은 우리들의 생활에 가장 기본적인 것으로 이만큼 흔히 볼 수 있는 도구도 없다. 요즘 칼은 모두 강철로 만들어졌지만 원시 시대는 사정이 달랐다. 최초의 칼은 돌칼이며, 차차 청동과 철로 만들어졌다. 칼의 재료와 모양의 변화는 어쩌면 인류 기술의 발전 과정을 보여주는 예시라고 할 수 있다.

고대 刀의 글자 형태는 아래와 같다.

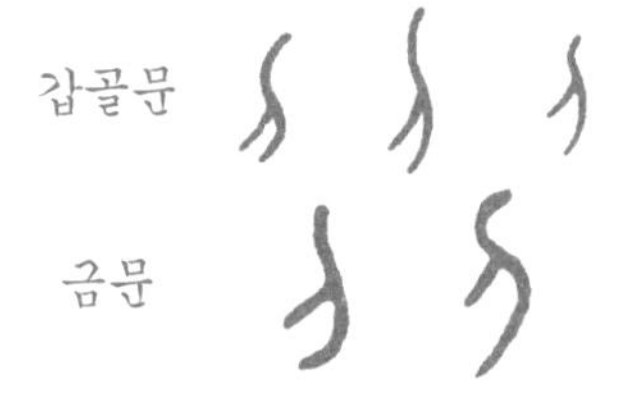

약 1만 년 전, 인류는 구석기 시대에서 신석기 시대로 접어들었

다. 두드려 만들던 석기를 갈아서 만드는 과정을 거쳐 이전과는 비교할 수 없는 정교한 석기들이 제작되었다.

돌칼은 신석기 시대의 유물이다. 오래된 골동품으로 취급해서는 안 된다. 돌칼의 모양은 둔하고 조잡하지만 출토된 실물을 본다면 틀림없이 놀랄 것이다.

한후이 젠산 피자강 신석기 말기 유적지의 돌칼을 예로 들겠다. 이곳에서 출토된 돌칼에는 구멍이 여러 개 뚫려 있다. 많은 것은 9개, 11개, 13개짜리도 있다. 이런 구멍의 간격은 비교적 일정하고 똑바른 일직선을 따라 배열되어 있다. 어떤 구멍에는 붉은 꽃무늬가 그려져 있는데 그 정교한 아름다움이 비할 데가 없을 정도다.

전문가들의 분석에 따르면 피자강에서 출토된 돌칼 대부분이 편암을 이용해 만들어졌다고 한다. 편암은 모양이 넓적하고, 비교적 일정해서, 천연 무늬가 있으니 돌칼을 제작하기에 더할 나위 없는 재료였을 것이다. 당시 원시 인류는 편암을 채집한 뒤 무늬에 따라 분류하고 두드려서 칼 모양을 만들었다. 그리고 가공과 보정을 통해 칼끝을 다듬는다. 전체를 갈아 칼등 부분은 두텁게 날 부분은 얇게 만들고 한쪽 끝은 날카로우나 다른 한쪽 끝은 넓적한 돌칼을 완성했다. 돌칼의 구멍은 뚫기법을 이용해 만들어졌다. 즉 대나무 관이나 동물의 뼈를 송곳처럼 이용한 것이다. 구멍을 뚫을 곳에 젖은 모래를 더하면 대나무나 뼈에 힘을 줄 때 더 큰 마찰력을 얻을 수 있다. 좀 짧은 돌칼에는 구멍이 한 개이지만 칼의 길이에 따라 가운데에 구멍을 뚫고 양 방향으로 대칭을 이루게 3, 5, 7, 9, 11, 13의 수열로 구멍을 뚫는다.

손잡이가 있는 칼이 당연하다고 생각하는 우리에게 손잡이도 없고 넓적하며 구멍도 뚫린 돌칼은 도무지 어떻게 사용했는지 감이 잡히지 않는다. 물건을 자르거나 심지어 직물을 짤 때 사용되었다는 설도 있다. 의견은 많으나 어느 것도 확실한 근거는 없다.

물론 많은 돌칼 모양만으로는 자르는 도구로 사용되었다는 추측이 가능하다.

시간이 흐르면서 사람들은 청동으로 칼을 만들기 시작했다. 초기의 청동 칼은 매우 투박했다. 그러나 돌칼과 비교해 확실히 더 단단하고 내구성이 있어 오래도록 널리 사용되었다. 여러 차례의 개량을 통해 청동 칼 제작은 더 정교해졌고 쓰임새에 따라 호칭도 구분되었다.

예를 들어 삭削이라는 칼은 대나무나 나무를 깎는 전용 칼이었다. 주나라에서 진나라와 한나라 때까지 문자는 죽간이나 목간 위에 기록되었다. 잘못 썼을 때나 내용을 수정할 때 칼로 원래 새겼던 글자를 깎아내고 다시 새긴다. 삭은 바로 이렇게 나무를 깎거나 벗길 때 사용하던 칼로 서도書刀라고도 불렸다.

삭의 모양은 휜 모양이다. 刀는 이와는 반대의 모양을 가지고 있어 이 둘을 구별한다.

사전에는 刀자에서 파생된 여러 글자가 있다(刀자를 오른쪽 편방으로 쓸 때는 대개 刂로 쓴다). 가장 일반적인 게 刃(칼날 인, 刀 — 총 3획), 利(날카로울 리, 刀 — 총 7획), 則(법칙 칙, 刀 — 총 6획) 들로 요즘도 자주 사용되는 글자다.

刃, 칼날 위에 부호를 찍은 모양으로 칼날처럼 일을 날카롭게 처리한다는 의미다. 지금도 기술이나 재주가 숙련되어 일하기가 수월하다는 의미로 사용된다.

利, 날카롭다는 의미로 무기나 공구의 날카로움을 형용할 때 자주 사용된다. 고문헌의 利兵은 아주 날카로운 병기를 뜻했다. 실제로 찌르거나 쑤시는 무기에는 刃이나 利를 덧붙이기도 한다. 예를 들어 『한비자』에는 "(초나라 사람) 말하길, 나의 창이 날카로워서 그 어느 것으로도 막을 수 없다"는 기록이 있다. 나중에 그 뜻이 확대되어 예리하고 빠른 것을 비유하게 되었다. 예를 들면 이설移設이 있다.

則, 『설문해자』의 해석에는 "등화물等畵物이다"라고 되어 있다. '등화물'은 어떤 표준에 맞춰 새기는 물건으로 금문의 형태는 아래와 같다.

금문의 則자

여러 문자학자들은 則의 고대 글자 모양이 조각을 새긴 정鼎의 형태라고 한다. 윗부분은 모형이고, 아래는 그에 맞춰 만들어낸 정이라는 말이다. 刀는 정에 무늬를 새긴다는 의미를 나타낸다(왕펑, 『고사변』 참조, 지린원스출판사). 則의 의미가 점차 추상화되어 표준, 전형이라는 뜻으로도 사용되었다.

칼은 가장 익숙한 도구로 刀자를 이용한 단어도 자주 사용된다.

예를 들면 쾌도난마快刀亂麻라는 말이 있는데 이는 복잡한 일을 과감하게 해결한다는 비유다. 또 "磨刀不誤砍柴工(칼을 가는 것이 장작 패는 일을 지체시키지는 않는다 — 역주)"은 철저한 사전 준비는 빠른 일 처리를 돕는다는 뜻으로 풀이되고, "好鋼用在刀刃上(좋은 강철은 칼날에 쓴다 — 역주)"은 중요한 사람이나 설비는 중요한 곳에 쓴다는 뜻으로 풀이되며, "刀山火海(칼을 꽂은 산과 불바다 — 역주)"는 대단히 위험하고 열악한 환경을 의미하는데 중국인들의 일상생활에서는 '지옥'으로 비유되기도 한다.

질그릇 도(匋)와 토기의 탄생

陶는 토기의 약칭으로 우리에게 익숙한 글자다. 최초의 陶는 匋로 쓰였다. 어느 학자의 말에 의하면 '勹'은 가마의 모양을 나타내고 있다고 한다. 안에 부(缶, 아직 굽지 않은 토기)를 넣고 일정 시간 동안 구워서 만들어낸 것이 토기인 것이다.

缶는 상형문자인데 절굿공이 같은 도구로 토기 흙을 찧어서 굽기 전의 도자기를 만드는 모양과 흡사하다. 缶의 본뜻은 아가리가 좁고 중배가 큰 질그릇을 의미한다.

缶의 옛 글자 모양은 다음과 같다.

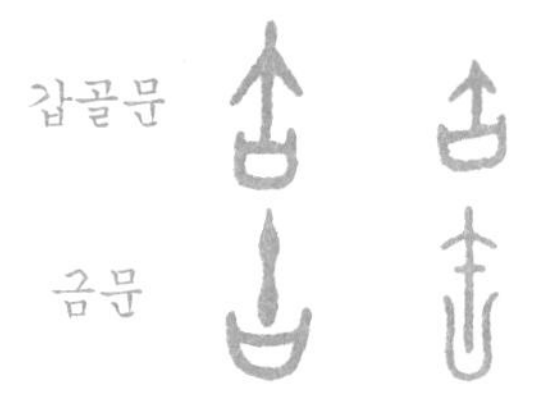

토기의 출현을 밝히려면 1만여 년 전으로 거슬러 올라가게 된다. 구석기 시대 말기에 인류는 채집과 수렵 생활에서 점차 농경 생활로 정착을 시작하게 되었다. 새로운 생활 방식은 농작물을 저장해야 했고, 인류는 불에 구운 찰흙이 쉽게 굳어지고 단단해지는 원리를 알게 되었다. 우선 찰흙을 일정한 모양으로 만든 후 불에 구우면 모양이 변하지 않는다는 것을 발견하게 된 것이다. 옛사람들은 찰흙으로 집기를 만들어 더 높은 온도로 굽기 위해 노력했다. 토기 제작은 이렇게 발전하게 되었다.

중국은 세계에서 가장 먼저 토기를 제작한 나라 중 하나다. 고고학자들의 의견에 따르면 장쑤 리수이 선시엔통 유적에서 출토된 조각은 지금으로부터 약 1만 1,000년 전의 것으로 추정된다고 한다.

중국의 고대 유적은 황허 유역과 양츠 강 유역에서 많이 발견된다. 그 수량이 제일 많고 비교적 완전한 모양을 갖춘 것은 예를 들어 하남 신정베이 강 문화 유적에서 출토된 토기로 8,000년에서 1만 년 전의 것이다. 저장 하모도 문화, 시안 앙소 문화, 산둥 대문구 문화 같은 유적에서 출토된 토기는 5,000년에서 7,000년 전의 것이다. 신석기 시대 초·중기 토기는 진흙으로 된 붉은 흙이나 모래가 섞인 붉은 흙으로 제작된 것이 많으며 수작업으로 이루어졌다. 진흙을 빚는 것과 똬리를 틀어 빚는 법 같은 제작 방법을 이용하였다. 똬리 트는 방법은 진흙을 가늘고 긴 모양으로 만들어서 한 바퀴 한 바퀴 감아올려 모양을 만들어낸 후 손으로 바깥 부분을 평평하게 바르는 것이다. 이런 제작 방법은 지금까지도 중국

똬리 트는 방식의 토기 제작

의 일부 소수 민족들 사이에서 여전히 사용되고 있다.

신석기 시대 후기 옛사람들은 물레로 토기를 제작했다. 물레란 직립 회전축을 장치한 원반 모양의 작업대다. 재료를 물레의 중앙에 놓고 회전할 때 손으로 매만져 모양을 빚거나 도구를 사용하여 모양을 만들며 동시에 토기의 표면을 아주 매끄럽게 한다. 물레로 만든 토기는 그 두께가 균일하고 외형이 아름다울 뿐만 아니라 생산성도 높일 수 있다. 물레로 만든 토기는 보통 회전 무늬가 남고 밑 부분은 물레에서 떼어낸 흔적이 남아 있다. 산둥 룽산 문화 유적(지금으로부터 약 5,000년 전)에서는 물레를 이용해 만든 단색의 무늬 없는 토기가 다량 출토되었는데 겉면의 색이 거무스레하고 두께가 달걀 껍데기처럼 얇다고 하여 '달걀 껍데기 토기(蛋殼陶)'라고 한다. 그때 당시 토기 제작의 최고 수준을 보여주고 있다.

가마는 토기의 제작 발전에 따라 계속 개량되었다. 초기 가마는

물레를 이용한 토기 제작

목재를 연료로 사용했으며 자연 통풍을 이용하였다. 시안 반파 앙소 문화 유적에는 가로 형식과 세로 형식의 두 가지 가마 형태가 있다. 지면이나 언덕을 따라 옆에서 파내어 화구, 화도, 요대, 요실로 구성되었으며 아치형 요실은 잡초와 흙을 섞어서 만든 것이다. 룽산 유적의 가마는 아궁이가 요실 밑 부분 근처에 있고 잡초와 흙으로 제작되어 열기가 여러 갈래의 화도를 통해 요실로 통하게끔 되어 있다.

상주 시대에는 수공업의 발전으로 토기의 생산 조직과 기술에 새로운 변화가 일어났다. 허난 정저우 상성 유적의 서쪽 벽 근처에서는 상대의 토기 제작 공장이 발견되었는데 10여 개의 가마가 있었다. 산시 뤄수이촌 토기 작업방 유적에는 6개의 가마가 발견되었는데 아직 굽지 않은 토기도 남아 있었다. 이로부터 상대의 토기 제작업은 집중적이면서도 분업화된 생산 방식을 이용하였으며 토기의 생산량 역시 적지 않음을 알 수 있다.

오랜 토기 제작 경험을 바탕으로 상나라 때에는 점차 무늬가 있는 단단한 토기와 원시 자기가 나타났다. 원시 자기는 고령토를 원료로 섭씨 1,200도 이상의 온도에서 구워서 제작된 것이다. 이런 자기는 경도가 단단하여 자기의 기본 특징을 가지고 있다. 다시 1,000년간의 발전을 거쳐 서한 시대에는 중국의 자기가 진정으로 두각을 나타내기 시작했다.

다시 缶자의 의미를 되돌아보자. 관련 글자는 모두 토기와 관련되었다. 어떤 글자는 직접 토기로 만든 그릇의 명칭을 나타내는데, 예로 缸(항아리 항)의 본뜻은 토기로 만든 용기인데 아가리와 중배가 모두 큰 것을 가리킨다. 罌(양병 앵)은 본뜻은 용기로서 일종의 병 종류를 가리킨다. 어떤 글자는 토기와 관련된 행위나 상태를 나타낸다. 예로 缺(이지러질 결)의 본뜻은 '기물이 파손되다'인데 '결함이나 과실'의 의미로 그 뜻이 확대된다. 罅(하)는 본뜻이 '벌어지다, 짜개지다'의 뜻인데 '틈'이라는 뜻으로 의미가 확대되기도 한다. 罄(경)의 본뜻은 '용기가 비워지다'인데 '모조리 없어지다, 다 쓰다'로 확대되었다. 사자성어 중 '罄竹難書(대나무를 다 써서 글로 표현하기가 어렵다 — 역주)' 중 罄은 다 쓰다는 뜻으로 사용되었다.

그릇 명皿과 皿자가 붙는 글자

皿의 원래 뜻은 그릇인데, 일반적으로 공기, 접시, 잔, 쟁반 등 식기를 가리킨다. 皿자가 붙은 글자 역시 우리에게 익숙한데 盆(동이 분, 皿 — 총 9획), 盤(소반 반, 皿 — 총 15획), 盒(합 합, 皿 — 총 11획), 益(더할 익, 皿 — 총 10획), 監(볼 감, 皿 — 총 14획) 등이 있다.

인류가 흙을 혼합하여 토기를 만들어 사용하던 때부터 皿 모양의 식기는 최초로 제작된 토기의 종류일 것이다.

皿의 옛 글자 모양은 다음과 같다.

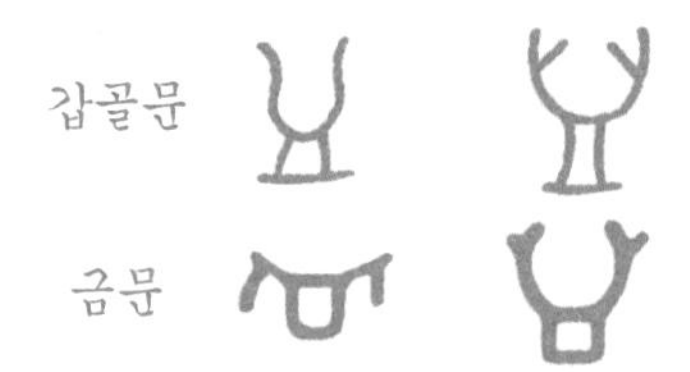

皿의 옛 글자는 물건을 담을 수 있는 그릇 모양과 흡사하다.

토기는 원시 농업의 발생과 함께 나타났다. 옛사람들은 생활 중에 우연히 찰흙을 불에 구우면 쉽게 단단해지는 데서 아이디어를 얻어, 일부러 찰흙을 가공해 모양을 만들고 불에 넣어 구워서 토기를 만들었다. 실용적인 면에서 보자면 제일 먼저 만들어진 토기는 盆(동이 분), 罐(두레박 관), 盌(주발 완) 등의 식기일 것이다. 이는 고고학적으로도 증명된 사실이다.

1962년, 장시 만년현 선인동 신석기 시대 유적에서 모래가 섞인 홍토기가 발견되있는데 지금으로부터 1만 년 선으로 것으로 추정된다. 이 토기는 수공 제작으로 손잡이도 없고 받침대도 없으며 표면이 거칠고 조악하다. 높이가 약 18밀리미터, 지름이 20밀리미터, 두께가 0.7~1.4밀리미터로 내벽이 울퉁불퉁하다. 고고학자들에 의하면 이것은 지금까지 중국에서 발견된 최초의 토기다. 이 토기를 사람들은 '관罐'이라고 하는데 '대완大碗'이라고 해도 큰 무리는 없다. 또한 상형문자로 간주된다.

요즘 흑룡강 치치할시 서남쪽의 앙앙시에서도 초기 신석기 시대 토기가 발견되었는데 그중 두 개는 완전한 형태로 보존되었다. 하나는 밑 부분이 평평하고 깊이가 깊은 그릇이고, 다른 하나는 둥근 모양의 항아리인데 외관상 모두 조잡하게 만들어진 편이다.

초기 신석기 시대 인류의 생활에서 식기를 우선으로 만든 것은 합리적인 일이다. 기술적 논리로 보더라도 토기 제작은 간단한 형태에서 복잡한 형태로, 조잡한 것에서 겉보기에 아름다운 것으로, 실용적인 제작에서 비실용적인 제작으로 발전되기 때문이다. 옛사람들이 생계 문제도 해결하지 않고 굶주린 배를 부여잡고 정교한 공예품을 만들었다는 것은 말이 안 되기 때문이다.

약 1만 년 전에 만들어진 토기

물론 옛사람들이 아름다움을 추구하는 본능을 배제할 수 없으나 생활상의 수요와 비교해 무엇이 우선인지에 대한 구별은 있는 법이다.

인류 사회의 발전에 따라 중기 신석기 시대 토기 제작은 더욱 복잡하고 정교해졌다. 이 시기의 문화 유적에서는 다량의 정교한 토기가 발견되었다. 간쑤 요칭에서 출토된 신석기 시대 중기 채색 토기 항아리는 높이가 50밀리미터이고 지름이 18.4밀리미터이며 붉은 흙으로 만들어져 표면이 매끄럽고 흑갈색 물결무늬와 소용돌이무늬가 그려져 있어 매우 화려하다.

신석기 후기에는 더욱 섬세한 작품이 등장했는데 대부분이 식기류의 유물이다. 1979년대 산둥 교현 삼리하 룽산 문화 유적(신석기 시대 후기)에서 다량의 토기가 출토되었다. 모양이 다양하고, 표

약 5,000년 전에 만들어진 토기

면이 거무스레하며 반들반들하고, 몸체가 가볍고 얇다.

위 그림은 삼리하 룽산 문화 유적지에서 출토된 토기들인데 갑골문의 皿과 아주 흡사하다.

토기를 제작하면서 선조들은 또 자기를 만들어냈다. 역시 식기류가 많아 민중들의 생활과 밀접한 관계가 있음이 밝혀졌다.

지금 우리가 사용하는 단어 중 皿자가 붙은 글자는 그 뜻이 모두 토기와 관련된다.

그릇의 모양과 그 명칭은 관련이 있다. 예를 들어 盂(바리 우, 皿 — 총 8획)는 원래 음식물 혹은 기타 액체를 담는 그릇을 가리킨다. 盎(동이 앙, 皿 — 총 10획)은 본래 배가 크고 아가리가 작은 기와 도자기로 만든 용기다. 盛(담을 성, 皿 — 총 12획)은 원래 제기에 넣는 찰기장을 말하는데 후에는 의미가 확대되어 물건을 그릇에 담는 것을 가리키게 되었고 더 확대되어 충족하고 번창하다는 뜻을 나타내기도 한다. 송나라 때의 구양수는 『伶官傳序』에서 "盛衰之理, 雖曰天命, 豈非人事哉!(성쇠의 도리는 비록 천명에 달렸다 하지만 사람들의 일이 아니라고 할 수 있겠는가!)"라고 하였다.

또한 용기와 관련된 행위를 나타내는 글자는 예를 들면 益(더할 익, 皿 — 총 10획)은 皿과 水자를 따름으로써 본래의 뜻은 물이 넘쳐흐르는 것을 말한다. 이는 溢(넘칠 일)의 본래의 문자로서 후에 물이 불어난다는 뜻으로 확대되었고 지금 사용하는 增益(증익)에서의 益은 본래의 뜻에서 파생된 의미다. 盥(대야 관)의 갑골문은 용기 속에서 손을 씻는 모양이다.

요즘은 중국의 호텔이나 회의실 같은 장소에서 '관세실盥洗室'이라는 표지를 볼 수 있다. 영盈의 본뜻은 물 혹은 기타 액체가 용기 내에 가득 차 있거나 낮게 걸린 것을 가리킨다. 후에 그 의미가 확대되어 가득 찬 상태를 표시하게 되었다. 監(볼 감, 간체자는 监)은 갑골문에서 사람이 그릇에 물을 담아 모습을 비추는 모양이다. 옛날에는 거울이 없어 물을 거울로 사용하였다. 후에 구리로 거울을 만들었는데 그를 뜻하는 글자도 鑑(거울 감)으로 쓰이게 되었다. 借鑒(빌릴 차, 거울 감, 거울로 삼다는 뜻임 — 역주)이라는 단어는 나중에 의미가 확대되어 생긴 것이다.

오지병 격鬲이란 무엇인가?

鬲은 지금 사용하는 한자에서는 거의 볼 수 없다. 그래서 많은 사람들은 그 뜻을 모르고 제대로 된 한자인지조차 알 턱이 없다.

鬲은 굵은 다리가 세 개 있는 그릇으로 본래 뜻은 불을 담는 취사 도구를 가리키며 주로 음식물을 찌거나 삶는 데 사용했다. 鬲은 그 탄생과 멸망에 이르기까지 수천여 년의 시간을 걸쳤다. 기나긴 세월에서 鬲은 수많은 기타 형태의 도자기를 유도하였는데 이를 도자기의 전형적인 '선조'라고 해도 과언이 아니다.

鬲의 고대 문자 형태는 아래와 같다.

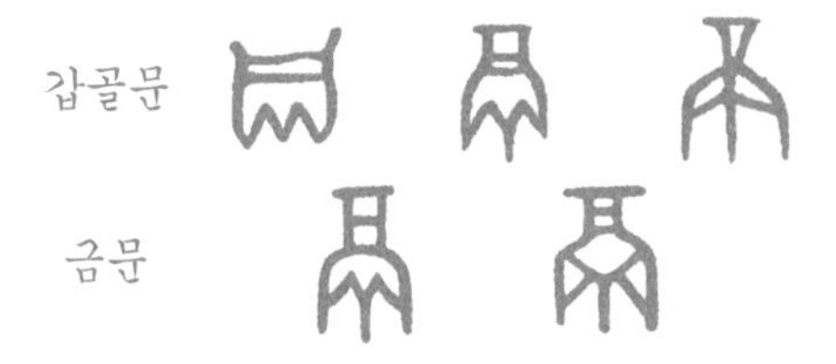

고대 문자 형태에서 알 수 있다시피 鬲은 바로 이러한 용기의

모습을 본떴다.

鬲은 고대 토기의 일종으로 음식물을 찌거나 삶는 데 사용되었다. 가장 기본적인 특징은 세 개의 포대 모양(젖가슴 모양이라고도 함)의 굵은 발이 달린 것이다.

토기류의 일종으로서 鬲이 최초의 토기 형태였다고는 할 수 없다. 鬲의 형체는 대야, 항아리 종류보다 복잡하기에 이들보다 늦게 등장했다. 鬲은 대략 채색 도자기가 나타난 후에 출현하였는데 지금으로부터 약 4,000여 년 전이다.

말하자면 이상한데 세계의 다른 지역에서의 토기 출현은 매우 이르고 종류도 다양했지만 鬲과 같은 유물은 없다고 한다. 그러나 고대 중국에서 鬲은 매우 오랜 시간, 보편적으로 사용된 그릇이다. 이는 고대 중국 문화의 대표라고도 할 수 있다.

鬲자는 원래 토기 모습에서 나왔다

그렇다면 鬲은 어떻게 만들어진 것인가? 鼎(솥 정)은 고대 기물의 대부분을 차지하며 큰 종류에 속한다. 그 기본 특징은 다리가 세 개이기에 고대 학자들은 鬲을 鼎의 일종으로 보았다. 예를 들어 동한의 허신許愼은 『설문해자』에서 "鬲은 鼎의 일종이요, 배는 무늬가 서로 교차되었고 다리가 세 개이다"라고 하였다.

표면적으로 본다면 鬲은 위에 아가리가 있고 복부에 서로 교차된 무늬가 있으며 아래에는 다리가 세 개 있는데 얼핏 보아서 鼎과 별반 차이가 없는 듯하다. 그러나 고고 전문가들의 연구에 의하면 鼎과 鬲의 시작은 다르다고 한다. 鼎은 우선 밑이 둥근 도자기로 시작해 나중에 다리가 생긴 것이다. 예를 들면 대야라든가 항아리를 먼저 만들고 나중에 다리 세 개를 붙이면 곧 鼎이 되는 것이다. 鬲은 먼저 속이 빈 세 개의 다리를 만든 후 이들을 붙여 만들어낸다. 그 외에도 鼎과 鬲은 쓰임새가 달랐다.

鼎은 엄숙하고 격식을 차린 장소에서 사용되고 鬲은 일상생활에 사용되는 그릇이었다.

최근에 전문가들은 鬲을 만드는 모의 실험을 하였는데 이로써 鬲과 鼎이 서로 다른 제작 방식을 가진 것을 알 수 있게 된다. 鬲을 만드는 방법은 대략 다음과 같다.

1. 먼저 원뿔 형태의 다리를 만든다. 缶와 항아리의 형태가 비슷하고 그 제작 방법도 대체로 같다.
2. 서로 붙여서 鬲을 만든다. 목과 다리가 절반 말랐을 때 우선 세 다리를 일부분 없앤 후 서로 비스듬히 기대어 붙이고 목

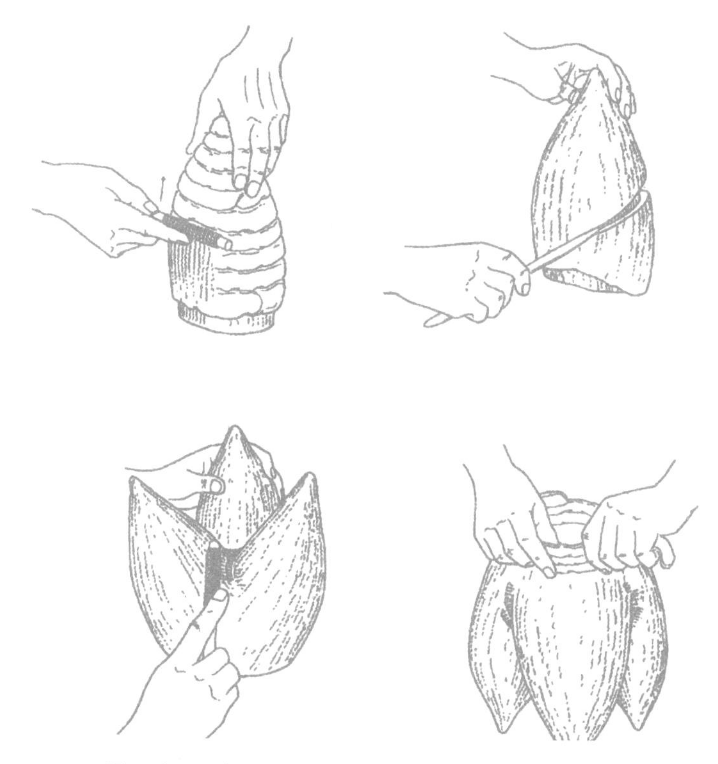

鬲을 만드는 과정(리원제, 『중국 고대 도자기 제조 공예 연구』)

부분을 붙인다.

3. 무늬 장식과 손질하기. 밧줄을 위에 굴려서 무늬를 내거나 벌집 모양으로 둥글고 오목하게 누른다.

전형적인 鬲은 세 개의 속이 빈 원뿔형의 다리가 있고 복부가 매우 얕다. 때문에 다리는 실제로 지지와 수납의 두 가지 기능을 겸하고 있다. 鬲을 사용하여 물을 끓이면 불에 닿는 면적이 비교

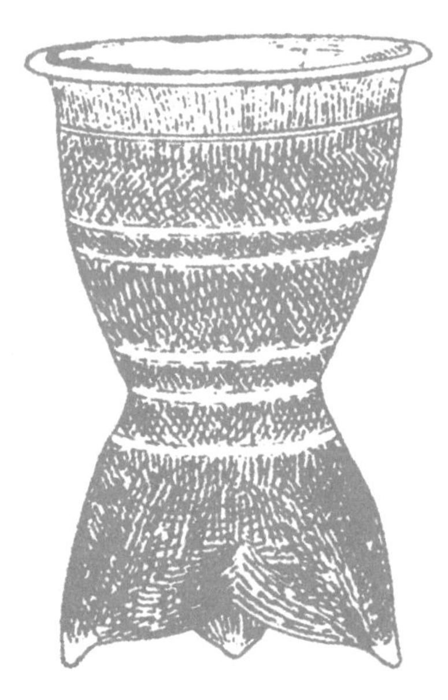

도자기로 만든 甗(언-시루)

적 넓어 鼎에 비해 짧은 시간 내에 많은 양의 물을 끓여낼 수 있다. 때문에 鬲의 모양을 기초로 甗(언 — 시루를 가리킴)이 나타났다. 이 시루는 甑(증)과 鬲의 결합체로서 음식물을 찌고 익히는 데 사용했다.

甗뿐만 아니라 중국 고대에는 鬲의 모양을 기본으로 속이 빈 원뿔형 다리를 특징으로 하는 도자기들이 많이 만들어졌다. 각기 부르는 이름은 다르나 그 글자의 모양을 보아 모두가 鬲과 관계가 있다는 것을 한눈에 알아볼 수 있다.

鬲의 형체에 대해 어떤 학자들은 미학적인 각도에서 연구하여 鬲과 유럽 신석기 시대의 '빌렌도르프의 비너스(Venus of Willendorf,

백도규(일종 취사 도구로서 술 혹은 물을 담는 데 사용함)

유방과 엉덩이가 풍만한 여인의 조각상)'와 비교하여 鬲은 더욱 추상적이고 과장되게 표현된 인체 예술품이라고 인정했다. 아마 이러한 토기에는 선사 시대의 여성 숭배의 비밀이 숨겨 있을지도 모를 일이다. 鬲은 토기로서는 기원전 4~5세기에 소실되었는데 그 원인은 아직 명확하게 알지 못한다. 역사는 몇 차례 문명의 흥망을 겪었는데 여기서 우리는 격의 쇠망에 대한 예를 볼 수 있다.

鬲이라는 그릇은 이제 존재하지 않지만 鬲에서 파생된 문자와 단어는 아직까지 사용되고 있다.

오늘날 가장 많이 쓰이는 단어인 금융金融의 융融자에는 鬲자가 포함되어 있다. 2003년의 봄, 중국에는 사스가 창궐했는데 당시 격隔과 리離로 구성된 격리隔離라는 단어의 사용 빈도는 엄청났다.

병 호壺의 변화 과정

壺(병 호, 士 ― 총 10획)의 간체자는 壶이다. 맨 처음에는 찬 술을 데워 담는 청동기를 가리켰는데 지금은 입구과 손잡이(혹은 들손)가 달린, 액체를 담는 용기를 가리킨다. 사용되는 재료도 다양하다. 준(尊, 樽과 통용), 격鬲, 궤簋, 돈敦 같은 청동기의 이름과 비교하여 壺자는 현재까지 자주 쓰이며 그 기본 의미 또한 변하지 않았다. 다른 글자와 결합해서 水壺(물 주전자), 茶壺(차 주전자), 咖啡壺(커피 주전자) 같은 단어가 되었으며 지금 우리가 주위에서 흔히 볼 수 있는 물건들이다.

고대 壺의 문자 형태는 다음과 같다.

신석기 시대 목이 가는 주전자(높이 21.6센티미터, 지름 2.1센티미터)

고대 壺의 문자 모양에는 덮개가 있고 양측에 손잡이가 달렸으며 배가 큰 용기와 비슷하다.

신석기 시대에 선조들은 이미 토기로 주전자를 만들었다. 주전자는 보통 배가 크고 목이 가늘며 아가리가 작은데 처음에는 조롱박 모양과 비슷했다. 고대 문헌에서 壺는 호로胡盧의 약칭으로도 쓰이는데 이는 조롱박을 의미한다. 『시경・빈풍・칠월詩經・豳風・七月』에서는 "七月食瓜, 八月斷壺(7월에 박을 먹고 8월에 조롱박을 가르네 — 역주)"라고 했는데 여기서 호壺는 호로胡盧를 가리킨다.

주전자의 형태는 복잡하기에 대야, 항아리 따위의 용기보다 비교적 늦게 출현했다. 그림은 신석기 시대 말기의 목이 가는 주전자로서 진흙으로 만들어졌다. 표면은 반질거리며 물새가 물고기를 물고 있는 그림이 그려 있다.

주전자의 형체로 보아 이는 활차로 만든 것으로 추측되었는데 이는 백기어의 기술 함량보다 높다. 이 주전자의 용량은 크지 않고 아가리도 매우 작아서 물건을 담기 어려우므로 일종의 공예품일 수 있다.

청동기 시대에 들어서자 청동 주전자의 제작이 활발해졌나. 상나라 사람들은 술을 마시기 좋아하는데 주전자는 덮개가 있어 술을 담거나 데우는 데 매우 적합한 용기였다. 고대에는 술의 종류가 많고 술 주전자의 모양도 여러 가지였다. 청동 주전자는 역사상으로 사용된 시간을 보면 상나라 때부터 시작하여 한나라 혹은 더 늦을 수 있다. 그래서 그 변화 과정은 매우 복잡하다.

상나라 주전자의 형태는 조롱박 모양의 목이 길고 둥근 들손 주전자, 목이 가늘고 길며 배가 둥근 주전자, 납작한 주전자 따위의 여러 가지가 있다. 동주 시대에는 대부분 둥글고 목이 긴 주전자와 장방형 주전자였고, 서주 시대 말기에 와서도 변화는 크지 않았다. 춘추 시대 중·말기에 주전자의 형태는 새로운 변화가 있었다. 다음 그림은 춘추 시대의 세 가지 주전자다.

첫 번째 그림은 조롱박 주전자 종류로서 외형은 조롱박 같고, 목은 한쪽으로 기울어졌으며, 덮개가 있는데 쇠사슬로 어깨 부위와 연결되었고, 배 아래 부위에 작은 귀가 하나 있다. 두 번째 그림은 장방형 주전자의 일종으로 형체는 장방형이고, 덮개는 높으며, 위는 연꽃잎 모양이고, 양측은 짐승의 귀에 고리를 꿰어놓았

춘추 시대 청동 주전자(마승원의 『중국 고대 청동기』)

다. 세 번째 그림은 둥근 주전자의 일종으로 아가리가 둥글고, 덮개가 연꽃잎을 비스듬히 놓은 모양이고, 두 귀는 주전자의 목에 붙어서 뒤돌아보는 용이다. 진시황 통일 이전 시기의 청동 주전자는 대부분 입이 없다. 이 구조에서 고대 사람들이 주전자를 들고 기울이면 술이 주전자의 아가리에서 흘러나오는 모습을 상상할 수 있다.

위진魏晉 후에 와서 청동기는 널리 사용되지 않았다. 도기 주전자와 자기 주전자가 유행되었는데 단지 술을 담는 데에만 국한된 것이 아니라 물 혹은 약을 끓이는 데도 사용하였다. 형체는 소형에 가깝다. 당나라 때부터 점차 차를 마시는 것이 유행되었는데 차 주전자와 물을 끓이는 주전자가 이에 따라 나타났다. 주전자의 입구 손잡이(혹은 들손)는 필수적이었는데 이는 초기의 주전자 모양과 선명한 구별이 된다.

근대 공업은 여러 가지 새로운 재료를 개발하여 주전자는 철,

자사 주전자

두랄루민, 유리 등으로 제조할 수 있다. 소비자의 수요에 적응하기 위하여 주전자의 형태도 여러 가지인데 예를 들어 가정에서 사용하는 물을 끓이는 주전자, 커피 주전자, 군대에서 사용하는 물 주전자, 여행용 전기 주전자 따위가 있다. 실용적인 각도에서 본다면 현대의 주전자는 비교적 소박하다. 자사紫砂 주전자처럼 그 형태와 공예를 따지는 주전자도 있지만 이는 예외의 일이다.

壺가 뜻하는 의미는 액체를 담는 손잡이를 쥐고 기울이면 그 액체가 입(혹은 아가리)을 통해 흘러나오는 용기를 말한다. 현재 壺자를 붙일 수 있는 범위는 넓다. 북방의 어떤 지방에서는 보온병을 난 주전자(暖壺)라고 부르고, 야간에 오줌을 누는 데 사용하는 아가리가 작은 용기를 야간 주전자(혹은 직접 요강이라고 부른다)라고 한다. 우아함에서 속된 것에 이르기까지 주전자의 범위는 이처럼 넓다.

주전자가 사람들에게 익숙히 알려졌기에 壺자가 있는 단어도 널리 쓰인다. "醉死不認半壺酒錢(죽도록 취했는데 반 주전자 술값도

내지 않는다 — 역주)"라는 말은 괜한 억지를 쓰는 것을 비유한다.

주의할 점이라면 壺와 壼(대궐 안길 곤, 士 — 총 13획)은 모양이 비슷하지만 한 획의 차이로 완전히 다른 두 글자이므로 혼동해서는 안 된다. 곤壼은 궁궐 안의 골목길을 가리키는데 고대 중국에서는 비빈의 거처를 '곤위壼闈'라고 부르고 궁 안에서 일어나는 일을 '곤정壼政'이라고 불렀다.

뿔 각角 그리고 관련된 글자

角은 단일 문자로 사용될 수도 있고, 부수로 사용될 수도 있다. 그 원래 의미는 동물의 뿔을 가리키는데 전형적인 것으로는 소뿔과 무소의 뿔을 들 수 있다. 소뿔은 견고하고 내부가 비어 있어 고대 사람들은 이를 이용하여 술잔으로 사용하였다. 청동기 시대에도 여전히 술잔을 소뿔 모양을 본떠 제조하였다. 후에 술잔의 모양과 구조는 많은 변화를 겪었지만 술잔을 지칭하는 어떤 글자는 여전히 角을 부수로 사용한다.

고대 角의 문자 형태는 아래와 같다.

고대 角의 문자는 동물의 뿔 모양과 비슷해서 모두 뿔의 줄무늬를 가지고 있다.

중국인들이 어느 시대부터 술을 마시기 시작했는지 아직 명확한 자료는 없지만 대략 하나라 때부터 이미 음주 문화가 발달하고 상나라 시기에 이르러 귀족은 폭음과 과음을 즐긴 듯하다. 이런 음주 문화는 상나라가 멸망한 주요한 원인이기도 했다.

술을 마시려면 술잔을 비롯한 주기가 있어야 하는데 처음에는 전용 술잔이 없었다. 그래서 옛사람들은 소뿔 따위를 이용해 술을 마셨다. 소뿔은 단단하고 내부가 비어 있어 술을 마시기에는 안성맞춤이었다.

청동기 이전에는 토기로 술잔을 만들어 사용하였는데 그 당시 음주 문화가 보편화되지 않아 고대 토기 술잔이 유물로 발견된 경우는 매우 드물다.

청동 제련 기술의 출현과 발전에 따라 주기 제조는 일정한 수준을 유지하게 되었는데 고대 사람들은 동물의 뿔 모양을 본떠 청동 주기를 제조하였다. 이렇게 제작한 각(角, 발음은 覺과 같음)은 술잔을 놓기 위하여 받침대 용도로 세 개의 다리를 덧붙여 안정성을 보장했다.

후에 종류는 다양해지고 그 모양과 구조도 변하였는데 고대 사람들은 서로 다른 명칭으로 구분하였다. 그러나 여전히 角을 부수로 그대로 남겨두었다. 글자만 봐도 술과 관련된 것이라는 것을 한눈에 알아볼 수 있게 되었다.

부수 角을 갖춘 술과 관련된 글자는 주로 觚(술잔 고, 角 — 총 12

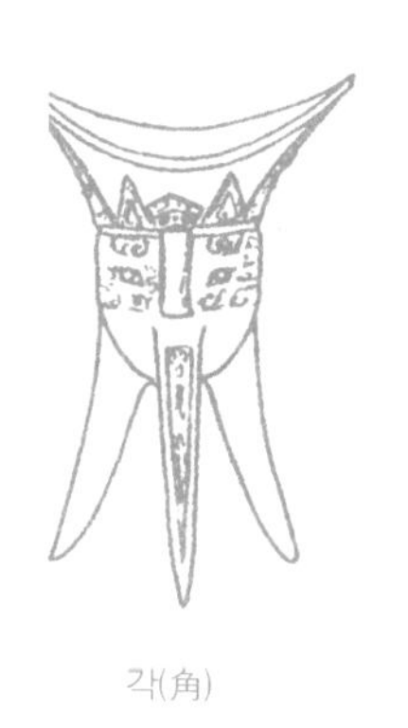

각(角)

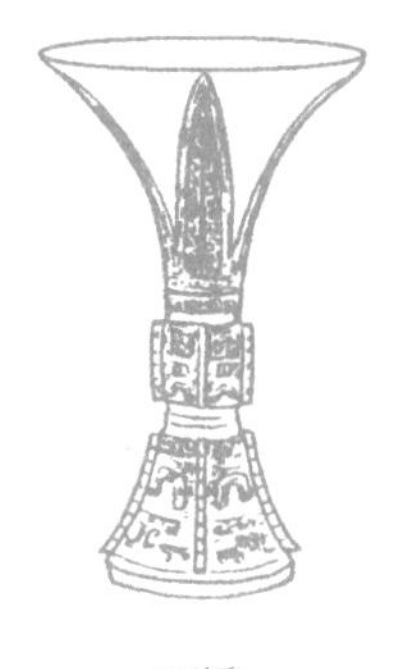

고(觚)

치(觶)

청동 주기

획), 觶(잔 치, 角 — 총 19획), 觥(뿔잔 굉, 角 — 총 13획), 觴(잔 상, 角 — 총 18획) 등이 있다.

觚는 상주 시대의 술잔으로 그 형태는 나팔 모양 주둥이에 목이 가늘다. 觚는 허리 아래로부터 모서리가 있고(밑바닥은 정방형을 이룬다), 없는 것도 있다. 『논어論語』에서 공자는 "觚不觚, 觚哉! 觚哉!(술잔이 술잔이 아니로세, 술잔이여! 술잔이여! — 역주)"라고 했는데 어떤 해석에 따르면 觚는 모서리가 있어야 觚라 할 수 있다는 것이다. 공자가 본 觚는 아마 원형으로 모서리가 없음에도 이름이 觚여서 공자가 보기에 실물과 이름이 일치하지 않는다 해 주나라의 예가 파괴되었다고 한탄한 것이다.

고대에서 글자를 연습하던 팔각형 혹은 육각형의 나무 막대기도 역시 고觚라고 부른다. 모서리가 있는 고觚형과 비슷하기에 육기는 『문부文賦』에서 "글을 아무렇게나 쓰는 것이 이제 막 글을 깨친 아이와 같다"는 문장을 남겼다. 그래서 중국어 성어 중에는 신중하지 못하고 무책임하게 문장을 쓰는 행위를 '率爾操觚'라고 한다.

觶는 역시 고대에 사용되던 술잔이다. 배가 둥글고 나팔 모양의 주둥이를 가지고 목 부분에 안으로 곡선 무늬가 있는 술잔이다. 어떤 것은 뚜껑이 있고 청동으로 제작되었다. 『예기·예기禮記·禮器』에서는 "宗廟之祭, 尊者擧觶, 卑子擧角(종묘에서 제사를 지낼 때 지위가 높은 사람은 치를 받들고 지위가 낮은 사람은 각을 든다—역주)"라고 했다. 치觶는 전국, 진한 시대에도 여전히 사용되었는데 글자 역시 치卮로 쓰인다. 『한비자韓非子』에서는 "今有千金之玉卮而無當, 可以盛水乎?"라고 했는데 뜻인즉 귀중한 옥 술잔은 그 제작이 정교하지만 밑바닥이 없다면 물조차 담을 수 없기에 쓸모없는 물건이라는 것이다. 한비자는 옥 술잔의 예를 빌려 공리주의 사상을 밝혔다.

觥은 처음에 물소 혹은 소뿔로 만들어진 술잔을 지칭했다. 예를 들면 『시경·주남·권이詩經·周南·卷耳』에서는 "我姑酌彼兕觥, 維以不永傷(굉에 술을 가득 붓고 이내 상처를 잊어볼까—역주)"라고 했는데, 고대 서적에는 兕(외뿔들소 시, 儿—총 8획)자가 자주 등장한다. 『이아·석수爾雅·釋獸』에서는 시兕가 소와 비슷하다고 하거나 시兕를 암 무소라고 한다.

무소의 뿔은 커서 술을 많이 담을 수 있다. 술을 담지 않을 때에는 눕혀 놓는다. 후에 청동으로 제작한 觥은 그 모양이 조금 변하고 덮개가 생겨 점차 복부가 타원형이고 둥근 다리, 입, 손잡이를 갖춘 주기로 변하였다. 덮개는 보통 여러 가지 짐승의 대가리 모양이고 어떤 것은 전체가 짐승 모양을 하고 있는데 예술적으로

굉(觥)

가치가 있다.

觴, 술을 가득 채운 주기를 觴이라고 한다. 사전 『설문해자』에서는 "實曰觴, 虛曰觶(가득 찬 술잔이 상이요, 빈 술잔은 치라고 한다 — 역주)"라고 했는데 상이 주기의 전용 명칭이 아니라는 것을 알 수 있다. 고대에는 잔을 들어 술을 권하는 것을 상이라고 하기에 술잔을 가득 채우는 것도 역시 상이라고 했다. 그래서 상은 점차 술잔을 가득 채운 각종 주기의 통칭으로 되었다. 술 마실 때 사용하는 주기는 모두 상이라고 할 수 있는데 이는 상이 원래 술을 가득 채운 잔을 가리키기 때문이다. 남상濫觴이라는 단어가 있다. 이는 원래 아무리 큰 강의 발원지도 물이 얕아 술잔을 띄울 만한 물웅덩이에 지나지 않다는 뜻이다. 후에 사물의 기원을 가리키는 데 자주 사용하게 되었다.

이 두豆는 그 콩 두豆가 아니라는데?

이 豆는 그 콩 두豆자가 아니라고 하는 것은 농담이 아니다. 豆자는 구체적으로 고대의 기물을 지칭하고 그 豆는 우리가 잘 알고 있는 콩을 뜻한다. 이 두 개의 豆는 동음이의어다. 하지만 기원을 따져보면 그릇과 콩은 확실히 인연이 깊다.

그릇 豆의 고대 문자 형태는 아래와 같다.

글자 모양으로 봐서 豆는 다리가 길고 테두리가 낮은 그릇이 얹힌 모양의 기물이다. 바로 이 접시 속에 물건이 담겨 있는 듯하다.

豆는 고대에 음식물을 담던 용기로 지금 사용되는 그릇 중 접

서주의 원시적 도자기 豆

시와 비슷하다. 최초의 豆는 도자기로 제조되었는데 형태는 위는 쟁반이고 아래는 손잡이와 밑받침이 있다. 이는 지금 가정에서 쓰는 다리가 긴 과일 쟁반과 매우 비슷하다. 초기의 豆는 원래 일반적인 밥그릇으로 사용되었는데 점차 제조 기술이 정교해졌다. 이후 제기로 사용돼 제사에 바치는 고기 요리를 담게 되었다.

청동기 시대에 들어서서 동으로 만든 豆가 출현하게 되었다. 서주西周 시대의 銅豆(동으로 제조한 두)는 그 모양이 여전히 토기로 만든 豆와 비슷해 음식물을 담은 테두리의 아가리가 넓은 접시 모양이다. 춘추 시대에 이르러 모양이 조금 변화된다. 뚜껑이 달린 豆가 나타나고 표면 장식이 추가되었다. 豆는 다른 재료로도 만들어졌고 그에 따라 부르는 명칭이 달랐다.

『이아 · 석기爾雅 · 釋器』에서는 "木豆謂之豆(梪), 竹豆謂之籩, 瓦豆

謂之登(목두는 두라고 부르고, 대나무로 만든 두는 변이라고 부르며, 와두는 등이라고 한다 — 역주)"라고 했다. 변籩과 두豆의 형태는 비슷하지만 담는 음식물이 달라 만드는 재료도 달랐다. 변籩은 육포나 대추, 밤 같은 마른 음식물을 담는 데에 사용되어 대나무로 만들어졌다. 두豆는 절인 야채, 다진 고기 같은 국물이 있는 음식물을 담는 데에 사용되기에 나무로 제조하였다. 籩과 豆는 쌍으로 사용하여 함께 등장한다. 예를 들면 『시경詩經』에서 "儐爾籩豆(변두에 음식을 담아 대접하다 — 역주)", "籩豆有踐(변두를 바치다 — 역주)"라고 하였다.

제사나 의식과 같은 장소에서 쓰이는 豆는 정교하고 아름답게 만들어졌다. 허베이 수이현隨縣의 증후 을乙 묘지에서 출토된 꽃이 조각된 칠기 목두木豆는 매우 정교하게 만들어진 공예품이라고 할 수 있다. 이 칠기 목두와 덮개는 두 토막의 나무로 조각된 것이다. 우선 한 토막으로 본체(밑받침, 손잡이, 코, 귀)를 조각해낸다. 귀는 우선 야수의 형태로 조각하고 양측을 투각해낸다. 다른 한 토막으로는 뚜껑을 조각한다. 위에는 청동기의 구름과 용의 그림을 본떠서 부각해낸다. 검은색을 밑받침에 칠하고 붉은색으로 꽃무늬와 도안을 그려내는데 그 색채는 화려하고 생기 넘치면서 다채롭다.

이 칠기 두豆는 전국 시대의 칠기 중 상등품에 속하며 엄청난 가치를 가지고 있다.

종정鐘鼎 같은 큰 용기에 비하여 豆는 작은 용기에 불과하다. 그러나 실용적으로 정밀하게 제작되는 豆는 제사 예식을 치르는 장소에 사용되었고 보통의 豆는 평범한 식기로 사용되었다. 고대에

증후 乙 묘지의 채색 두(豆)

는 신분에 따라 사용하는 豆의 수량도 큰 차이를 보였다. 지위가 높을수록 豆를 더 많이 소유하고 심지어 나이가 많을수록 豆를 더 많이 가질 수 있었다. 『예기 · 향음주禮記 · 鄕飮酒』에서는 "六十者三豆, 七十者四豆, 八十者五豆, 九十者六豆(60은 세 개, 70은 네 개, 80은 다섯 개, 90은 여섯 개라 — 역주)"라고 기재되었는데 이는 나이에 따라 소유할 수 있는 豆도 많다는 것을 말한다. 물론, 그 두가 얼마라는 것은 실제로 豆에 담긴 음식의 양을 가리키는 것이다.

豆가 용기를 가리킨다면 진시황 통일 이전의 고서에서 豆에 관한 기재는 그다지 이해하기 어려운 것은 아니다. 『논어 · 위령공論語 · 衛靈公』에서 "俎豆之事, 則嘗聞之矣(조두俎豆의 일은 이미 많이 들어본 바이다 — 역주)"라고 했는데 이는 곧 제사 지낼 때 사용하는 두 가지 용기 조俎와 두豆를 가리키는데 즉, 의식 자체를 의미한다. '俎豆之事(조두에 관한 일)'이란 예식에 관련된 일이다. 『예기』에서 나오는 '觴酒豆肉'은 바로 술잔에 담긴 술과 두豆에 담긴 고기 요리를 가리키는 것이다. 『고공기考工記』에서는 "食一豆肉, 飮一豆酒, 中人之食也"라고 했는데 뜻인즉 한 두豆의 고기를 먹고 한 두豆의 술을 마시는 것은 일반인의 식사량이라는 것이다.

豆는 식기인 이상 일정한 용량을 가지고 있어야 한다. 그래서 고대에서도 豆를 계량기로 사용하였다. 『좌전 · 소공삼년左傳 · 昭公三年』에는 제나라 네 가지 계량기, '두豆, 구區, 부釜, 종鍾'이 기록되어 있다. 출토된 제나라 토기에 새겨진 문구에서 '왕두王豆, 공두公豆'라는 글자도 볼 수 있는데 이는 이러한 두豆가 검문소와 국고에 설치된 표준 계량기라는 것을 말한다. 제나라 시기 한 되는 지금의 약 205밀리리터에 해당되는데 '四升爲一豆'에서 알 수 있다시피 한 두豆는 820밀리리터와 같다.

그럼 이제는 우리들이 즐겨 먹는 콩 두豆를 살펴보자. 고대에는 이를 최초로 尗라고 하였다. 손으로 尗를 따는 것을 숙叔이라고 하였다(又는 手를 가리킨다). 이에 초두草頭를 가하면 곧 숙菽인 것이다. 『시경』에는 "采菽采菽(콩을 따세, 콩을 따세 — 역주)"라는 구절이 있고 『좌전 · 성공십팔년左傳 · 成公十八年』에는 "不能辨菽麥(숙맥을 분별할 수 없다 — 역주)"라고 쓰였는데 여기서의 菽은 모두 먹을 수 있는 두豆를 가리킨다.

그럼 훗날 菽이 왜 豆가 되었는가? 청나라 학자인 치엔타이신의 연구에 의하면 고대의 발음으로는 구분이 되지 않았고 비슷했는데 후에 점차 통용되어 진한秦漢 시대에 이르러 菽을 豆로 부르기 시작하였다고 한다. 『한서・양운전漢書・楊惲傳』에서 "田彼南山, 蕪穢不治, 種一頃豆, 落而爲箕(남산에 밭을 갈고 어지러이 자라나니 한 경의 두를 심어 나락을 키질하네 — 역주)"라고 했는데 '種一頃豆(한 경의 두를 심는다 — 역주)'는 100이랑의 밭에 두豆류 농작물을 심는 것을 말한다. 여기서 두豆는 콩을 뜻한다.

豆의 명칭이 먹는 콩으로 자리 잡으면서 지금 많은 사람들은 그 처음의 뜻을 모르게 되었다. 그럼에도 豆의 본래 의미는 알아둘 필요가 있다.

등잔 등燈의 유래

중국식 간체자로 보면 등(灯)은 豆와 아무런 관계가 없는 듯하다. 그러나 정자로 쓰인 등燈을 보면 이 燈에 登이 있는 것을 발견하게 된다. 이 登의 구조에는 곧 豆가 포함된 것이다. 이는 두와 등이 어느 정도 연관성이 있음을 말한다.

燈의 고대 문자 형태는 아래와 같다.

고대 문자의 형태는 두 손으로 제물을 담은 용기 두를 받들고 위로 올라가는(두 발, 즉 위에 제물을 바친다는 뜻이다) 모양을 표시하는데 이는 후에 위로 올라가다, 높이 오른다는 뜻으로 확대되었다.

전국 연꽃무늬 청옥 등

등(灯)의 정자체는 燈인데 그 구조를 살펴보면 豆가 있다. 이로 보아 燈과 豆가 서로 연관됨을 생각해볼 수 있는데 정말 그렇다.

고대 사람들은 송진을 태워 불을 밝혔는데 이는 초기의 유적에서 이미 그 흔적이 발견되었다. 영하 해원의 차이웬 촌에 있는 신석기 시대 유적지 13호 동굴 서벽西壁에 여러 개의 소나무 가지를 꽂기 위한 구멍을 발견하였다. 그리고 그 부근의 벽이 화염에 그을려 변색되었는데 이것이 바로 실내에서 송진을 사용해 불을 밝혔다는 증거다.

상商나라 시기에 이르러 사람들은 동물의 기름을 태워 불을 밝히기 시작하였다. 기름을 태우는 것과 송진을 태우는 것은 달랐다. 첫 번째로 기름을 담는 용기가 있어야 하고 또 반드시 중심대가 있어 불꽃이 기름 표면 위에서 번지지 않게 해야 한다. 출토된 유물을 살펴보면 초기의 등불은 두豆와 비슷한 모양일 테고 심지어 燈과 豆를 분별하기조차 어려웠을 것이다. 이는 옛사람들이 처음부터 豆로 기름을 담아 불을 붙여 등불로 사용했다는 것을 말한다.

燈과 豆가 이처럼 관련이 있기 때문에 초기에는 登이라고 불렀고 '鐙'이라고도 썼다(대개 청동기로 만들어진 등을 가리킨다). 『楚辭·招魂』에는 "蘭膏明燭, 華鐙錯些"가 있는데 이는 전국 시대 이미 鐙의 사용법이 있다는 것을 설명한다. 그러나 당시에는 보편적으로 登이라고 불렀다. 『爾雅·釋器』를 보면 "木豆謂之豆(梪), 竹豆謂之籩, 瓦豆謂之登(목두는 두라고 부르고, 대나무로 만든 두는 변이라고 부르며, 와두는 등이라고 한다)"이라고 했는데 목두木豆와 죽두竹豆는 음식물을 담는 데 사용하고 와두瓦豆는 기름을 담아서 불을 밝히는 데 사용했다.

기름 등불은 간단하고 사용이 편리하여 중국에서는 벌써 오래 전부터 사용되었다. 1970년대 말에 이르러서도 가난한 시골에서는 전기가 들어오지 않는 곳이 많아 여전히 기름 등불을 사용하였는데 구조가 간단한 기름 등불은 豆자의 형태와 매우 흡사했다.

모양이 豆자와 비슷한 등을 '두형등豆形燈'이라고 부른다. '두형등'의 기둥은 속칭 손잡이豆把라고 부르고 문헌에는 경(檠, 등잔걸이)

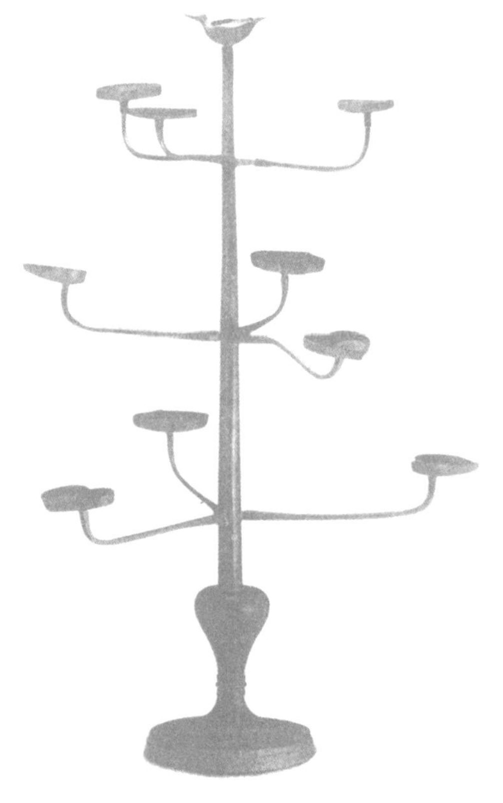

한(漢)나라 부상등(扶桑燈)

이라고 했다. 고대 시문에서 자주 볼 수 있다. 당나라 대학자인 한유는 『단등경가短檠燈歌』를 써서 등잔걸이의 길고 짧음을 빌려 한 유생의 신분이 변한 후의 심리를 풍자하였다.

고대의 등경燈檠은 모두 다 등잔걸이 위에 등잔을 놓는 것은 아니다. 어떤 것은 등잔걸이 위에 여러 갈래로 분리되는데 세 갈래, 다섯 갈래, 일곱 갈래 들로 나눈다.

광시 귀현 한漢나라 묘지에서 출토된 열 갈래의 등잔은 마치 가지가 무성한 뽕나무 같다(그림 참조). 등의 중심 기둥은 원기둥 모양이고 하단은 호리병 모양이다. 중심 기둥은 위에서 세 층으로 나뉘어 바깥으로 아홉 갈래 뻗어났고, 매 갈래의 끝부분에는 모두 뽕잎 모양의 등잔을 받치고 있다. 맨 꼭대기에는 금으로 만든 까마귀 모양의 등잔이 놓여 있다.

등잔걸이가 있는 등과 비교하여 전국 시대 후기에는 등잔걸이가 없는 등이 다양한 모양으로 만들어졌다. 장식을 화려하게 해서 관상용 공예품으로 또한 불을 밝히는 등잔으로도 사용하였다. 등잔걸이가 없는 등잔의 본체는 대부분이 사람이나 짐승의 모양으로 만들어졌는데 이는 豆와 아무 관련이 없다. 출토된 등잔에서 우리는 옛사람들이 등잔의 심미적 아름다움뿐 아니라 조명 효과에 대해서도 많은 연구를 했음을 알 수 있다. 후베이 만성에서 출토된 유명한 한나라 장신궁 등을 보면 그 형태는 궁녀가 꿇어앉은 모양이다. 궁녀가 왼손으로 등잔을 받치고, 오른팔을 들어 올려, 그 소매가 늘어지게 해 등갓으로 드리워져 있다. 등잔은 열고 닫을 수 있어 마음대로 불빛의 방향과 크기 조절이 가능했다. 궁녀의 몸체는 비어 있고 머리 부분과 오른팔은 해체할 수 있으며 오른팔은 등 대와 서로 통하여 연기가 오른팔로부터 몸 안에 들어가게 되어 있어 그 설계가 매우 정교하다 할 수 있다. 이러한 조명 기구는 각각의 부분을 따로따로 만든 후 합쳐서 조립한 것인데 그 제작 수준은 매우 높았다.

조명 기구의 모양에 관계없이 고대의 조명은 모두 불빛을 이용

한나라 장신궁 등(후베이 만성에서 출토)

한 것이다. 한漢나라 때 사람들은 불 화火자가 옆에 붙은 등燈자를 써서 조명 기구인 등불을 가리켰다. 그 후 鐙을 말등잔馬鐙을 가리키는 데 사용하여 燈과 鐙을 구분하기 시작했다.

등불을 사용하면서 燈과 관련된 어휘도 점차 다양해졌다. 예를 들어 '燈火通明(불빛이 매우 밝고 화려한 모양)', '燈紅酒綠(사치스럽고 향락적인 생활)' 같은 사자성어를 들 수 있다. 심지어 燈과 관련된 이야기도 널리 퍼져나갔다. 송나라 육유의 『노학암필기老學庵筆記』의 기록에 따르면 전등田登이라는 어느 지방 관리가 백성들이 자신의 이름을 함부로 부르지 못하게 하려 했다고 한다. 왜냐하면 登과 燈은 중국어로 발음이 같기 때문에 燈을 火로 고쳐 부르게 했다. 정월 대보름날 등불놀이를 할 때 포고문에는 다음과 같이 쓰여 있었다. "우리 고을은 관례에 따라 3일 동안 방화한다." 방화라니, 불을 질러 마을을 태운다는 방화 아닌가? 여기에서 후세에 "只許州官放火, 不許百姓點燈(관리는 방화할 수 있지만, 백성들은 등불조차 켜면 안 된다)"라는 풍자적인 어구가 생겨났다.

새롭게 거듭난 글자, 그물 망网

정보화 시대에 网(그물 망, 网 — 총 5획)과 관련된 단어가 중국어에서 하나 둘 등장하기 시작했다. 网絡(인터넷), 聯网(네트워킹 함), 网上聊天(인터넷 채팅), 网頁(웹 페이지), 网站(홈페이지)……. 많은 중국 사람들이 이렇게 습관적으로 网자를 사용하는 것은 网이 컴퓨터와 관련되어 있다는 것을 알아서다. 그러나 문자상으로 网의 첫 의미와 그 변화에 대해서 전부 이해하고 있는 것은 아니다.

문화는 과거가 있어야 미래도 있다. 때문에 우리는 당연히 网의 기원을 알고 내포된 의미를 파악해야 할 것이다.

网의 고대 문자 형태는 아래와 같다.

갑골문의 그림에서 알 수 있듯이 网은 펼쳐져 있는 그물의 모양과 비슷하다.

网은 한나라 때에 형성자 罔(그물 망, 网 — 총 8획)과 網(그물 망, 糸 — 총 14획)으로 변화되었다. 网은 2,000년 동안 줄곧 사용되었는데 중화인민공화국이 건립될 때까지 사용되었다. 1956년부터 중국 정부는 간체자를 보급하기 시작하면서부터 다시 网의 원래 모습을 회복하게 되었다. 网자의 예는 많은 고대 문자의 모양과 표의를 정확히 설명하는 전형적인 사례가 되었다.

网의 본래 의미는 삼노끈과 굵은 실로 얽어 고기를 낚거나 날짐승을 잡는 도구를 뜻한다.

원시 시대에는 그물이 없어서 물고기를 잡는 방법은 물속(얕은 물)에서 손으로 잡거나 다 함께 몸과 손발을 사용하여 물고기를 포위하여 잡거나 나무 몽둥이로 때려잡거나 돌멩이를 던져서 잡았다. 다 함께 물고기를 포위하여 잡는 데 착안하여 옛사람들은 그물을 만들어냈다. 『易經 · 繫辭下』에서는 복희씨包犧氏가 "作結繩而爲網罟, 以佃以漁(밧줄을 묶어서 어망으로 고기 잡는 것을 업으로 삼는다 — 역주)"라고 했다. 그물의 발명을 성인의 공로인 양 포장하였는데 이는 사실과 다르다.

물고기를 잡는 그물은 무게가 가벼워 던져놓으면 수면 위로 떠오른다. 때문에 어망은 추를 달아서 사용해야 했다. 신석기 시대 유적지에서 출토된 그물의 추는 꽤 많은데 돌, 토기, 조개껍데기로 만든 것도 있으며 모양이 다양했다. 반원추, 럭비공, 저울추 모양 등이 있다. 이는 물고기를 잡는 작업이 보편화되었으며 주변 재료를 활용하여 그물을 제작하는 특징도 반영하고 있다.

그물의 형태도 계속 발전했다. 초기에는 비교적 간단한 모양이었다. 문헌의 기록에 따르면 서주 시대부터 그물은 이미 여러 가지 모양이었다고 한다. 『詩經』에는 당시의 고기 잡는 도구가 여러 가지라는 사실이 언급되었는데 罛(물고기 그물 고, 网—총 10획), 罭(어망 역, 网—총 13획), 汕(오구 산, 水—총 6획) 들이 있다. "施罛濊濊"(『衛風 · 碩人』), "九罭之魚"(『豳風 · 九罭』), "蒸然汕汕"(『小雅 · 南有嘉魚』) 같은 시구를 보면 물고기를 잡는 모습이 생동감 넘치게 묘사되었다.

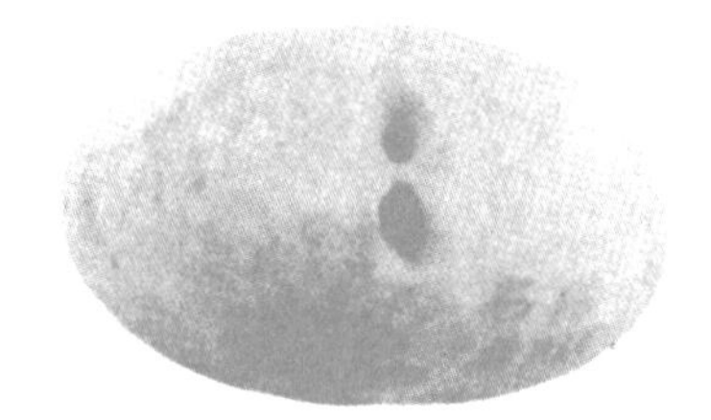

알 모양의 돌 그물추

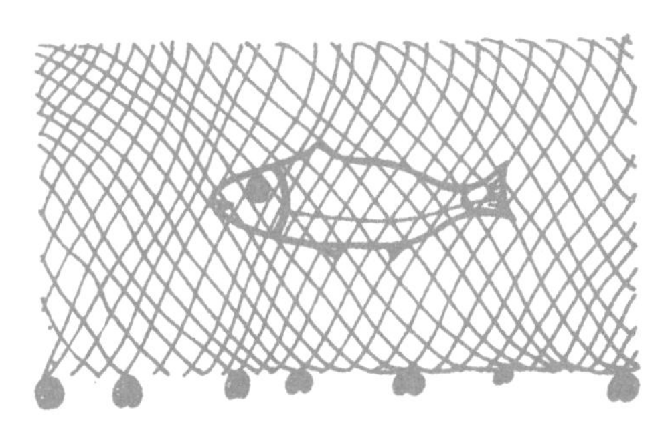

어망과 그물추

고대의 고기를 잡는 그물

고대에 網은 널리 쓰이면서 그 의미가 풍부해졌다. 또한 그물 모양의 물건을 가리키기도 했다. 오대五代 시대의 모우원시의 『우미인虞美人』에는 "蜘絲結網露珠多, 滴圓荷(거미줄에 많은 이슬은 연꽃잎에 떨어지네)"라는 구절이 있다. 『한서 · 왕망전漢書 · 王莽傳』을 보면 "網羅天下異能之士(천하를 망라하는 것이 뛰어난 재주의 선비—

역주)”라고 했다. ‘網羅’는 지금까지 거의 부정적인 의미로만 사용되었다.

현대에 와서도 網은 여전히 그물 모양의 물건을 가리키는 데 쓰였다. 그러나 이런 사물의 범위가 크게 확대되었다. 스포츠 종목의 網球(테니스)는 코트의 중간에 그물이 가로 놓여 있기 때문이다. 스포츠와 관련된 網만 해도 여러 가지인데 그 종목에 따라 網도 크게 다르다. 닥구대 위의, 농구 골대 위의, 축구 골문에 사용되는 그물 같은 스포츠 종목 이름도 網으로 조합된 단어가 있다. 배구에서 쓰는 용어인 攔網 블로킹은 네트 주변에서 뛰어올라 공을 막는 기술을 가리킨다.

고대는 농업이 주가 되는 사회였다. 기술적 각도에서 말하자면 網은 농토 수리에 의해 형성된 관개 수로망과 관련되었다. 그러나 산업사회로 이동하면서 기술 구성에 대한 網(네트워크)을 보면 전력망, 교통망, 전화망 같은 새로운 형태의 기술 시스템을 말하고 있다. 정보화 사회에 들어서면서 확실히 컴퓨터 기술에 의해 만들어진 ‘互聯網(인터넷)’이 등장하고 중국인들의 언어 환경도 큰 변화가 생겼다. 하이테크 기술을 기초로 한눈에 보이는 진짜 네트워크도 있겠지만 시간과 공간적으로 엇갈려 노니는 사이버상의 의미도 포함되어 있다.

網이라는 한 글자가 이처럼 큰 의미를 가지고 있다는 것이 놀라울 정도다.

수레 차車로 알아보는 수레의 구조

車, 본래 의미는 육지에서의 바퀴가 달린 교통수단을 뜻한다. 차의 발명은 인류사회 발전에 매우 중요한 역할을 했다. 車자는 또한 그 사용 범위가 아주 넓은 글자로서 車를 편방으로 하는 한자는 약 100여 개에 달한다.

車의 고대 문자 형태는 아래와 같다.

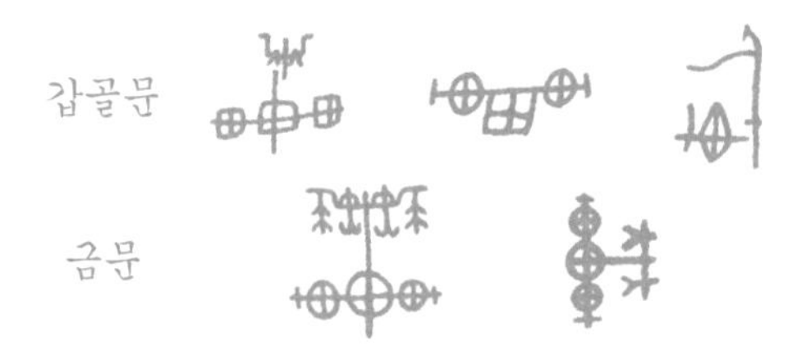

車는 상형문자로 옛사람들이 고대 수레의 특징을 그림으로 표현한 것이다.

반세기에 걸친 고고학 발굴을 통해 오늘날 우리는 이미 10여 곳의 상나라 시대 수레차의 유적을 발견하였다. 車의 고대 문자 형태는 유적의 수레 모양과 흡사하다.

상·주 나라 시기의 차는 보통 바퀴가 두 개이고 차의 본체는 정방형이며 하나의 끌채가 있고 앞에는 가로지르는 막대가 있는데 이를 형衡이라고 부른다. 그 양측은 사람 인人자형 멍에가 있는데 이는 말고삐를 매는 데 사용되있다. 멍에와 고삐로 말을 부렸다. 보통 말은 두 필인데 많게는 여섯 필이 끄는 수레도 있었다. 수레를 단단히 고정하기 위하여 어떤 수레에는 청동으로 만든 부품을 사용하기도 했다. 이런 수레는 설계가 합리적이고 성능이 우수하며 심미적 가치도 뛰어나 옛 전통의 품격을 지니고 있다.

하남 안양 은허 상나라 거마 갱

車의 갑골문, 금문 형태에서 알 수 있다시피 車는 말로 끄는 두 바퀴가 달린 나무 수레를 가리킨다. 당시 매우 중요한 육지 교통 수단이었다.

오랜 시간 車 제조 기술에 관한 경험이 축적되면서 춘추 시대 말기에는 그 최고봉에 올랐다. 전국 시대 초기쯤에 완성된 수공업 기술서인 『고공기考工記』에는 당시 목제 車의 제작 기술에 대한 상세한 기록에 많은 부분을 할애했다. 그리고 이 내용은 과학사학계에서 세계 최초의 목제 車의 설계와 제조에 관한 전문 이론으로 인정받고 있다.

중국 고대 나무 차의 구조 특징은 바퀴 두 개, 본체 하나, 끌채가 하나, 축이 한 개이고 이 외에도 몇 가지 중요 부품이 있는데 다음과 같다.

상나라 목제 차의 복원도(유영화, 『中國古代車輿馬具』)

1. 차바퀴

바퀴는 고대 차에서 가장 중요한 부분으로서 견고하고 단단한 나무로 제조되었다. 차바퀴의 테두리는 바퀴 테라고 하는데 아牙라고도 부른다. 차바퀴 중심의 원주형 부품을 곡(轂 — 수레바퀴)이라 부르고 이 轂의 중심 구멍을 숙藪이라고 부른다. 이는 차의 축을 끼우는 데 사용한다. 轂의 테두리에는 납작한 장붓 구멍이 뚫려 있는데 이는 바퀴살을 끼우는 데 사용된다.

차바퀴의 설계에 관하여 『고공기』에는 아주 자세한 설명이 나와 있다. 주요 내용은 다음과 같다.

첫째, 바퀴의 직경은 알맞아야 한다(차바퀴가 너무 높으면 사람이 차에 오르기 불편하고 차 바퀴가 너무 낮으면 차를 끄는 말이 힘들게 되는데 이는 평지에서도 비탈길을 오르는 만큼의 힘을 필요로 하게 된다).

둘째, 바퀴살이 튼튼해야 한다. 『고공기』에서 차바퀴에 있는 곡 구멍의 깊이, 바퀴살의 절단면의 너비, 바퀴살과 곡 길이의 정확함을 강조하고 있다. 이래야만 바퀴살이 견고하고 튼튼하다.

차바퀴에 대해 『고공기』에서는 여섯 가지 안전 검사법을 제안했다.

차바퀴의 품질을 엄격하게 검사한다. 구체적으로 다음과 같은 방법이 있다.

① 컴퍼스로 바퀴가 완벽한 원 모양인지를 확인한다.

② 표준 평판으로 바퀴 둘레의 단면이 평편한지 검사한다.

③ 끈으로 추를 달아서 한 짝의 바퀴살이 상하 대립적으로 곧은지를 검증한다.

④ 바퀴를 물 위에 띄워 각 부위가 균형을 이루는지를 체크한다.

⑤ 바퀴 축과 홀 사이의 틈을 측정한다. 그래서 홀 안팎의 양 끝이 같은지 검증한다.

⑥ 측량 기기로 두 바퀴의 중량이 같은지를 검증한다.

위의 내용으로 보아 고대 차 제작 기술이 이미 상당히 정교했다는 것을 우리는 알 수 있다.

2. 굴대

굴대는 중요한 회전 작용을 하는 부분이다. 중간이 좀 굵고 양 끝이 가느다란 막대기 모양을 하고 있다.

굴대는 차의 본체를 지지하는 역할을 하는데 축의 양 끝에 바퀴를 장착한다.

양 끝에 수레바퀴를 끼워 넣는 것만으로는 불안하기에 할轄이라고 부르는 못으로 고정시킨다.

할은 차바퀴를 고정시키는 아주 중요한 부품이다. 『淮南子』에서는 "차가 천리를 달릴 수 있는 것은 고작 세 치 길이의 할 덕분이다"라고 했다. 할은 그 뒤로부터 관할管轄하다는 뜻으로 확대되어 직할시直轄市 같은 단어로 지금까지 사용되고 있다.

초기의 차는 홀의 외측 단면과 기축 끝단의 추동 작용을 하는 할이 직접 접촉하는 것이다. 할이 직접 축의 압력을 받으면 파손되고 고장이 생기기 쉽다. 춘추 시대, 장인들은 직접 축을 추동하는 베어링을 설계 제작하였다.

이런 베어링은 원통 모양으로서 축의 끝단에 씌우고 할을 이용하여 축 위에 고정하는 것이다. 그리고 내측에 있는 비교적 큰 고리로 홀의 양 끝을 받친다. 이로써 축의 압력과 마찰 상황을 개선하는 것이다.

3. 차의 본체

고대 차의 본체를 여輿라고 부른다. 그 앞에는 가로세로 교차되어 있는 나무 대를 병풍으로 하여 뒤에는 열린 곳이 있었는데 사람들이 오르내리게 해놓은 것이었다. 그리고 앞부분의 손잡이를 식(式 혹은 軾)이라고 한다. 여는 정방형, 장방형, 육각형과 같은 모양을 갖추었으며 붙였다 떼었다를 자유롭게 할 수 있는 덮개도 있다.

지금까지 발굴된 차의 본체 중 가장 정교한 고대 차 본체 유물로는 진시황릉에서 출토된 청동 거마의 본체를 손꼽을 수 있다. 밑바닥은 자모구子母口 방식으로 두 판넬을 박아서 합성한 것이다. 그리고 미끄럼식으로 빈지문을 본체 이중의 속으로 끼워 넣었다. 빈지문과 뒷문은 모두 사슬을 이용하여 창틀, 문틀 사이로 서로 연결해놓았다. 이미 2,200여 년 전의 유물이지만 아직도 열고 닫는 것이 가능하다.

4. 끌채

끌채는 차를 끌 때 사용되는 지렛대로서 고대 차의 견인과 방향 인도 부분이다. 출토된 문물과 문헌이 증명하는바 춘추 시대 이전의 마차에 끌채가 하나밖에 없었는데 전국 시대부터 쌍끌채가 생기게 된 것이다. 엄격하게 말한다면 소가 끄는 직선형의 큰 차에 적용하는 것은 끌채라고 하고 호 모양으로 된 것은 전쟁용 차나 승차로 사용하는데 이것을 주輈(수레채)라고 한다. 주의 앞부분은 위로 들려 있고 앞 끝에 핀을 꽂아서 멍에와 서로 연결시켰는데 나무 멍에는 말 등에 집혀 있는 것이다. 주의 뒤 끝은 본체 아래의 축에 의해 깔리게 된다. 호형의 주가 직선형으로 된 끌채보다 우월한 것은 수레가 비탈을 오르거나 내릴 때 주와 기타 부품들이 말의 행동을 방해하지 않기 때문이다.

5. 차의 기타 부품

고대 차에는 또한 기타 부품이 있다. 예를 들어 제동 부품은 인軔이라고 부르는데 차바퀴를 정지시킬 때 사용하는 나무 막대기이다. 차가 움직일 때 먼저 인을 치워야 하기 때문에 차를 작동시키는 것을 발인이라고 부른다. 이 단어를 확대하여 사물의 시작도 발인이라고 부르게 되었다. 이 외에 차 본체 내의 좌구를 보면 인은 고삐로 둘러져 있고 본체의 외부에는 기낭과 방울 등이 있다. 이들은 모두 각자의 명칭을 갖고 있다.

지금까지 '車'자의 형태는 변함이 없지만 뜻은 많은 변화를 겪었다. 단순한 두 바퀴 나무 차가 아니라 중국에서는 두 바퀴의 자전거를 가리키기도 하고 혹은 네 바퀴의 자동차를 가리키거나 많은 바퀴의 컨테이너를 가리킬 수도 있다. 한자권 나라에서는 일반적으로 자동차를 뜻한다.

수레 앞턱 가로나무 식軾에 대한 이야기

軾, 지금은 사람의 이름으로 사용되는 것 외에는 거의 사용되지 않고 있으나 고서古書(특히 진시황의 통일 이전의 서적)에는 자주 등장한다.

軾은 고대 목제木製 차의 부품으로 П 모양으로 된 나무 막대로서 차 본체의 앞부분에 장착되어 오르내릴 때 손잡이로 사용된다. 하지만 특수한 상황에서는 이런 손잡이가 '별도의 역할'로 사용되기도 하였다. 도대체 손잡이로 무엇을 했나?

『조귀론전曹劌論戰』은 중국 고대 명작인 『좌전佐傳』에 실린 이야기로 문체가 아름답고 내용이 흥미로워 『고문관지古文觀止(중국 청대의 오초재가 엮은 선진부터 명대까지의 빼어난 산문 모음집 — 역주)』에 수록되었다. 『조귀론전』에는 登軾而望之라는 문장이 있는데 해석해보면 '식위에 올라가 멀리 내다보다'이다. 정말 그렇다면 어떻게 손잡이로 쓰이는 식 위에 올라갈 수 있었을까? 登軾을 어떻게 이해해야 할까? 가느다란 막대 위에 똑바로 설 수 있었을까?

軾에 대해 좀 더 분명히 말하기 위해서는 우선 고대의 차 본체에 대한 소개가 필요하다. 차의 본체를 輿(수레 여, 車 — 총 17획)라고 하는데 대부분이 사각틀 모양이고 그 너비를 廣(넓을 광, 广 — 총 15획)이라고 부르며 길이(혹은 본체의 깊이)를 隧(길 수, 阜 — 총 16획)라고 불렀다. 여의 각 부분의 구재와 치수의 관계에 관하여 선진 시대의 수공업 저작인 『고공기』에서 아래와 같이 기재하였다.

> "輿人爲車, 輪崇, 車廣, 衡長, 參如一, 謂之參稱. 三分車廣, 去一以爲隧. 三分其隧, 一在前, 二在后, 以揉其軾. 以其廣之半爲軾崇, 以其隧之半爲較崇……."

문장 속에 있는 式(법 식, 弋 — 총 6획)은 곧 軾을 말한다. 較(견줄 교, 車 — 총 13획)는 차 본체의 좌우 양측의 손잡이를 가리키는 말이다.

의미를 해석해보면 다음과 같다.

"여輿나라 사람이 차를 만드는 데 차바퀴의 높이와 본체의 너비, 그리고 형의 길이가 모두 일치하여 삼칭三称이라고 부른다. 차 본체 너비의 2/3를 본체 길이로 한다. 그리고 본체의 길이를 삼등분하여 1/3을 앞에 두고, 2/3는 뒤에 두는데 식式을 바로 이 위치에 단다. 본체 너비의 1/3을 식式의 높이로 하고 본체 길이의 1/2을 교較의 높이로 한다."

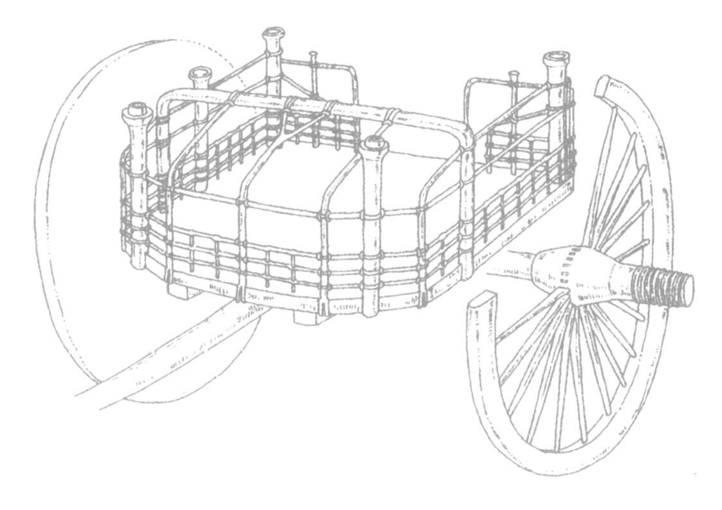

춘추 시대 목제 차의 식

우리는 이 문장을 통해 고대 차의 본체에서 軾이 어디에 어떤 높이로 설치되었는지를 짐작할 수 있다.

고서에는 軾이 자주 등장한다. 『논어 · 향당論語 · 鄕黨』에는 "凶服者式之. 式負版者"란 말이 있다. 의미는 다음과 같다. 수레에서 죽은 사람에게 보내는 옷을 든 사람을 만나면 손은 軾을 붙잡고 몸은 앞으로 기울여 동정을 표하며, 국가 문서를 책임진 사람을 만나도 손으로 軾을 붙잡아 예를 표한다. 또한 『예기 · 단궁하禮記 · 檀弓下』에는 "공자가 태산 옆을 지나가는데 한 여인이 무덤 앞에서 우는 모습을 보고 슬퍼하며 軾에 기대어 그 울음소리를 듣는다"라고 적혀 있다. 또한 존경하는 사람이 사는 곳을 지날 때에도 軾에 기대어 예를 표해야 한다. 『사기 · 위세가史記 · 魏世家』의 기록에 의하면 "文候受子夏經藝, 客段于木, 過其閭(里巷的大門), 未嘗不軾也"

라고 했다. 의미는 "단간목段干木은 현자賢者로 위문후魏文侯가 만나보고자 직접 방문하나 언제나 위문후를 피했다. 문후는 이를 괘씸타 여기지 않고 항상 예로써 대하며 근처 골목길 대문을 지날 때마다 軾을 했다(예를 갖추었다 — 역주)".

그럼 이제 다시 앞으로 돌아가 생각해보자. 만일 軾이 단순한 손잡이용 나무 막대에 불과했다면 '登軾而望之'의 표현처럼 똑바로 올라설 수 있었을까?

앞의 설명에 의하면 수레 양쪽에 있는 손잡이를 較(교)라 하는데 때론 式(식)이라고도 한다. 정확히 구별하기 위해 앞쪽에 가로 놓인 軾을 전식前式이라 하고 양쪽에 굽어 있는 較는 방식旁式이라 불렀다. 보통 간단하게 較라 불렀다. 그래서 때로는 앞쪽 손잡이를 말하기도 하고 옆쪽에 있는 손잡이를 말하기도 한다. 청나라 학자 강영의 『주예의의거요周禮疑義擧要』에 보면 "軍中望遠, 亦可一足履前式, 一足履旁式. 〈左傳〉長勺之戰, 登軾而望, 是也"라는 말이 나오는데 이 문장에서 『조귀론전』의 조귀가 한 발은 앞쪽, 다른 한 발은 뒤쪽 손잡이에 올라간 것을 알 수 있다. 두 손잡이의 높낮이가 달라서 확실히 서 있기가 수월했고, 멀리 바라보는 것도 가능했을 것이다.

주舟에 담긴 고대 통나무배

舟는 고서에서 배를 의미할 때 그 크기나 구조에 상관없이 호칭하는 말이다. '輕舟已過万重山', '沉舟側畔千帆過', '順水推舟' 같이 시문에 나타난 舟는 모두 배를 가리킨다. 사실상 舟는 원래 통나무배를 가리킨다.

舟의 옛 글자 모양은 다음과 같다.

舟는 상형문자인데 작은 배 모양을 의미한다.

고고학 자료에 따르면 원시 인류가 처음으로 통나무배를 만들어 사용한 역사는 벌써 7,000년이 넘는다고 한다.

누가 맨 처음 통나무배를 만들었는지에 대한 기록은 일치하지 않는다. 『주이・계사周異・系辭』에는 "黃帝, 堯, 舜……刳木爲舟, 剡木爲楫(황제, 요, 순……나무를 깎아 배를 만들고 나무를 잘라 노를 만들다"라고 기록되어 있고, 『묵자・비유墨子・非儒』에는 "巧倕作舟(교수가 배를 만들다 — 교수는 황제 때의 유명한 장인匠人 — 역주)"라고 기록되어 있다.

사실 통나무배는 어느 한 사람의 발명이 아니다(다른 생산, 교통수단의 발명도 마찬가지일 것이다). 원시 시대의 도구는 옛사람들이 생활과 생산 과정에서 실제 필요에 의해 오랜 시간에 걸쳐 천천히 만들어진 것이다.

당시 교통 시설이 발달하지 못했기 때문에 발명된 도구들은 여러 곳으로 전파되지 못했다. 그래서 아마도 중복 창조의 이야기가 나타나게 되었을 것이며 고문의 기록에도 비슷한 이야기가 반복되었다. 옛사람이 통나무배를 어떻게 만들었느냐 하면 바로 오랜 시간의 자연 관찰을 통해 이루어졌다. 고서에 나와 있는 "古者觀落葉因以爲舟(옛사람이 떨어지는 낙엽을 보고 배를 만들다)", "窺木浮而爲舟(떨어진 나뭇가지를 보고 배를 만들다)"라는 기록은 바로 그 증거다.

그러나 물 위에 뜨는 부력에 대한 지식을 얻었다고 바로 통나무배를 제조할 수 있는 것은 아니며 반드시 그에 합당한 도구가 필요한 법이다. 신석기 시대에 들어서면서 인류가 사용하는 도구는 전에 비해 크게 발전했다. 돌도끼는 더욱 날카롭고 실용화되었으며 불을 사용하게 되면서 통나무배의 제작이 가능하게 되었다. 그러나 말이 쉽지 원시 인류에게 통나무배의 제작은 상당히 힘든 일이었다.

고목刳木(나무를 도려내다 — 역주)은 통나무배를 제조하는 방법 중 하나다. 刳는 깎고 도려내 속을 파내는 것을 의미한다. 그러나 목질이 단단하고 질겨 돌도끼만으로는 나무를 도려내기가 여간 힘들지 않았다. 그래서 불을 이용하게 되었다. 나무줄기는 도려낼 부분을 제외한 나머지에 진흙을 두껍게 바르고 불을 붙인다. 그러면 진흙에 싸인 곳은 타지 않고 나머지민 불에 타서 목질이 약하게 된다. 이때 도끼를 이용해 약해진 부분을 파내면 된다. 원시 인류는 이처럼 불과 도끼를 교대로 사용해 가장 원시적인 배를 만들었다. 배의 역사는 이렇게 시작되었다. 성공적으로 통나무배가 완성된 것은 인류 역사의 큰 사건이다. 이제 사람들은 물을 건너 활동범위를 넓혔고 새로운 지역을 개척하며 고대 문화의 발전을 촉진했다.

중화인민공화국이 수립된 이후 많은 고고학자들이 고대의 통나무배 유물을 발견했다. 장쑤 무진엄 성향에서 출토된 통나무배 중에는 길이가 11미터, 너비가 90센티미터인 통나무배도 있다. 뱃머리가 뾰족하고 배 뒷부분이 열려 마치 배의 절반밖에 없는 듯 보이는 것도 있다. 이는 반으로 잘린 배의 모양을 하고 있지만 실제로는 완전한 한 척이다. 뒤를 막지 않아 만들기 쉽고 오르내리기에도 편리하다. 물에서는 사람들이 앞쪽으로 몰려 앉아 뒷부분이 들린 모양으로 노를 젓게 된다. 그럼에도 침몰할 위험은 없는 배다. 정말 특이한 모양이라고 할 수 있다. 푸젠 연강에서 발굴된 통나무배는 길이가 7.1미터이고 뱃머리와 뒷부분이 사각형으로 녹나무를 이용해 만들어졌는데 표면에는 불에 그슬리고 도끼에 찍힌 흔적이 뚜렷하게 남아 있다. 당시 어떻게 배를 만들었는지 보여주는 단적인 예로 전문가의 의견에 따르면 신석기 시대의 유물이라고 한다.

초기의 통나무배는 작고 조잡하며 안정성도 보장하지 못했다. 그 후로 하중을 받는 공간을 늘리고 안전성을 높이기 위해 배 안의 공간이 점점 넓어지고 배의 두께는 얇아지게 되었다.

두께가 얇아지면서 수평을 맞추기가 힘들어지자 옛사람들은 가로대를 놓아 튼튼하게 만들었다. 배 위에 가로 방향의 버팀목을 추가하여 선체의 강도를 높였을 뿐 아니라 더 많은 사람을 태우게 되었다. 주자의 갑골문은 이런 배의 모양을 본뜬 것이다. 그 후, 버팀목 위에 갑판과 선창 그리고 갑판 위의 구조물이 생기게 되었다. 뒷날의 대형 선박은 바로 이 버팀목에서 시작된 것이다.

통나무배는 말 그대로 나무를 통째로 깎아 만들어 빈틈이 없기에 물이 새지도 않고 물 위에서 흩어지지도 않는다. 만들기 쉽다는 장점 때문에 나중에 나무판자로 배를 만들 수 있게 되었어도 여전히 그 수요가 많았다. 어떤 곳에서는 두 개의 통나무배를 연결해 쌍둥이 배를 만들기도 했다.

편리하고 실용적인 특성 덕에 지금도 중국 서남부의 소수 민족 지구와 대서양 섬의 원주민들 사이에는 여전히 주요 교통수단으로 사용되고 있다. 이 카누야말로 완벽한 통나무배의 변천이라 할 수 있겠다.

돛 범帆에 담긴 고대 범선

돛은 배의 돛대에 걸린 천막을 말한다. 고대에는 배가 먼저 있고 나중에 돛이 만들어졌다. 바람을 빌려 돛을 이용하면 배의 속도를 더욱 빠르게 할 수 있다. 최초의 돛은 멍석으로 만든 간단한 형태였는데 시대가 발전하면서 돛의 재료도 다양하게 변했고 배의 조종법도 점차 복잡해져갔다.

고대 帆의 글자 모양은 다음과 같다.

帆의 옛 글자는 바람에 의해 한껏 부푼 돛의 모양을 닮았다.

帆은 바람을 이용해 배를 움직이는 돛을 뜻하는데 지금까지 그 의미의 변화는 없었다. 헝겊이 없던 시절, 돛은 멍석 따위로 만들어졌다. 帆자에 헝겊을 뜻하는 巾자가 부수로 쓰인 것은 나중 일이다.

동한東漢 시대에 돛의 사용은 보편화되었다. 학자 유희는 『석명釋名』에서 "帆, 泛也, 隨風張幔曰帆, 使舟疾行泛泛然也(돛, 배를 띄운다. 바람 따라 펄럭이며 배를 움직인다 — 역주)"라고 해석하였다. 그 당시 배에 돛이 필수적으로 설치되어 있었음을 알 수 있다.

초기의 돛은 회전이 불가능해 그저 바람 부는 대로 배를 띄울 수밖에 없었다. 바람이 불지 않을 때는 돛을 내리고 노를 저었다. 그러나 바다 위의 항해라는 것이 항상 순풍만 부는 것은 아니다. 수시로 바뀌는 바람의 방향 때문에 돛을 내리면 속수무책이었다. 이렇게 바람과 투쟁하는 과정에서 옛사람들은 바람을 이용하는 법을 알게 되었다. 돛의 방향을 돌려 바람을 맞게 하는 법을 깨달았다. 그림처럼 측면에서 바람 W가 불 때 돛을 AB 각도로 놓으면 바람은 L과 D라는 방향으로 퍼진다. L 방향으로 가려는 바람은 아마도 배의 동력이 되어줄 것이고 여기서 나뉘어진 T는 배를 미는 역할을 한다. 동시에 바람은 배를 밀며 수평 이동을 한다. 바로 S처럼 말이다. 이런 상황에서 뱃머리를 살짝 바람 방향으로 돌려준다면 수평 이동의 영향을 줄일 수 있다. 역풍이 불 때도 돛을 최대 각도로 돌리면 — 바로 수직 방향 — 알파벳 Z처럼 지그재그로 배는 앞으로 나가게 된다(그림2 참조). 예를 들면 북풍이 부는데 배가 북으로 항해해야 한다면 차례대로 서북과 동북 방향을 향해 나간다. Z자형 항로를 향해 전진하면 제아무리 강한 역풍도 각각의 꺾어지는 굴절 부분에서는 측면풍, 혹은 전前측풍으로 바뀐다.

돛의 방향을 돌리지 못하던 때부터 지금까지는 '생명 없는 물체'에서 '살아 있는 생명체'로의 진화만큼이나 어마어마한 사건이다. 한나라 때 중국 남방 지역의 배에서는 돛의 방향을 돌릴 수 있었다. 삼국 시대 오나라의 단양 태수 만진의 저작 『남주이물지南洲异物志』에서는 "隨舟大小或作四帆……其四帆不正前向, 皆使邪移, 相聚以取風向, 風后者激而相射, 亦幷得風力, 若急則隨宜增減之"라고 말했다.

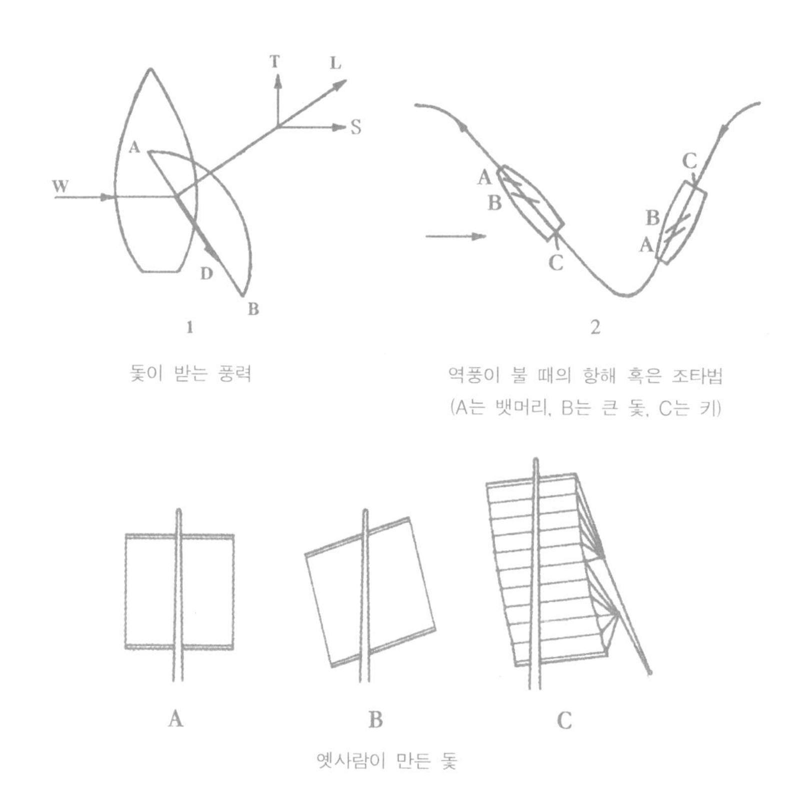

돛이 받는 풍력

역풍이 불 때의 항해 혹은 조타법
(A는 뱃머리, B는 큰 돛, C는 키)

옛사람이 만든 돛

만진은 돛이 앞쪽만을 보는 것이 아니라 임의로 각도를 조정할 수 있으며 돛의 총면적은 바람의 세기에 따라 달라진다고 말했다.

돛은 세월을 거치며 여러 형태로 발전하였다. 맨 처음 돛은 대칭을 이루며 돛대에 걸려 양쪽의 돛의 면적이나 받는 힘이 동일했다. 순풍이 불 때 적합하다. 그러나 측면에서 바람이 불거나 역풍이 불 때는 돛을 일정 각도로 움직일 필요가 있다. 그때 똑같이 대칭이 이루어진 돛은 다루기가 불편하다. 그래서 돛을 한쪽으로 기울게 달고(그림 B 참조) 짧은 쪽이 바람을 맞게 한다. 이렇게 하면 풍력의 중심이 돛대에서 멀지 않은 곳에 놓이게 되고 이때 돛의 각도를 쉽게 조절하기 위하여 밧줄을 매단다. 그림 3은 옛사람이 만든 돛의 일종이다. 이런 돛은 돛대의 앞뒤 면적의 비율이 풍력의 중심을 돛대와 아주 가까운 곳에 놓게 한다. 때문에 돛의 움직임에 많은 힘이 들게 되어 이런 돛을 '평형종범平衡縱帆'이라 하는데 고대 선박 조종술이 역풍이 불 때에도 끄떡없는 성숙기에 들어섰다 할 수 있다.

송나라 때 중국의 선박 기술은 더욱 완벽해졌다. 송나라 사람 서긍은 『선화봉사고려도경宣和奉使高麗圖經』에 송나라의 바닷배들은 그림 A와 같은 돛을 순풍 때 사용하고, 그림 C와 같은 돛은 역풍이 불 때, 그리고 바람이 적을 때는 돛대에 걸린 '야호풍(野狐颿)'으로 바람을 일구는 방식으로 사용하였다고 기록했다.

모든 것은 일장일단一長一短이 있는 법이다. 돛이 많은 배는 자연히 충분하게 바람을 이용하여 운항할 것이다. 그러나 돛이 많으면 조종도 복잡해진다. 특히 갑자기 폭풍을 만났을 때 즉시 돛을 내

고대 범선의 명칭

리지 못한다면 돛대가 부러지고 배가 뒤집힐 위험이 크다. 옛사람들은 실전 경험을 통해 쉬지 않고 돛 장비를 개선했다. 15세기에 이르러 중국의 돛단배는 아주 단순해졌다. 대부분 두 개 또는 세 개의 큰 돛대만 설치했다. 길이가 60미터이고 적재량이 수백 톤인 큰 배라도 두 개 내지 세 개의 큰 돛대와 추가로 두세 개의 작은 돛대를 설치했다. 돛대 하나에 돛 하나만 달고 돛대 꼭대기의 두건정頭巾頂이라는 작은 돛과 돛 밑 부분의 군봉裙篷은 점차 쇠퇴했다.

10~13세기 중국의 나무 범선帆船의 기술은 최고에 달했고 자유자재로 사용되었다. 유럽의 범선과 비교해 300여 년이나 앞섰다.

범선이 나타나면서 항해에서 경치 감상을 논하는 한자에도 많은 어휘가 생겨나게 되었다. '漁帆点点(어선들이 점점이 흩어져 있다 — 역주)', '千帆競發(1,000척이 넘는 배들이 다투어 전진하다 — 역주)', '孤帆遠影(외로운 배 그림자 멀리 보이네 — 역주)' 등이 있는데, 중국인들이 가장 자주 사용하는 말로는 '一帆風順(편안한 여행길을 축원하는 말 — 역주)'이 있다. 만일 중급 정도의 중국어를 배웠다면 교재에서 자주 보았을 것이다. 손님을 보내거나 바이어를 배웅하는 회화에서 一帆風順은 빠지지 않는 말이다.

불 화火자와 인류 최초의 불

불의 이용은 원시 인류를 우매함에서 문명의 세계로 이끌었다. 인류는 일찍부터 불에 대해 알았기에 火자는 최초의 글자들 중 하나다.

고대 火자의 문자 형태는 다음과 같다.

갑골문

전국 시대의 토기 문양

火자의 갑골문은 불꽃 모양과 비슷하다. 원래 뜻은 물체가 타면서 생기는 열기와 빛을 의미하는데 글자 모양이 정말 이글거리며 타오르는 불꽃처럼 보인다.

인류의 역사에서 불의 발견은 정말 중요한 의미를 가진다.

지금으로부터 약 40만 년 전의 베이징인은 이미 일반적으로 불을 사용했다. 게다가 불씨를 보관하는 법도 알고 있었다. 베이징인들이 살았던 동굴에는 몇 미터 두께의 재가 있었으며 그 안에서 타다 남은 동물의 뼈와 돌이 발견되었다. 이로써 베이징인들이 일부러 불을 이용해 난방을 하고 음식을 익혀 먹었음을 알 수 있다.

인류가 최초로 사용한 불은 모두 자연적으로 일어난 불이다. 이런 불에서 원시 인류는 불씨를 얻었다. 베이징인이 일반적으로 불을 사용했다는 것은 그들에게 불씨 보존의 습관이 있었음을 설명한다.

자연적으로 생겨난 불에서 불씨를 얻어 불을 피우는 방법에서 이제 인류는 스스로 불을 만들어냈다. 비약적인 발전이라 할 수 있다. 그러나 그 사이에는 10만 년이라는 시간이 필요했다.

중국의 원시 시대에는 '찬목취화鑽木取火(나무를 뚫어 비벼 불을 얻다 — 역주)'의 전설이 있다. 『한비자 · 오두韓非子 · 五蠹』에는 다음과 같이 기재되었다.

"옛날에……사람들이 과실이나 조개를 먹었는데 비린내가 지독하였고 위장을 상하여 많은 질병에 걸렸다. 한 성인이 '찬목취화'를 통해 비린내를 없애니 사람들이 기뻐하였다."

그리고 『태평어람太平御覽』 제869권 『하도정좌보河圖挺佐輔』에는 다음과 같이 말하고 있다.

> "伏羲禪于伯牛, 錯木取火."
> "복희씨는 견우성에 제를 지내 불을 얻다."

이처럼 많은 전설과 기록이 있지만 너무 오랜 시간이 흘러 구석기 시대의 찬목취화의 증거를 찾기는 어렵다.

문헌과 고고학 발굴 자료를 종합해보면 춘추 전국 시대에서 위진魏晋 시대까지는 찬목취화가 가장 일반적인 불 피우는 방법이었다 한다.

찬목취화의 일반적인 과정은 딱딱한 나무 막대기를 좀 더 부드러운 나무판 위에 손으로 비벼 빨리 회전시키며 발생되는 마찰열로 깎여 나온 나무 부스러기를 태우는 식이다. 한진漢晋 시대의 유적지에서 이미 찬목취화의 도구가 발견되었다. 간쑤 거연 한나라 봉화대 유적지에서도 찬목취화의 도구가 발견되었다(목판 위에는 急(급할 급, 心 — 총 9획)자가 새겨져 있다 — 그림 참조).

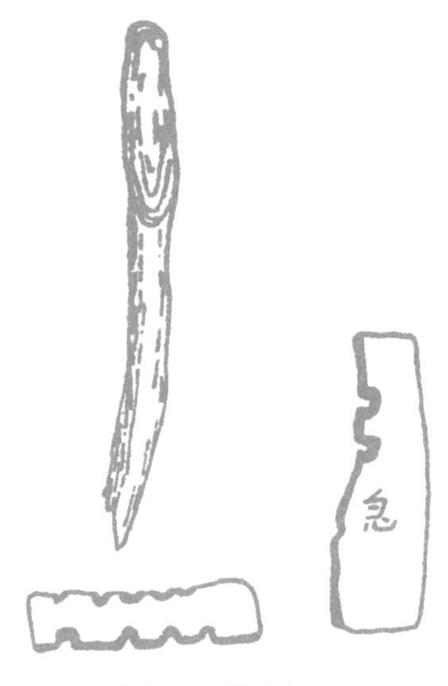

한나라의 찬목취화 도구

20세기 초반에도 중국의 하이난타오의 소수 민족인 여족黎族과 윈난의 와족佤族 부락에서는 찬목취화로 불을 피웠다. 조사에 의하면 여족의 도구는 산마목山麻木이라는 나무판으로 만들어졌는데 한쪽에는 여러 개의 작은 구멍이 나 있고 구멍의 아래에는 수직으로 된 홈이 파여 있어서 불씨가 움직여 나오는 통로가 된다. 나무 막대기는 길이가 약 50센티미터, 끝이 뾰족하다. 먼저 발로 나무판을 밟고 홈에 짚을 넣은 다음 나무 막대기를 구멍에 넣고 재빨리 손으로 비벼 돌리면 작은 구멍에서 불꽃이 튀면서 짚에 불이 붙는다.

찬목취화와 비슷한 오래된 불 피우는 법으로 마찬가지로 거법취화鋸法取火(톱질하듯이 막대를 빠르게 비벼 불을 피운다 — 역주)가 있다. 기본 원리는 마찰열을 이용한 찬목취화와 비슷하나 거법취화는 대나무를 서로 비벼 마찰열을 발생시켜서 불을 붙인다. 중국 전설의 복희씨가 나무에서 불을 피운 것도 이런 방법을 말할 것이다. 『장자 · 외물庄子 · 外物』에 기재된 "나무와 나무를 마찰시키면 탄다"는 말도 거법취화를 이르는 말이다. 거법취화는 전국 시대 이후 널리 사용되었다. 20세기 초까지 윈난의 와족과 고총苦聰족 사람들은 거법취화로 불을 피웠다.

고대의 기술이 발전하면서 불을 피우는 방법도 발전했다. 격석법擊石法과 화염격석법火鐮擊石法이 생겨났다. 격석법은 두 개의 황철석을 서로 두드리거나 또는 황철석과 부싯돌을 부딪치는 방법이다. 화염격석법은 탄소를 많이 함유한 재료를 가지고 불을 일으키는 방법이다. 이런 방법은 송나라와 원나라 시기에도 널리 사용되었고 찬목취화나 거법취화는 점차 사라지게 되었다.

손만 대면 불이 붙는 라이터나 가스레인지가 흔한 요즘, 전목취화는 어찌 보면 너무 원시적이고 무식해 보이기까지 한다. 그러나 전목취화가 고대 인류에게 불이라는 자연을 정복할 힘을 주었다는 사실을 잊어서는 안 된다.

쇠 금金의 맨 처음 뜻

금金을 모르는 사람이 있을까? 학창 시절에 배운 원소 주기율표에서 금은 'Au'이다. 번쩍거리는 황금을 의미하는 金은 구리나 철과는 이미지가 전혀 다르다. 진시황의 통일 이전에 金은 대부분 청동靑銅을 지칭하고 때로는 구리나 황금黃金을 가리키기도 했다. 그래서 한 문장 안에서도 여러 개의 金이 등장한다며 각기 그 가리키는 의미가 다를 것이다. 이것은 옛사람들의 왜곡된 과학 지식을 간접적으로 설명한다.

고대 金자의 문자 형태는 아래와 같다.

금문

어떤 학자들은 金자의 머리 부분이 마치 청동 화살촉과 비슷하고 두 점은 구리 덩어리를 의미한다고 한다.

중국의 구리 자원은 매우 풍부하다. 어떤 지역은 구리 광맥이 지표로 거의 드러나 있기도 하다. 신석기 시대 중기 옛사람들은 토기를 만들면서 가마의 온도를 조절하는 경험을 쌓았고 이는 구리를 채굴하고 제련하는 데 기초가 되었다. 고고학 자료에 따르면 지금으로부터 6,000년 전의 시안 반파 앙소 문화 유적지에서 작은 구리 유물이 발굴되었다. 분석에 따르면 구리와 아연이 섞인 광물루 제련된 황동 유물이라고 한다.

초기에 제련된 황동은 불순물이 많고 쉽게 물러 사용하기 불편했다. 오랜 시간 생산 경험을 통해 옛사람들은 점차 광석을 구별할 줄 알게 되었고 일부러 공작석孔雀石을 골라내어 제련을 하고 붉은 구리와 청동을 만들어냈다.

청동은 동과 주석의 합금(소량의 납도 함유)을 가리키는데 만들어진 물건들이 대부분 청록색을 띠어 청동이라 불리게 되었다. 동과 아연의 합금인 황동과는 선명한 색깔 차이가 있다.

상나라 때 청동 제련업이 발달하였는데 출토된 다량의 정교한 상나라 청동기는 그 아름다움으로 우리를 놀라게 한다. 춘추 시대에 청동 제련술이 더욱 발전하였는데 특히 전국 시대에 이르러 새로운 공예 기술의 성과로 한 단계 더 발전하게 되었다.

오랫동안 구리 광맥의 채굴과 청동기를 만들었기에 진시황의 통일 이전 시기의 문헌에는 많은 문자 기록이 남아 있다. 하지만 직접적으로 銅(구리 동, 金 ― 총 14획)자가 등장하는 경우는 매우 드물고 대부분이 金자로 표기되었다. 그러나 金자의 참뜻에 대해 오해는 말길 바란다. 문맥에 근거해 때로는 황금을, 때로는 붉은 구리를, 그리고 가장 많게는 청동을 가리킨다. 예를 들어 『좌전·희공십팔년左傳·僖公十八年』을 보면 "정백이 처음 초나라에 갔을 때 초나라 왕이 金을 하사하자 감복하여 '무이주병無以鑄兵(병기를 제조하지 않는 것 — 역주)'을 약속했다. 그리고 대신 종을 세 개 만들었다"라는 기록이 있다. 이 기록은 기원전 642년 초나라 성왕이 청동을 정나라에 선사한 사건을 말한다. 이 외에 『한비자·내저설상韓非子·內儲說上』에서는 "형남 지방의 여수에서 金이 나온다. 사람들이 몰래 캐 간다"라는 기록이 있다. 여수는 고대의 유명한 황금 산지로 위의 문장 속의 金은 우리가 알고 있는 '황금(黃金, Gold)'을 말한다.

유명한 수공업 기술 서적인 『고공기』에서는 청동을 만들고 제련하는 대목이 나오는데 여러 곳에서 金자가 등장하지만 가장 중요한 대목에서 뜻밖에 그 의미가 모호해진다. 『고공기·공금지공考工記·攻金之工』을 보자.

"金有六齊, 六分其金而錫居一, 謂之鐘鼎之齊, 五分其金而錫居一, 謂之斧金之齊, 四分其金而錫居一, 謂之戈戟之齊, 三分其金而錫居一, 謂之大刃之齊, 五分其金而錫居一, 謂之削殺矢之齊; 金, 錫本, 謂之鑒燧之齊."

대부분의 학자들은 위 문장의 金有六齊에서의 金은 청동을 가리킨다고 하는데 어느 정도 신빙성이 있다. 그러나 '六分其金而錫居一' 등 구절 안의 金에 대해서 누구는 청동을 가리킨다고 하고, 누구는 붉은 구리를 가리킨다고도 하는데 이렇게 되면 六齊의 구

황금 술잔과 황금 숟가락

리와 주석의 비율에 대해 두 가지 상반된 해석이 나온다. 이렇듯 모호하게 기록한 때문에 우리 후손들은 많은 불편함을 겪었다.

진시황 통일 이전의 金은 대부분 청동을 말한다. 그래서 옛날에는 金과 관련된 단어는 대개 청동기와 연관이 있었다. 예를 들면 이 책의 처음부터 마지막 페이지까지 등장하는 금문金文은 청동기에 새겨 있는 글자를 뜻하고 금호金壺, 즉 동호銅壺는 고대의 시간을 계산하는 측정 기구를 말한다.

금을 채굴하거나 제련하는 일은 그 시작이 구리보다 늦었지만 매우 빠르게 발전했다. 춘추 시대에 이미 완벽한 황금 기물이 등장했고 청동기에다 금박을 붙이거나 홈을 파서 금을 채워 넣는 따위(마치 우리나라의 상감기법처럼)의 여러 가지로 응용되었다. 1978년 후베이 증후을 묘에서 한 무더기의 황금 유물이 출토되었는데 그 어마어마한 수량과 다양한 품종은 중국 국내외를 떠들썩하게 만들었다. 특히 황금 술잔이 아주 섬세하고 정교하게 만들어졌는데 높이가 11센티미터, 술잔의 둘레 지름이 15센티미터이고 뚜껑을 포함한 무게는 2,156그램이었다.

진한秦漢 시대 이후 황금 제품은 대량으로 등장했고 반대로 청동기는 점차 자취를 감췄다. 그리고 새로운 사회 풍조에 맞춰 사람들이 말하는 金이란 일반적으로 황금을 가리키게 되었다.

쇠 철鐵과 제철 기술의 시작

鐵자는 비교적 늦게 역사의 무대에 등장해 한漢나라 때 사용되기 시작하였다. 그러나 제철술은 鐵보다 일찍 등장했다. 한자를 만들어내는 것은 어떤 사물이나 기술보다 늦게 만들어진다. 그래서 고대의 중요 기술과 발명에 대한 이해는 단지 고문헌만을 근거로 하기에는 무리가 있다. 출토된 고고학 유물과 첨단 과학기술을 접목해 분석하고 파악해야 한다. 관련된 연구는 기존의 잘못된 역사에 대한 지식을 수정해줄 것이다.

고대의 제철술은 청동을 제련하던 기술을 기초로 발전하기 시작했다. 쇠의 끓는 점이 구리보다 높았고 불순물 처리도 더 복잡해서 원시 인류는 구리를 먼저 제련하기 시작했다.

중국은 언제부터 철을 사용하게 되었을까? 중국이 처음으로 철기를 사용한 역사는 상나라 때부터라 할 수 있지만 이는 운철隕鐵(주성분이 철로 된 운석 — 역주)을 이용한 것이지 인공적으로 제련한 철을 사용한 것은 아니다. 좀 더 자세하게 설명하기 위해 우선 몇 가지 개념에 대해 말하고 넘어가겠다.

철을 사용한 시대, 제철술이 시작된 시대, 그리고 대량으로 철을 사용한 시대로 나뉜다. 간혹 두 시대가 겹치는 부분도 있다. 여기서는 제철술이 시작된 시대를 다루겠다.

鐵자는 좀 늦게 만들어졌는데 한나라 때부터 사용되었다. 鐵이라는 글자가 늦게 등장했다고 제철술이 그때부터 시작된 것이 아니냐는 오해는 말길 바란다. 『시경 · 진풍 · 사철詩經 · 秦風 · 駟驖』에는 '사철공부駟驖孔阜'라는 구절이 나온다. 당나라 학자의 해석에 따르면 이 구절은 '말의 털 빛깔이 쇠의 색과 같다'라는 뜻이다. 만일 이 해석이 신빙성이 있다면 이는 다시 말해 서주 시대부터 인위적으로 철을 제련했다는 말이 된다.

문헌을 찾아보면 다른 증거도 있다. 예를 들면 동한 시대에 만들어진 지금의 옥편 격인 『설문해자』에는 이렇게 해석되어 있다. "철은 흑금이다……銕(이)는 夷에서 온다고 했다." 학자들의 연구에 따르면 '夷'는 고대의 동이東夷 사람들(지금의 산둥성 빈하이 지역)이 사용한 글자로 銕는 金자와 夷자를 합친 것으로 동이족들이 인위적인 제철 기술을 개발했다는 의미도 가지고 있다. 이런 기록들을 보면 인공 제철의 역사는 꽤 길다.

소위 말하는 동이족은 제나라 영토에 살던 토착 민족으로 춘추 전국 시대의 제나라와 깊은 관련이 있다. 제나라는 본래가 작은 나라로 국토가 좁고 경제, 군사력도 워낙 약했다. 춘추 시대 중엽에 이르러 제나라는 빠르게 발전했고 다른 제후국들이 우러르는 강국이 되었다. 정치 개혁의 덕을 보기도 했지만 아마 일찍부터 제철술을 이용해 도구를 만들었던 것도 큰 역할을 했을 것이다.

곽말약은 이런 역사적 사실을 기초로 다음과 같은 추측을 내놓았다.

"만일 제환공이 철기 농기구를 사용했다고 가정한다면 철의 등장은 우리가 알고 있는 것보다 훨씬 일찍일 것이다. 어떤 가치 있는 물건이 제대로 효율적으로 사용되려면 상당히 오랜 기간의 탐구 과정이 필요하다. 특히 고대에는 더욱 그러했을 것이다. 그러니 철의 등장은 아마 춘추 시대 이전이었을 것이다(『노예제 시대奴隷制時代』, 곽말약, 인민출판사, 1973년)."

위에 기재된 문헌과 곽말약의 주장도 있지만 그동안 출토된 고고학 증거의 부족으로 학계에서 이 문제는 줄곧 논쟁의 대상이 되었다. 많은 사람들은 제철술이 춘추 시대 말엽에 발명되었다고 여기고 더 심하게는 전국 시대 후기에 등장했다고도 한다. 발굴된 철기 유물 대부분이 그 당시의 것으로 추정되기 때문이다.

진짜 그럴까? 최근 20여 년간 이루어진 고고학 발굴과 연구를 통해 학계의 기존 주장은 바뀌기 시작했다. 고고학 발굴에 따르면 서주 시대 말엽과 춘추 시대 초기의 철기 유물 역시 적지 않은 수다. 이런 철기 유물을 분석한 결과 중국은 서주 시대 말엽부터 인공 제철이 가능했으며 철기를 사용하기 시작한 것으로 밝혀졌다.

인류 최초로 철을 제련했다는 세계의 다른 지역들과 비교해 중국은 운철 사용과 인공 제철술의 등장이 늦은 감이 있다.

그러나 중국의 제철술은 시작되자마자 빠른 속도로 발전해나갔다. 괴련법塊煉法이라는 제철술이 등장하고 곧바로 사람들은 무쇠를

전국 시대의 거푸집

만들어내기 시작했고 춘추 전국 시대에 이르러서는 무쇠를 부드럽게 처리하는 기술도 등장했다. 이 기술을 통해 사람들은 단단하고 딱딱한 무쇠를 부드럽게 만들어 다양한 도구를 만들게 되었다. 이는 서양보다 약 2,000여 년이나 앞섰다(리쫑, 『중국 봉건사회 전기 강철 제련 기술의 발전』, 『고고학보考古學報』 1975년 제2기 참조). 무쇠 제련과 처리 기술의 발명과 개량은 철 제품의 품질과 생산력을 높였다. 또한 원가를 절감해 전국 시대 중엽에는 대규모로 철기가 생산되었으며 중국의 역사 발전을 이끌었다.

거푸집이란 무엇인가?

鎔(녹일 용, 金 — 총 18획)자는 사람의 이름이나 고문서 외에는 지금은 거의 사용하지 않는 글자다. 『사해辭海』와 『사원辭源』을 살펴보면 鎔에 대한 두 가지 해석이 나온다. 하나는 '녹이다'이고, 다른 하나는 '거푸집'이다. 『한서 · 동중서전漢書 · 董仲舒傳』을 보면 "犹金之存鎔, 唯冶者之所鑄(쇠를 거푸집에 부어 대장장이가 도구를 만든다 — 역주)"는 구절이 나오는데 거푸집은 일종의 틀이다. 분석해보면 『사해辭海』의 鎔에 대한 두 번째 해석은 의미가 너무 포괄적이다. 고대의 거푸집은 토기, 돌, 금속 따위로 다양하게 만들어졌기 때문이다. 연금술의 역사를 살펴보면 알 수 있지만 鎔은 실제로는 금속으로 만든 거푸집을 일컫는다. 금속 거푸집의 등장은 고대 사회의 아주 중대한 기술 혁명이라 할 수 있다.

鎔, 이름이나 고서에 등장하는 것 말고는 거의 찾아볼 수 없는 글자다. 그래서인지 많은 사람들이 실제 의미를 모르고 있다. 오래된 고대 사전 『설문해자』에 의하면 "鎔, 冶器法也(용, 도구가 만들어진다 — 역주)"라고 했고 바로 그 뒤에 鋏(집게 협, 金 — 총 15획) 자가 나온다. 그 해석은 "鋏, 可以持冶器鑄鎔者(협, 거푸집을 들 수 있다 — 역주)"라고 해석되어 있다. 鋏자의 해석에 鎔자도 포함되어 있다. 청나라 유명한 학자 단옥재는 鋏에 대하여 해석하기를 "冶器者鑄于鎔中, 則以此物夾而出之(도구는 '鎔' 속에서 만들어지고 이를 꺼내는 데 쓴다 — 역주)"라고 했다. 단옥재의 해석에서 鎔이 금속 거푸집을 뜻한다는 것을 알 수 있다. 왜냐하면 만일 토기로 된 거푸집이었다면 꺼낼 필요가 없이 그냥 부술 것이기 때문이다. 그러나 이런 어려운 문장을 일반인이 해석해 용의 뜻을 알기는 어려운 일이다.

몇 마디 말을 더 보태겠다. 고대의 거푸집은 돌로 만든 것이 그 시작이었다. 나중에 진흙으로도 만들고 또 금속으로도 만들어졌다. 이로써 녹인 쇠붙이를 거푸집에 부어 물건을 만드는 기술은 새로운 변화를 겪게 된다.

고대의 기술 조건에서 진흙 거푸집은 대부분 일회용이나 기껏해야 서너 번의 재사용에 그쳤다. 사회의 생산력이 발전하면서 대량의 생산 기술이 필요하게 되었다. 특히나 화폐를 만들기 위해 기술의 발전이 요구되었다. 서너 번밖에 사용하지 못하는 진흙 거푸집은 적당하지 못했다. 좀 더 오래 쓸 수 있는 거푸집이 필요했고 금속 거푸집이 만들어졌다.

금속 거푸집의 수명은 진흙 거푸집의 몇십 배였다. 구리 거푸집을 예로 든다면 반복해서 사용할 수 있는 횟수가 적게는 100여 차례에서 많게는 1,000번 이상을 사용할 수 있어 매번 거푸집을 따

양일근 거푸집 조각

로 만드는 불편을 덜었다. 구리 도끼, 화폐 등을 만들 때 그 품질도 더욱 향상되었으며 모양도 규격화되었다. 구리 거푸집은 진흙 거푸집보다 만들기가 힘들다. 금속 거푸집의 등장은 기술 혁신이 이루어져 고대의 생산력이 한 단계 높아졌음을 보여준다.

문헌의 기록을 보자면 중국은 춘추 시대부터 이미 구리 거푸집을 사용하였다. 예를 들면 '노씨盧氏' 공수포 거푸집, 전국 시대 초기의 평수포 '양일근梁一釿' 거푸집 등의 유물이 있다. 전국 시대부터 실물 경제가 발달하면서 구리 거푸집은 화폐를 만들어내는 중요한 역할을 했으며 점차 그 사용 범위가 넓어졌다.

전국 시대에 구리 거푸집을 기초로 철 거푸집이 만들어졌다. 1950년대 초, 후베이 싱롱 지역에서 철 거푸집이 발굴되어 전 세계가 깜짝 놀란 적이 있다. 그 후 다른 여러 고고학 발굴을 통해

싱롱에서 발굴된 도끼 거푸집으로 만든 실험 작품

최종적으로 세계 학술계는 이를 사실로 인정했다. 제철술은 전국 시대에 이미 고도로 발전한 상태였으며 철 거푸집을 이용해 대량으로 철기를 생산했다는 사실 말이다.

그 외에 1970년대에 후베이 윈멍에서 발굴된 진나라 시대의 죽간에는 두 군데서 '전용錢容(돈을 만드는 거푸집 — 역주)'이라는 글자가 나오는 데 그 내용이 참 흥미롭다.

"某里士伍甲, 乙縛詣男子丙, 丁及新錢百一十, 錢容二合, 告曰:丙盜鑄此錢, 丁佐鑄. 甲, 乙捕索其室而得此錢容, 來詣之."

"어느 지역의 병사 갑과 을이 병과 정이라는 두 남자를 보았는데 병과 정은 새로 만든 돈 100여 문과 돈 만드는 거푸집 두 점을 가지고 있었다. 들어보니 병이 몰래 돈을 만들고 정이 이를 도왔다 한다. 갑과 을은 이 둘을 포박하고 두 점의 거푸집을 가지고 관청으로 갔다."

학자들은 容(얼굴 용, 宀 — 총 10획)을 鎔(녹일 용, 金 — 총 18획)의 통용通用과 가차假借로 해석한다. 그래서 錢容이 바로 錢鎔이라는 끓는 쇠를 부어 돈을 만드는 거푸집임을 알 수 있다. 병과 정이라는 두 사람은 이 錢容을 사용해 몰래 돈을 만들어 나라의 법을 어겼다가 병사인 갑과 을에게 포박되어 관청으로 압송되어 벌을 받게 되었다. 게다가 몰래 만든 불법 화폐가 100여 문에 달했고 거푸집도 두 점이나 발견되어 죄의 증거로 쓰였다는 내용이다.

鎔은 金자를 기초로 독음은 容을 따르며 일반적인 중국어의 구성 법칙에 따라 금속 재료로 만들어진 거푸집을 간단히 容이라고 쓸 수 있다. 윈멍에서 발굴된 진나라 죽간에 이 錢容을 합合이라는 단위로 계산했다. 이는 한 조각이 아닌 몸체와 뚜껑으로 이루어진 거푸집의 모양을 설명한다. 죽간에는 또 신전新錢과 전용錢容이라는 글자가 등장하지만 여타 그렇다 할 다른 글자는 나오지 않는데 이로써 전용錢容이 바로 고문에서 해석된 그대로 전용, 즉 금속 거푸집(대부분 구리)이라는 것을 알 수 있다. 금속 거푸집만이 여러 차례 중복해서 사용할 수 있기 때문이다.

연금술 역사 전문가 화쥐에밍華覺明은 진나라 죽간에 등장한 전용은 지금까지 세계에서 발견된 가장 최초의 금속 거푸집에 대한 문서 기록이라고 한다. 즉 한나라 시대의 문헌에서 자주 등장한 鎔자도 역시 금속 거푸집을 뜻한다는 말이다. 한나라 때는 금속 거푸집이 널리 사용되어 이미 일반적인 상식이 되었다. 반고班固나

허신許愼도 글을 쓸 때 鎔자에 대해 특별히 따로 언급하지 않았다(화쥐에밍, 『中國冶鑄史論集』을 참조, 문물출판사). 위진남북조 시대 이후 范(풀이름 범, 艸 — 총 9획)자가 점차 거푸집을 가리키는 호칭이 되고 鎔은 용주鎔鑄(쇠를 녹여 물건을 만들다 — 역주)의 뜻으로 변해 현재를 살고 있는 우리들은 鎔자의 참뜻을 잘 모르고 있다.

자루 탁橐과 고대의 풀무

橐(자루 탁, 木 — 총 16획)은 사전에 '주머니'라고 해석되어 있고 이 외에는 의성어로 사용된다고 적혀 있다. 사실 橐은 보통 바지에 달린 것 같은 주머니가 아니라 바람을 일게 하는 가죽 부대이다. 고대의 금속 제련술에 꼭 필요한 도구였다. 아마도 바람을 일으킬 때 낮게 울리는 둔탁한 소리 때문에 의성어로도 사용하였을 것이다.

고대 橐의 문자 형태는 아래와 같다.

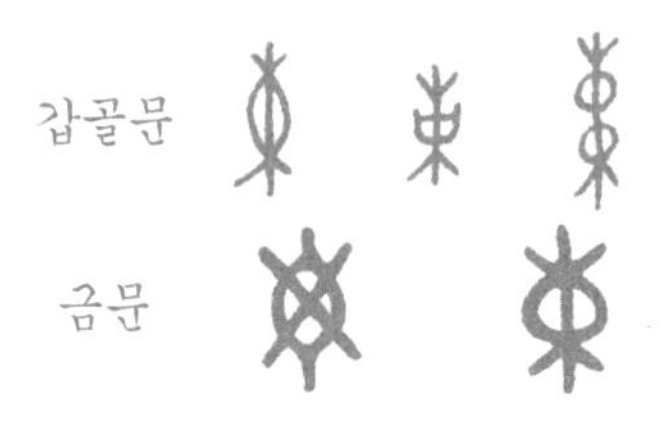

갑골문과 금문의 모양을 보면 양 끝을 졸라맨 주머니 같다. 주머니를 관통한 것은 바람을 일으키는 나무 막대기다. 누구는 위의 그림이 밧줄로 나무를 묶은 모양과 비슷하다고 束(묶을 속, 木 — 총 7획)자로 해석하기도 한다.

옛날 옛적에 토기를 구울 때 자연 통풍을 이용하였다. 오랜 경험을 통해 원시 인류는 좀 더 단단한 토기를 얻기 위해서는 가마의 온도를 높여야 한다는 것을 알게 되었고 바람을 집어넣는 일이 중요하게 되었다. 원시 인류는 처음에는 부채를 이용해 바람을 일으켰지만 효율이 떨어져 나중에는 바람을 불어넣기 위한 대롱이나 짐승의 가죽으로 만든 풀무를 생각해냈다. 지금도 중국의 서북 지역의 원주민들은 산양의 가죽으로 만든 자루를 화피대火皮袋(불을 만드는 가죽 주머니라는 의미 — 역주)라고 부르며 쇠가죽으로 만든 대롱이 없을 경우 불을 피울 때 대신 사용하기도 한다.

금속 제련에 사용된 풀무가 개량되면서 가마의 온도를 높이는 것이 중요하게 여겨졌다. 용광로에 사용하던 풀무는 크기가 보통보다 큰 것은 기본이고 그것도 여러 개를 함께 사용했다.

고대 중국에서는 가죽 자루를 탁橐 또는 낭탁囊橐이라고 불렀다. 당시 장인들은 금속을 제련하는 데 풀무의 역할이 크다는 것을 알았다. 고문헌의 관련 글자 중에는 화로와 가죽 부대를 겸용해서 쓰기도 했는데 아마도 당시 사람들의 인식을 반영해서일 것이다. 예를 들어 『관자管子』에는 "吾非挺埴, 搖爐而立黃金也(용광로와 풀무에서 쇠가 나오다 — 역주)"라고 하고 『회남자 · 제속훈淮南子 · 齊俗訓』에서는 "爐橐埵坊設, 非巧治不能以冶金(화로와 풀무가 내버려져 있으니 쇠를 만들 수 없다 — 역주)"라고 하였고 『논형 · 허도論衡 · 虛度』에서는 "工師鑿掘, 爐橐鑄爍乃成器(장인이 화로와 풀무로 물건을 완성하다 — 역주)"라고 했는데 모두 용광로와 풀무가 불가분의 관계임을 의미한다.

이제 자연스럽게 이런 의문이 든다. 풀무는 대체 누가 발명했을까? 고대 수공업을 살펴보면 일종의 가내 수공업이 대세를 이루고 있다. 금속 제련이라고 예외가 있을 리 없다. 아마 금속 제련 장인들은 풀무 수리도 스스로 알아서 했을 것이다. 목수가 도끼 같은 도구를 알아서 고치듯이 말이다.

진시황 통일 이전의 문헌 기록인 『예기 · 학기禮記 · 學記』에서는 "良冶之子, 必學爲襲, 良弓之子, 必學爲箕(훌륭한 연금술 장인의 아들은 반드시 바느질을 배우고, 훌륭한 활 장인의 아들은 키질을 배운다 — 역주)"라고 했는데 바로 위와 같은 정보의 근거가 된다. 그러나 이 구절은 당나라 때부터 이미 잘못 해석되었다.

당나라의 유명한 학자 공영달이 해석한 『禮記』에서는 이 구절에 대해 다음처럼 해석했다.

> "良, 善也. 冶, 謂鑄冶也. 裘, 謂衣裘也. 積世善之家, 其子弟見其父兄世業陶鑄金鐵, 使之補治破器, 皆令全好, 故此子弟仍能學爲袍裘, 補續獸皮, 片片相合,以至完全也."
>
> "량, 숙달된 것이다. 야, 쇠를 부어 만든다. 구, 갖옷을 말한다. 경험을 쌓은 장인의 아들과 아우들은 그 아비와 형들이 쇠를 부어 물건을 만드는 것을 본다. 아들과 아우들은 또한 가죽옷을 고치는 것을 배워 조각조각 이어 붙여 완성한다."

갖옷 구裘는 문자의 기원으로 말하자면 가죽옷이라고 해도 아무

문제 없을 것이다. 그러나 '良冶之子, 必學爲裘'라는 구절과 맥락이 이어지면 구는 가죽옷이라고 하기에는 문맥상, 그리고 제련술의 특징상 적합하지 않다. 이에 대해 명·청 시대에 많은 학자들이 의문을 제기했다.

기술상의 특징으로 분석해보면 초기에는 분업화가 그다지 잘 이루어지지 않아 전문적으로 가죽 풀무를 고치는 장인이 없었다. 그래서 제련업을 하는 장인에게 가죽 풀무를 만들고 고치는 일은 필수 조건이었을 것이다. 아마 이런 점이 良冶之子, 必學爲裘의 진짜 이유였을 것이며 이들이 바느질로 꿰맨 것은 가죽옷이 아니라 풀무였다. 그래서 고문서를 읽을 때는 절대로 그 글자의 뜻만 가지고 판단해서는 안 된다. 다시 良冶之子, 必學爲裘의 裘를 보자면 가차假借자로서 실제로는 바람을 불어넣는 가죽 부대인 풀무 탁橐을 가리킨다.

옛날에 대형의 금속 기물器物을 만들기 위해서는 역시 대형의 화로, 즉 용광로가 필요했다. 온도를 높이기 위해서는 바람이 필요하고 여러 개의 풀무로 바람을 집어넣었을 것이다. 여러 개의 풀무로 바람을 집어넣는 방식은 아마 상나라 때부터 이미 시작되었을 것이다. 『오월춘추吳越春秋』에서 "童男童女三百人鼓橐裝炭(남아와 여아 300명이 풀무로 바람을 넣어 숯을 만든다 — 역주)"라고 했는데 300명은 조금 과장이겠지만 만일 여러 개의 풀무로 돌아가면서 바람을 집어넣었다면 적은 수의 사람으로는 불가능했을 것이다.

탁橐이 가죽으로 만들어져 지금까지 온전한 형태로 보존된 실물은 없다. 한漢나라 때 돌에 새겨진 그림을 참고하면 풀무로 바람을

한나라 때의 제련 작업 중 풀무를 사용하는 장면

탁(복원 모형)

넣는 작업이 대들보에 매달려 있는 막대기로 움직인다(그림 참조). 일정한 틀에 고정시켜 그 운동 방향을 제한했고 한끝에는 손잡이와 바람이 들어오고 나가는 구멍을 만들었다. 다른 한끝에는 바람이 나가는 통로를 만들었다. 과학 유물 전문가인 왕전두어는 이를 근거로 모형을 복원했다.

풀무라는 송풍 장치의 장점은 우선 구조가 간단하고 쓰임이 안정된 점에 있다. 한나라 때 돌에 새겨진 화상畵像석을 보면 화로 비슷한 용광로가 표현되었다. 아마 용광로의 크기에 따라 풀무의 크기도 커졌을 것이다.

처음에 풀무는 사람이 직접 작동시켰으나 나중에는 가축의 힘을 빌렸고 한나라 때에 와서는 수력을 이용했다. 이로써 고대 중국의 제련술은 아주 중요한 변화를 겪었다고 할 수 있다.

솥 정鼎자로 알아보는 청동 솥의 제작

鼎(솥 정, 鼎 — 총 13획)은 자주 쓰이는 한자로 관련된 파생어도 적지 않다. 원래는 고대에 사용되던 그릇으로 처음에는 취사 도구로 사용되다 나중에 그 쓰임새가 확대되어 제기祭器로도 쓰였다. 청동기 시대에 鼎은 중요한 역할을 하는 도구로 그 크기가 크고 세공도 정교하게 이루어졌다. 진시황의 통일 이전에 만들어져 지금까지 전해진 鼎이나 새로 발굴된 鼎이나 모두 진귀한 유물이다.

고대의 鼎자는 다음과 같다.

鼎자는 목目이 배 부위에 오며 위로 귀 두 개가 솟아 있고, 아래

에는 다리가 있는 모양으로 분명한 상형문자다.

鼎은 제작이 조악한 일상생활용 토기에서 정교하게 세공되어 주로 제사나 예식의 자리에 사용되는 청동기로 변하기까지 오랜 시간을 걸쳤다.

약 1만 년 전 원시 인류는 처음으로 진흙으로 간단한 형태의 토기를 만들어 물을 저장하거나 음식물을 익히는 데 사용했다. 원시 인류는 실제 경험을 통해 토기의 아랫부분에 몸체를 지지하도록 세 개의 다리를 덧붙였다. 이는 불을 지필 때도 편리했다. 바로 이런 점에서 깨닫는 바가 있어 아예 처음부터 다리가 셋 달린 그릇을 만들었고 이런 형태의 토기가 바로 가장 원시적인 형태의 鼎이라고 할 수 있다.

하(夏)나라 도자기로 만든 정

하夏나라 때 청동 제련술이 등장한 이후 사람들은 토기 鼎의 모습을 본떠서 청동 鼎을 만들어냈다.

청동으로 제조한 鼎은 대부분 몸체가 원형이고 다리가 셋이며 귀가 두 개였는데 나중에 정방형 몸체에 다리 넷, 귀 둘이 달린 모양으로 변화했다. 청동 제련술은 초기에는 통치 계급에 의해 통제되었기에 청동으로 만들어진 鼎 역시 왕족과 귀족들의 차지가 되었다.

鼎은 처음에 취사 도구로만 사용되었는데 용도가 점차 변화하여 제사나 연회 같은 장소에 사용되어 중국에는 "列鼎而食(정이 가지런하니 먹을 일이 있다 — 역주)"라는 말도 생겨났다. 후에 통치 계급의 권력의 상징이자 황권과 정권의 증거로 사용되었다. 사서의 기록을 살펴보면 상商왕조에는 '구정九鼎'이 있었는데 부패와 타락으로 인해 주무왕 때 상왕조가 멸망하자 무왕의 아들 성왕이 구정을 호경鎬京(지금의 시안 교외 — 역주)으로 옮겨와 성대한 定鼎(정을 옮기는 의식 — 역주) 의식을 거행했다는 기록을 볼 수 있다. 구정九鼎은 왕권의 상징으로 나중에 '一言九鼎(구정만큼 대단한 말 한마디 — 역주)라는 말이 생겨 말의 중요함을 비유하게 되었다.

고대 중국 사회에서는 예식 제도가 많아 鼎은 제사와 예식에 사용되는 도구로 신분의 귀천을 구분하는 표식이기도 했다. 한나라 이후에 정의 정치적이고 제례에 쓰이던 기능은 점차 감소하고 소장용이나 감상용의 장식품으로 변화했다.

전해져 내려오거나 또는 고고학 발굴로 출토된 鼎의 수량은 대단히 많다. 과거에 사람들은 다만 역사적 유물의 각도로만 鼎을

상나라 도철(饕餮, 신화 속 짐승의 이름-역주) 무늬의 정(鼎)

대했는데 최근 몇십 년간 鼎의 제조 기술에 대한 연구가 진행되었다. 정교하고 아름다운 세공으로 따지자면 鼎은 그다지 가치 있는 유물이라 할 수 없다. 그러나 그 크기로 말하자면 진시황 통일 이전 시기에 가장 큰 청동기는 바로 鼎이었고 鼎을 통해 고대 청동 제련술의 고급 기술을 엿볼 수 있다.

지금까지 알려진 고대의 가장 무거운 鼎은 상나라 시대의 사모무정으로 현재 세계에서 가장 큰 청동기이기도 하다. 사모무정은 몸체가 장방형으로서 속이 깊고 기둥이 네 개다. 높이는 약 1.33미터, 길이는 약 1.66미터, 너비는 약 0.79미터로 중량은 875킬로

그램에 달한다. 우선 진흙으로 모형을 만들고 그 모형을 이용해 토기 거푸집을 제작한다. 그리고 청동을 녹여 거푸집에 부어 만든 것이다. 당시 사용된 구리의 총 중량은 1,200킬로그램에 달한다고 한다. 이처럼 대량의 구리를 감당할 수 있는 대형 용광로가 없었기에 전문가의 의견에 따르면 사모무정을 제작하는 데 최소한 6개의 용광로가 필요했을 것이라 한다. 6개의 용광로를 3조로 나누어 각조는 2개의 용광로를 가지고 모형의 양옆에 위치해 녹인 구리를 순서에 따라 주입해 형태를 만든다. 이처럼 힘들게 완성하고 나서도 그 뒤처리가 매우 번거로웠을 것이다. 특히 10센티미터에 달하는 거푸집을 연결한 틈을 처리하는 게 쉬운 일은 아니다. 사모무정의 제작은 고대 장인들의 지혜와 재능을 반영하였고 상나라의 청동기 제련 작업장이 상당한 규모를 갖추었다는 것을 말한다.

사모무정은 1939년 하남 안양에서 출토되었다. 현지 사람들이 일본 군정의 약탈을 막기 위해 땅속에 묻어두었다가 일본 패망 후에 이르러 다시 꺼낼 수 있었다. 현재 사모무정은 베이징국가박물관에 전시되어 있다.

최근 들어 중국의 정치, 경제, 사회가 전반적으로 발전되면서 鼎은 예술 작품이나 행사의 기념물로 제작되기도 한다.

1995년 10월 유엔 50주년을 기념해 중국 정부는 세기보정世紀寶鼎이라는 귀한 선물을 선사했다. 세기보정은 무게가 1,500킬로그램에 달하고 다리가 셋, 귀가 둘이며 몸체가 약간 볼록하다. 밑 부분이 둥글고 상나라 시대의 무늬가 장식되었다. 짐승의 얼굴 형상을 새겼고 구름무늬로 바탕을 장식했다. 전체적으로 예스럽고 소박하

원명원의 성화보정(盛和寶鼎)

며 장엄한 느낌이 들어 세간에는 고대 하후씨가 처음으로 鼎을 만든 이후 최대 걸작이라는 평도 있다.

1997년 홍콩 반환 전야前夜에 홍콩 반환을 축하하기 위해 홍콩의 젊은이들이 성화보정盛和寶鼎을 만들어 베이징의 위엔밍위엔에 안치했다. 성화보정은 중국 민족의 유구한 발전과 번영, 그리고 평화의 뜻을 담고 있다. 다리가 넷, 귀가 둘이며 몸체는 정방형으로 무게가 1,997킬로그램이고 높이는 2.22미터, 둘레는 2미터, 너비는 1.5미터다. 몸체에는 홍콩 자치구의 휘장인 박태기나무 꽃의 도안이 새겨졌고 양옆에는 길상의 상징인 용과 봉황이 새겨졌다. 우아하고 장엄한 분위기의 무늬는 성화보정의 기백과 위엄을 드높였다.

설계와 제작 모두 중국 고고학, 역사, 미술, 서예, 제작의 명장들이 함께했고 성화보정의 가치를 더욱 높였다.

이제 鼎은 정치적 의미나 예식 도구로의 역할은 점차 사라졌지만 귀중한 유물로 여전히 많은 이들의 사랑을 받고 있다. 그리고 鼎에 관계되는 어휘는 이미 중국인들의 언어 생활 깊숙이 자리잡고 있다. 예를 들면 세여정족勢如鼎足, 삼족정립三足鼎立, 정정대명鼎鼎大名 등이 그것인데 보통 생략하여 정족鼎足, 정립鼎立, 정정鼎鼎이라 쓰인다.

활 궁弓이 여러 번 꺾인 이유?

잘 알다시피 활은 고대 전쟁에서 사용된 중요한 무기다. 또 오늘에 이르러 활쏘기는 양궁이라는 스포츠 종목이 되었다. 그래서일까? 활과 관련된 한자 역시 적지 않다. 예를 들면 强, 弱, 張, 弛 따위가 있다. 弓은 상형문자다. 평상시에는 활시위를 느슨하게 하고 전쟁이 닥치면 다시 활시위를 팽팽하게 했다. 때문에 갑골문에서는 弓을 크게 두 가지 형태로 표현한다. 그리고 그 어떤 형태의 弓자에도 글자 가운데 꺾인 부분이 반드시 있다. 무슨 까닭인가? 이와 관련해 흥미로운 이야기가 있다.

弓자의 옛날 글자 모양은 아래와 같다.

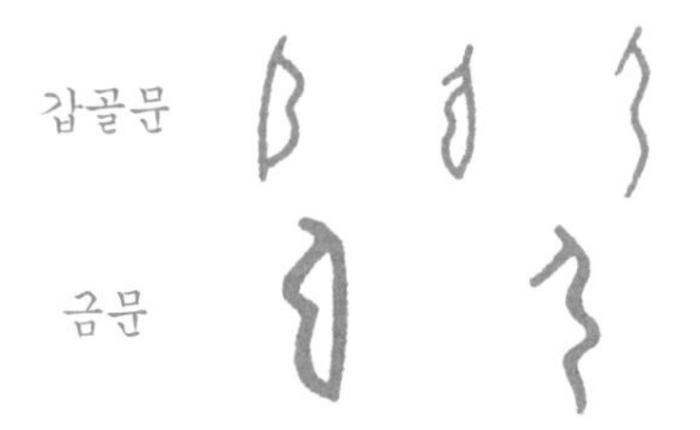

활은 기원이 아주 오래되었다. 고고학 자료에 따르면 3만 년 전의 산서 삭현朔縣 치욕峙峪 문화 유적에서 돌 화살촉이 발굴되었다. 이것으로 옛사람들이 활을 사용하였다는 사실이 증명되었다. 고대에는 주로 대나무나 나무로 활을 만들었기 때문에 지금까지 보존되기가 힘들었다. 비록 지금 그때의 활이 남아 있는 것은 아니지만 우리는 그 형태를 추측할 수 있다. 아마 고대의 활은 마치 아이들이 가지고 노는 장난감 활의 형태와 흡사할 것이다. 대나무나 나뭇가지를 구부려 양 끝에 끈을 묶으면 된다. 이렇게 만든 활은 거의 반원 모양, 더 정확하게 말하면 호형弧形이라 한다.

상나라 시대의 갑골문에는 弓자가 이미 기재되어 있다. 왜 弓자가 반달 모양이 아니고 이리저리 꺾여 있을까? 우리는 바로 이 꺾임을 연구할 필요가 있다. 고대 활 제조술이 발전하는 과정을 보여주고 있다.

그렇다면 왜 이처럼 꺾여 있어야 하나? 현대 역학 지식을 가지고 이해하면 쉽다. 우리가 흔히 그저 대나무 하나를 통으로 사용했다고 믿는 활의 몸체는 얇은 대나무 조각을 몇 겹씩 이어 붙인 것이다. 대나무가 휘어질 때 바깥쪽은 늘어나고 안쪽은 수축하게 된다. 이때 바깥쪽 대나무는 장력을 받고, 안쪽은 압력을 받는다. 만일 활을 당기는 힘이 커진다면 구부러지는 폭도 커지고 활의 몸체가 견뎌야 하는 힘도 커진다. 어쩌면 바깥쪽의 대나무가 갈라질 수도 있다. 그래서 옛사람들은 대나무를 각기 다른 방향으로 우선 먼저 구부린 후에, 그러니까 바깥에 놓일 조각은 압력을 받게 하고, 안쪽에 놓일 조각은 장력을 받게 했다. 활을 사용할 시기가 되면 다시 바깥쪽은 장력을 주고, 안쪽은 압력을 주는데 보통 활보다 감당할 수 있는 힘이 커진다. 이렇게 弓자가 만들어졌다. 우선 반대되는 방향으로 구부리는 이 작업을 통해 생긴 힘을 현대 과학에서는 응력應力(물체 안에서 생기는 반작용의 힘 — 역주)이라고 한다.

미리 한 번 구부리면 응력이 생긴다. 이런 방법은 최초의 활을 제작할 때부터 사용되었다. 초기의 기록은 남아 있지 않으나 송나라 때 유명한 작가인 심괄은 『몽계필담』에 관련 내용을 기록했다. 활을 만드는 재료와 어떤 식으로 응력을 강화하는지에 대해 아주 정확하게 기록했다. '(弓)揉其材侖仰'이라고 기록되어 있는데 揉는 구부린다는 뜻이고 侖仰은 반대 방향으로 구부린다는 뜻이다. 이런 방법으로 만든 활은 힘이 강하다. 발굴된 전국 시대의 활은 가운데 부분이 안쪽으로 구부러져 있다. 당시 활을 제조하는 장인들이 응력을 잘 사용한 사실을 증명해준다.

춘추 전국 시대 활 제조술은 아주 높은 수준이었다. 전국 시대 초기에 편찬한 『고공기』에 활을 제조하는 재료나 제조법을 상세히 기재했다. 활을 위한 여섯 가지 조건으로는 간干(목재), 각角, 힘줄, 아교, 실과 옻칠에 대한 기준이 정해져 있다. 또한 세공 과정은 매우 섬세했다. 겨울에는 궁간을 만들고, 봄에는 뿔을 담그고, 여름에 힘줄을 말리고, 가을에는 궁간과 뿔과 힘줄을 실과 아교로 합치고, 옻칠을 해 활 몸체를 완성한다. 입동을 앞두고 몸체를 틀에 넣어 모양을 고정시킨다. 그리고 다음 해 봄이 되면 활시위를 달고 시험을 한다. 좋은 활을 만들려면 꼬박 3년이 걸린다. 정교한 솜씨와 3년을 기다리는 참을성은 놀랄 만하다.

전국 시대 청동기의 사후射侯도. 활의 굴곡을 분명하게 볼 수 있다

아슈르 국왕 기사 조각(기원전 7세기). 사용한 활의 중간 부위에 꺾임이 없다

중국은 활의 모습이 처음부터 호형弧形이 아니었기에 중국의 고대 시인들은 초승달을 활이 아닌 갈고리로 비유했다. 갈고리가 호형이라서 초승달과 비슷하다.

그런데 일본어에서 '궁장월弓張月'은 '초승달'이라는 뜻이다. 초승달을 弓자로 비유하는 것은 고대 일본의 활 가운데가 꺾이지 않은 초승달형이라는 증거다.

그리스 신전(기원전 480년) 위에 병사가 활을 쏘는 조각이 하나 있다. 왼손으로 활을 들고 오른손으로 시위를 당기는 모습이 아주 생생하게 조각되어 있다. 이 조각을 통해 활 가운데가 꺾이지 않은 것을 분명하게 볼 수 있다. 고대 그리스에서 응력이 있는 활을 쓰지 않았다는 증거다.

시矢를 통해
고대의 화살촉을 말하다

矢란 화살이다. 즉 고대 전쟁 중에 대규모로 소비되는 '총알'이었다. 화살은 주로 촉, 가운데 마디, 깃의 3부분으로 나누어진다. 갑골문甲骨文이 전체적으로 비슷한 형상을 보이지만 점차 그 모양이 변해 지금은 글자만 보고 원래 의미를 알아보기 어렵다.

矢의 고대 문자는 아래와 같다.

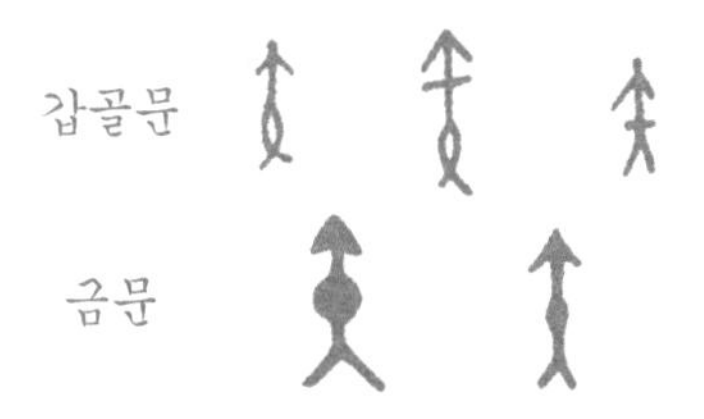

화살의 기원은 이르다. 최초의 화살은 매우 단순한 모양이었을 것이다. 날카롭게 자른 나뭇가지, 혹은 대나무로 만들어지고 다음에는 날카로운 돌 혹은 뼛조각으로 화살의 촉을 만들었다. 나뭇가지의 끝 부분에다 고정시켜 사용하면서 돌촉과 뼈촉을 가진 화살이 만들어졌다.

자료에 따르면 중국은 최초로 화살을 만들어 사용한 국가다. 1963년에 산시 삭현 치곡촌 구석기 시대 말엽 유적에서 아주 잘 만들어진 작은 돌 화살촉이 무더기로 발견되었다. 조사 결과에 따르면 약 3만 년 전의 유적이라고 한다. 돌 화살촉은 단단하면서도 날카롭게 쪼개지는 돌로 만들어졌는데 끝이 매우 날카롭다. 그리고 반대쪽에 화살대를 고정시키기 위해 우묵한 모양으로 다듬었다. 돌 화살촉의 공예 수준을 보아 실제 사용된 시기는 훨씬 더 이를 수도 있다.

화살이 등장한 이후 그 제작 기술 역시 끊임없이 개량되었다. 비행 중 방향이 어긋나지 않고 공기의 저항을 최대한 덜 받기 위해 화살대의 끝에 깃털을 달았다. 청동 제련술이 등장하고 이제 청동으로 만든 화살촉이 나타났다. 정저우鄭州에서 출토된 상商나라 유적과 은허에서 출토된 대량의 화살촉을 보면 은상殷商 시대의 뛰어난 화살 제작 기술을 알 수 있다.

화살촉은 고대 사람들에게 아주 중요했기에 한자에까지 영향을 주었다. 예를 들어 至(이를 지, 至 — 총 6획)자의 화살이 과녁에 명중했을 때와 그 모양이 비슷하다. 또는 화살이 땅에 떨어진 모습 같기도 하다. 그래서 '도착했다, 이르다'라는 뜻으로 쓰인다. 또 侯(과녁 후, 人 — 총 9획)는 화살을 과녁에다 조준하는 모습 같다.

전국戰國 시대에 이르러 화살의 제작 기술은 더더욱 향상되었다. 다양한 모양의 화살촉이 등장했다. 주로 끝에 V자로 갈라진 깃털

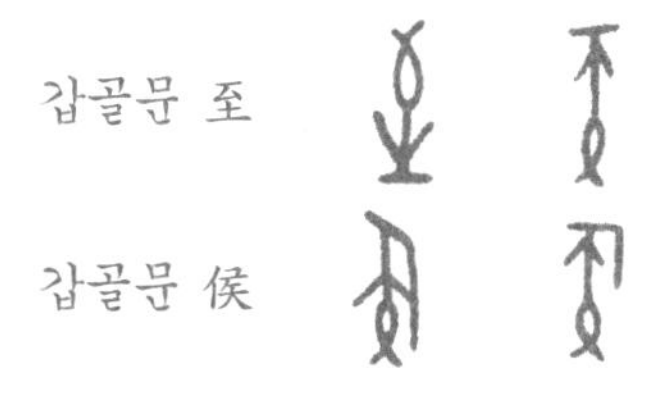

과 삼릉형三稜形 화살촉이 대부분이었다. 그 외에 가시가 달린 화살도 있었다. 화살은 민드는 법과 사용 용도에 따라 구분되었다. 왕시枉矢, 살시殺矢, 불시茀矢, 항시恒矢 같은 8가지 종류로 나뉜다. 『주례 · 하관周禮 · 夏官』에서 '팔시八矢'라고 불렀다. 왕시는 주로 전투용으로 수레를 타고 전투를 할 때 사용해 흔히 병시兵矢라고도 한다. 화살대의 목덜미(화살촉과 화살대의 연결하는 부위 — 역주) 부위에서 불을 붙여 발사할 수 있다. 그래서 화전火箭(불화살 — 역주)이라고도 불렀다(나중에 등장한 화약과는 또 다르다). 살시는 주로 사냥할 때 사용했다. 불시는 새를 잡을 때, 항시는 연습용 화살이었다. 연습용 화살은 보통 뼈로 만든 화살촉을 달았다. 나머지 화살들은 모두 구리나 철로 화살촉을 만들었다. 각기 용도에 맞게 다른 모양의 화살촉을 사용했다.

『고공기 · 시인考古記 · 矢人』에는 화살촉 만드는 재료, 가공부터 완성 후의 검사 항목까지 정확하게 기록되어 있다. 예를 들어 화살대 만드는 재료는 외형이 매끄러우면서 조직이 치밀한 것이 좋고 마디가 없어야 한다. 그리고 색이 다갈색이면 더욱 좋다고 씌어 있다. 다 만든 후에는 손가락으로 집어 들어 이리저리 움직이며 화살 깃의 크기가 정확한지 검사해야 한다. 그리고 화살대를 구부

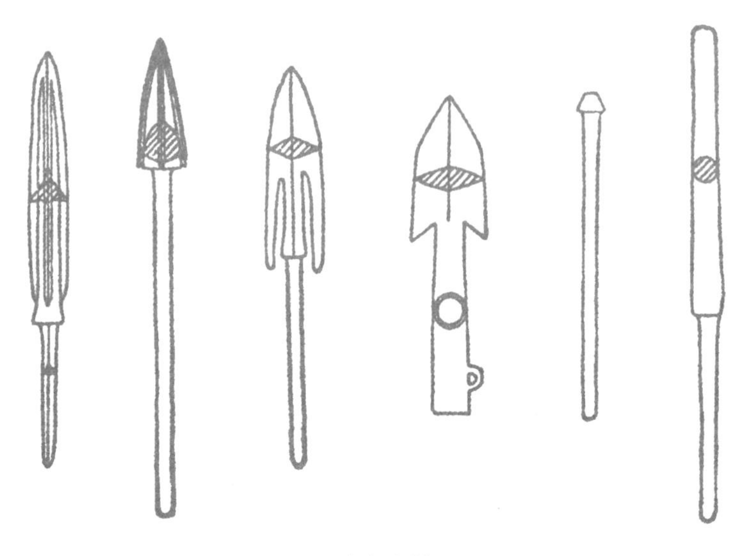

고대의 화살촉

려 강도를 조사한다. 이런 모든 과정을 거쳐야 합격점을 받은 화살이 된다.

한나라 때 화살의 기본 구조는 전국 시대와 비슷하나 화살촉의 길이가 길어지고 깃털 꼬리가 길어지며 중심대가 짧아졌다. 진나라 때의 화살촉은 대부분 강철로 만들어져 갑옷도 꿰뚫을 수 있었다.

고대 전쟁 중에 화살의 소모량이 매우 많았고 대규모로 화살을 제작하기 위해 인적·물적 자원의 낭비는 이루 말할 수 없었다. 다들 잘 아는 삼국지의 적벽대전에서 오나라의 주유는 갑자기 많은 양의 화살을 구해 오라고 제갈량을 난처하게 만든다. 제갈량은 짚을 가득 실은 조각배를 조조의 진영으로 띄워 조조군의 화살 공격을 유인해 하룻밤 새에 엄청난 양의 화살을 구해 온다. 바로 이런 이야기에서 고대 전쟁에서 화살이 얼마나 중요했는지 또 화살 제작에 얼마나 많은 공이 들었는지 알 수 있다.

일상생활에서 이제 화살을 보기란 매우 어려워졌다. 그러나 양궁과 같은 스포츠 경기에서 여전히 사용된다.

과戈에서 고대 창을 논하다

戈(창 과, 戈 — 총 4획)는 중국 민족 특색의 긴 손잡이가 달린 무기다. 유럽, 아시아의 서북 지역과 남부 지역에 살던 민족에서는 발견되지 않은 무기다. 때문에 戈는 고대 중국 문화를 이해하는 지표가 되기도 한다. 戈는 상형문자로 긴 손잡이에 가로로 칼날이 달린 무기와 비슷한 모양이다(끝이 날카로운 것도 있다). 잡이가 있고 가로 날이 있는 병기와 비슷하다(어떤 과는 말단의 뾰족한 부분도 그렸다).

戈자의 고대 문자는 아래와 같다.

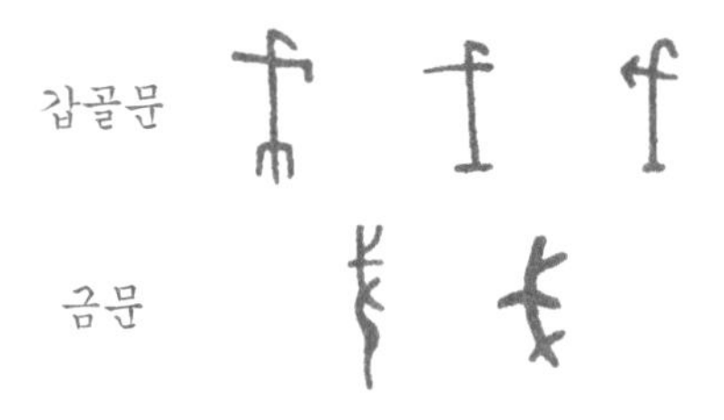

戈는 아주 오래전에 등장했다. 처음에는 돌로 만들어졌다. 원시 부락 간의 전쟁에서 효과적으로 상대를 공격하기 위해 사람들은 긴 막대에 돌도끼와 구부러진 칼날을 매달았는데 이것이 바로 돌로 만든 戈이다.

청동기 시대에 들어와서 戈가 청동으로 만들어졌다. 허난성 이리두 유적에서 발굴된 청동 戈는 지금으로부터 약 3,500년 전의 유물이다.

상나라 시대 戈는 군대에서 아주 유용하게 사용되었다. 1970년대 허난성 안양에서 많은 청동무기가 발굴되었는데 그중 230여 점이 청동 戈로서 함께 발굴된 청동 창보다 3배나 많았다.

일반적으로 戈는 창날, 몸통, 손잡이로 구성된다.

1. 창날, 원援, 내內, 호胡의 3부분으로 나뉜다

援 — 가로 나온 날로 적을 공격하는 가장 중요한 살상력을 가지고 있다. 길이 8촌에 넓이 2촌이다. 좁고 길며 대부분 모서리가 있다. 援의 위의 날과 아랫날은 호형으로 마주 모이며 뾰족한 끝을 만든다.

內 — 援의 꼬리 부분에 있다. 나무 손잡이를 장치할 때 사용한다. 곧은 것도 있고 끝부분을 밑으로 둥글린 모양도 있다. 끈으로 묶을 때 통과하는 천穿이라는 구멍이 있다. 전쟁에서 적과 싸울 때 창날이 벗겨지는 것을 막기 위해 援과 內 사이에 튀어나온 蘭을 만들었다.

胡 — 援의 아랫날이 호형으로 연장된 부분이다. 끈으로 묶을

때 통과하는 구멍을 만든다. 胡가 길수록 구멍이 많아지고 구멍이 많아지면 창날과 손잡이를 더 튼튼하게 고정시킬 수 있다. 일반적으로 胡는 점차 길어졌다. 서주 시대에는 胡 위에 날을 만들어 살상력을 높였다. 보통 길이가 6촌으로 창날 넓이의 3배 정도다.

2. 몸통, 즉 나무 손잡이다

적을 찌르고 공격하기 편하게 대부분 타원체 나무 손잡이를 사용해 쉽게 놓치지 않는다. 『고공기』에는 '몸통의 길이 6척 6촌'이라고 기록되어 있다. 그러나 발굴된 戈를 보면 그 길이가 거의 다르다. 아마 실전에서의 필요에 따라 보병의 戈는 짧고 전차에서 쓰이는 戈는 길게 만들어졌을 것이다.

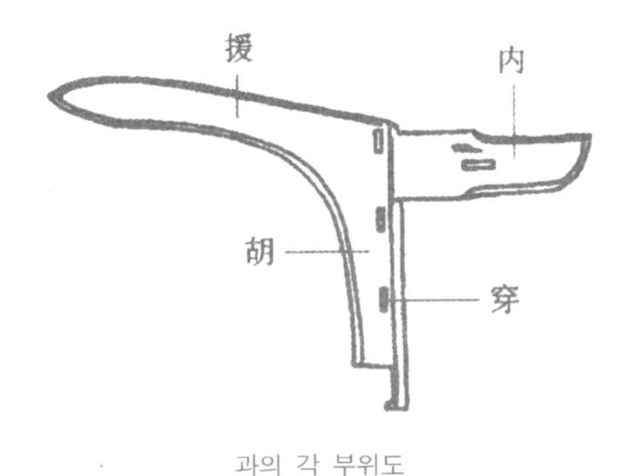

과의 각 부위도

나 아我란 무엇인가?

제목을 보면 의아하게 생각할 수도 있다. 我란 것은 인칭대명사로 '자신'을 가리킨다. 초등학생도 다 아는 한자를 가지고 뜬금없이 '我란 무엇인가?'라고 물으니 이상할 법도 하다.

사실상 我란 것은 원래 자신을 뜻하는 글자가 아니고 옛날에 사용하던 무기를 뜻하는 글자다. 이렇게 이야기하면 못 믿을 사람이 많으니 아래의 그림을 보고 이해해보자.

我의 고대 문자 형태는 아래와 같다.

我라고 하면 매우 자연스럽게 사람의 몸을 본뜬 상형문자라고

생각했다. 그러나 고대 문자의 모습을 보니 인체의 모습은 찾을 수 없다. 그 때문에 한나라 때 많은 문자 학자들이 어려움을 겪었다.

동한의 학자 허신은 『설문해자』에서 我에 대해 이렇게 해석했다. "我, 몸을 편 모양이다. 혹은 我, 몸을 기울인 모양이다. 戈에서 시작된다. 고문에서는 죽은 글자다." 해석을 읽고도 이해가 되지 않는다. 아마 허신도 我의 진짜 모습을 몰랐던 것 같다.

청나라 때, 학문은 발달하고 고문자에 대해 깊게 연구하는 이가 많았으나 我에 대해 정확한 설명을 할 수 있는 사람이 없었다. 그래서 我자가 대체 무엇을 본뜬 상형문자인가라는 질문은 영원한 수수께끼로 남았다.

1899년, 허난성 안양 은허河南省安陽殷 유적지에서 유물들이 출토되면서 신세대 학자들이 갑골문甲骨文에 대해 연구하고 我의 진정한 모습을 찾을 수 있었다. 고금문古金文 한자 중 등장하는 我를 하나하나 대조를 통해 원래 고대古代의 무기를 뜻한다는 것을 알게 되었다. 허신이 이야기한 몸을 펴고 굽히는 일과는 아무 상관이 없다.

갑골문의 我는 구체적인 이미지를 보여줬다. 길이가 길고 창과 비슷하나 보통의 창과는 다르고 창보다 여러 개의 칼날이 달린 무기였다. 금문金文의 我는 갑골문의 我와 비슷비슷하지만 단지 손잡이에 굴곡이 조금 있다. 금문의 我는 전서篆書 서예체와 비슷하다.

갑골문과 금문의 我는 쪼개지지 않는 한 덩어리의 사물을 표현한 것이다. 허신이 이야기한 해석과는 거리가 멀다. 이렇게 我가 고대 무기의 한 종류로 밝혀진 후 도대체 어떤 모양의 무기인지

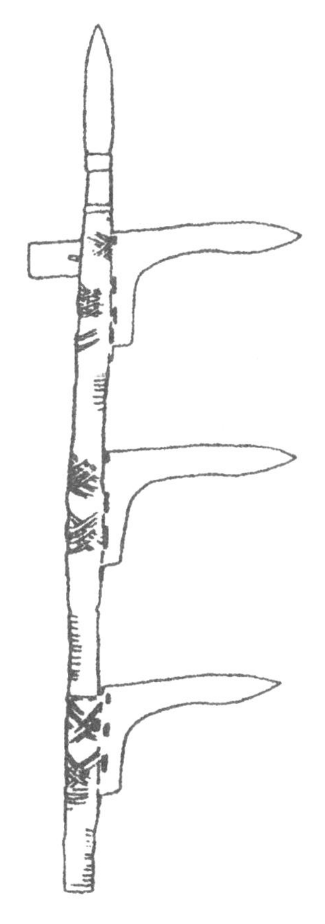

증후을 묘에서 출토된 삼과극

실제적 증거가 부족해 학계에서는 여전히 논란의 대상이었다.

1978년, 후베이 증후을 묘에서 대량의 유물이 발굴되었는데 그 중 삼과극三戈戟(여러 개의 날이 달린 창—역주)에 많은 학자들의 관심이 쏠렸다. 발굴 보고서에 따르면 "길이 약 3.43센티미터, 세 개의 가로 날과 한 개의 세로 날이 한 손잡이에 달려 있다. 세로 날은 손잡이 끝에 달려 두 개의 內가 없는 戈와 한 개의 內가 있는 戈를 향했다. 戈 사이는 약 4.7~5.3센티미터이고 길이에서 약간의 차이가 있다. 위에서 아래로 올수록 길이가 짧아진다(후베 증후을 묘 발굴에 대한 보고, 『문물』 1979년 제7기)"라고 했다. 출토된 삼과극의 모양을 단순화시키면 갑골문의 我자와 얼마나 비슷한지 알 수 있다.

우리가 습관적으로 사용하는 일인칭대명사 我는, 살상 무기로 세 개의 戈를 겹쳐놓은 형상이다. 이상한 것은 출토된 문물이나 문헌에서 我는 그 본래 의미는 찾아볼 수 없고 가차假借된 의미만 찾을 수 있다는 점이다. 가차 후 我의 모양은 쓰는 사람에 따라 달라졌다.

또 我가 독음으로 작용하는 글자들, 예를 들어 餓(주릴 아, 食 — 총 16획), 俄(갑자기 아, 人 — 총 9획), 娥(예쁠 아, 女 — 총 10획), 莪(지칭개 아, 艸 — 총 11획) 등에서 我는 그 원래의 뜻과는 상관없이 단지 발음 역할만 한다.

주목할 점은, 갑골문에서 나타나는 我는 일인칭 대명사의 역할 이외에 지방 국가 명칭, 지명, 첩의 호칭이기도 하다는 점이다. 지방 국가명, 지명, 인명으로서의 我는, 도대체 무기 我와는 무슨 상관이었을까? 혹시 지방 호족의 상징이었을까? 이에 대해서는 앞으로도 많은 연구가 필요할 것이다.

우리가 흔히 쓰는 我자에 이처럼 복잡한 역사가 있을 줄 누가 상상이나 했겠는가.

돌쇠뇌 포礮에서 통째로 구울 포炮까지

투석기를 뜻하는 礮는 고대 전쟁에 사용된 원거리 공격 무기이며 나중에 '砲'로 그 모양이 변했다. 나중에 石이 火로 바뀌면서 炮자를 쓰게 되었다.

礮에서 炮까지의 변화는 고대 무기의 발전과 고대 기술 발전에 따른 변화를 반영한다.

고대에는 도구와 무기 사이에 이렇다 할 구분이 없었다. 사람들은 돌을 갈아 날카로운 석기를 만들어 사냥을 했고 돌도끼나 돌칼 따위를 들고 부족 간의 전쟁에 나섰다.

신석기 시대 유적지에서는 가공된 듯한 둥근 구형의 돌과 짐승을 잡거나 적들과 싸움할 때 사용한 것으로 생각되는 석탄(돌포탄)이 발견되었는데, 이것은 투석기의 장전용 총알인 것 같다. 진시황 통일 이전 시대의 고서를 살펴보면, 礮자나 砲자는 찾아볼 수 없으니 더욱이 炮자가 기록되어 있을 리 없다. 옛사람들은 돌을 투석하는 무기를 旝이라 불렀다. 『설문해자』에는 旝에 대해 다음과 같이 해석되어 있다.

"큰 나무를 세우고 돌을 그 위에 얹어 발사하니 적을 물리치네."

礮자는 서진 시대의 번구가 지은 『한거부閑居大』에서 처음 발견되는데 문장 중에는 "礮石雷駭(礮가 마치 우레 같아 놀란다)"라는 구절이 발견되는데 이선이 단 주注에 따르면 "포석礮石은 오늘날의 투석기이다"라고 되어 있다. 당송 시대에는 이미 포석을 투석기라 불렀다.

수나라 때 많은 礮가 군대에 보급되었다. 문헌 기록에 따르면 수나라 말기에 위공 이밀이 호군 장군 전무에게 명령해 전쟁용 투석기인 전포戰礮를 만들게 했다. 한번에 300여 대를 만들어 '장군포'라 이름 붙였다. 또 당나라 때의 대장군인 이광필이 위력이 대단한 전포를 만들어냈다고 한다. 발사할 때는 200명의 병사가 시위를 당겨야 하고 한 번 돌 포탄을 발사하면 적 수십이 목숨을 잃었다고 전해진다.

고대 礮는 지렛대의 원리를 이용한다. 몸체는 나무로 만들고 접합 부분에는 철로 만든 부속품을 사용한다. 포의 중심에는 발사대가 있는데 받침 위에 얹거나 땅에 묻어놓는다. 발사대 한쪽 끝에 탄력성이 있는 시위를 달아 돌 포탄을 발사한다. 이 끈의 길이는 약 2.5장丈으로 지금의 8미터 정도 된다. 경량형 전포의 경우 한 가닥의 시위만을 사용하기도 하고 중량이 큰 전포일수록 여러 가닥을 합쳐 사용한다. 발사되는 돌 포탄의 무게에 따라 1, 3, 5로 늘어나고 많을 때는 13가닥을 함께 사용하기도 한다. 이런 시위는

송나라 때의 투석기

우선 좋은 재질의 목재를 구해 특수한 가공 절차를 거쳐 만들어낸다. 그래서인지 매우 튼튼하고 또 탄성도 좋다.

시위의 한끝에는 포탄을 올려놓고 다른 한끝은 몸체에 고정시켜 당긴다. 시위마다 1~2명의 병사가 당긴다. 보통 시위의 경우 40명이 당기고 대형 전포의 경우는 약 100명이 시위를 당긴다. 가장 무거운 13가닥의 시위를 당길 때에는 약 200여 명의 병사가 필요하다.

실제 전쟁에서의 쓰임새에 따라 전포도 다양한 종류로 나뉜다. 송나라 군사서인 『무경총요武經總要』에서 16종류의 전포 종류가 소개되었다. 가포架礮, 호준포虎蹲礮, 선풍포旋風礮, 차포車礮, 합포合礮 등이 있다.

礮의 위력은 대단했는데 일반적으로 50보에서 300보(송나라 때의 한 걸음은 약 6척, 지금의 1.4미터)의 거리에서도 조준할 수 있고 각 돌 포탄의 무게는 약 몇십 근에서 무거운 것은 100근이 넘기도 했다(중국의 1근은 약 400g). 『송사·병지宋史·兵志』의 기록을 보면 당시 국가들은 전포의 제작에 매우 엄격했다고 한다. 만들어진 전포는 실험 단계를 거쳐 정해놓은 기준에 도달해야 군대에 배치되었다고 한다.

13세기, 화약의 발명과 그 사용이 전파되면서 폭약은 전쟁터에서 빛을 발하기 시작했다. 출토된 문물로 보아 1280년대쯤에는 이미 중국에서 폭약을 이용한 화포火砲(대포 따위와 같이 화약의 힘으로 탄환을 쏘는 대형 무기—역주)가 쓰였다는 것을 알 수 있다.

초기의 화포는 화총이라 불렸다. 화총은 총간銃簡(몸체), 약실藥室(화약을 넣는 곳), 미공尾銎(뒷구멍)의 세 부분으로 이루어진다. 총의 몸체에는 고정을 위해 몇 개의 테두리가 있다. 총간은 용도에 따라 직간直筒(곧은 모양), 큰입통大口筒, 술잔통盞口筒의 구분이 있다. 총의 속에 돌, 납, 구리, 철 탄환 따위를 넣을 수 있다. 약실은 총간 뒤에 위치하며 불룩하게 솟아 있으며 최대 지름은 총구 직경의 절반 정도다. 그래서 많은 연기를 내며 총간의 뒤로 큰 압력을 보내 발사되는 탄환에 가속도를 붙일 수 있다. 약실 벽에는 작은 구멍이 있는데 도화선을 연결한다. 약실과 발사되는 탄환 사이에는 '목마자木馬子'로 메워 내부 압력을 높이고 기체가 세는 것을 막아

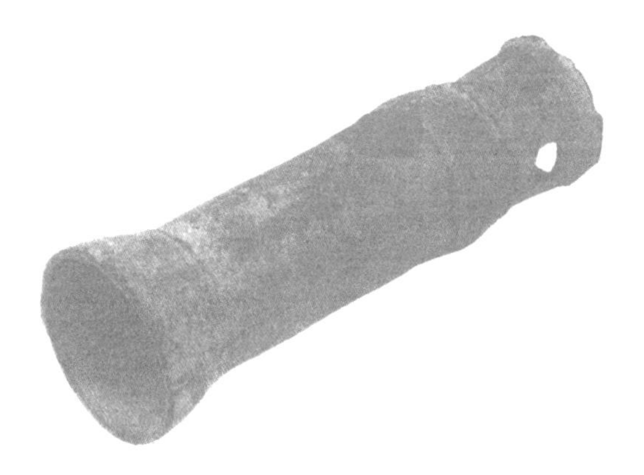

원지순(元至順) 3년(1332년)의 화총(火銃)

사정거리를 늘린다. 작은 화총은 손에 휴대가 가능했으나 대형 화총은 나무 받침대 위에 놓고 사용했다. 이런 대형 화총이 나중에 대포로 발전하게 된다.

화포는 그 위력 덕에 기존의 군사 무기였던 투석기를 대신하게 된다. 이제 돌이 하던 역할을 불이 하게 되어 礮자의 石은 이제 火로 바뀌게 되었다. 명나라 때의 문헌부터 炮자가 등장하기 시작했다.

오늘날 어른들이 장기를 두다 "장 받아라! 포 받아라!" 하는 모습을 간혹 볼 수 있다. 여기서 말하는 포가 바로 礮이다. 아직도 장기 알에 남아 있는 걸 보니 우리에게 '나를 잊지 말아줘요'라고 속삭이는 듯하다.

궁宮자에서 발견하는 고대 초기의 건축

宮자 하면 반사적으로 고대의 화려한 궁전과 웅장한 건축물이 떠오른다. 그러나 맨 처음 宮자가 기둥에 겨우 지붕을 얹은 집을 뜻하는 말이었다면 믿을 수 있는가? 시작은 화려함과 거리가 멀었던 宮자의 의미 변화와 함께 인류의 건축도 성장해왔다.

宮자의 고대 글자 모양은 아래와 같다.

宮의 고대 글자에 있는 아랫부분의 口자는 문을 표시한다. 또 윗부분의 口는 굴뚝을 표현한다. 다른 설에 따르면 宮자가 呂에서 시작되었고 큰 방을 몇 개의 작은 구역으로 나눈 모습을 뜻한다고 한다.

세계 건축 역사에서 중국 고대의 건축은 중국만의 독창성을 갖고 있다. 서양의 벽돌 가옥과 비교해 중국 고대 건축은 주로 나무를 사용하는 특징이 있다. 우선 땅 위에 토대를 만들고 토대 위에 나무 기둥을 세우고, 기둥 위에 들보를 얹고 나서 지붕을 얹는다. 지붕의 무게는 들보를 통해 기둥과 토대에 전달된다. 이때만 해도 기둥 사이의 벽은 그저 공간을 가로지르는 작용만 하고 지붕의 하중을 견디지는 않았다. 중국의 나무 가옥은 이미 4,000여 년의 역사가 있다.

중국 고대의 건축 양식은 어떻게 형성되었을까? 고고학 자료에서 그 시작을 확인할 수 있다. 예를 들면 시안 반파 유적은 6,000년의 역사를 가지고 있다. 이 반파 유적의 거주지에서 가옥의 구조는 다음과 같다. 우선 중간에 큰 방이 있고, 북쪽으로 작은 방이 여럿 있다. 작은 방의 방문은 모두 큰 방을 향해 나 있어 반원형의 구조를 갖고 있다. 가옥 구조 유적에 대해 좀 더 연구해보면 반지하 가옥에서 지상 건축물로의 발전 과정을 알 수 있다. 학자들의 연구에 따르면 이 지상 가옥으로까지의 과정은 약 300~400년의 시간이 걸렸다고 한다. 그러나 인류 역사라는 큰 틀에서 보자면 발전 속도는 대단히 빠른 편이다.

반혈거穴居(반지하) 가옥은 땅을 파서 그 위에 지붕을 얹은 구조다. 파낸 흙으로 사방을 둘러싸고 나뭇가지와 풀을 이용해 지붕을 얹어 집을 보호한다. 구조학적인 면에서 보자면 반파 유적에서 발견된 바로 이 나무와 진흙을 결합해 지은 집이야말로 중국 전통

반파 유적 반혈거 가옥 복원도

가옥의 시조라 할 수 있다.

반혈거 가옥은 발전을 거듭해 점차 벽이 생겨났고 나무를 뼈대로 흙을 바른 벽이 등장했다. 바로 지상 건축의 시작이라 할 수 있다. 수직으로 세워진 벽, 비스듬히 얹어진 지붕은 이후 건축의 가장 기본적인 형태가 되었다. 그리고 건축 역사상 그 의미가 크다(양홍훈, 『건축고고학논문집』, 문물출판사). 벽 위에 지붕을 얹는 형태는 지면 위에 지붕을 얹는 반혈거 가옥보다 높아지고 또 공간도 넓다. 하나라 때에 이르기까지 첨단 건축 기술로 여겨졌다.

초기의 지붕과 벽의 구조는 비슷했다. 그리고 복잡하게 얽힌 서까래를 간소화해 중간의 재료를 절감하고 적절하게 지붕의 하중을 부담했다. 벽도 한층 더 발전해 나무 뼈대가 지붕의 하중을 떠받치는 역할을 담당하게 되었고 결국 하나의 고정된 구조로 벽이 세워지기 시작했다. 이때부터 중국 고대 건축의 나무 구조가 기본적

반파 유적 방형(方形) 가옥 복원도

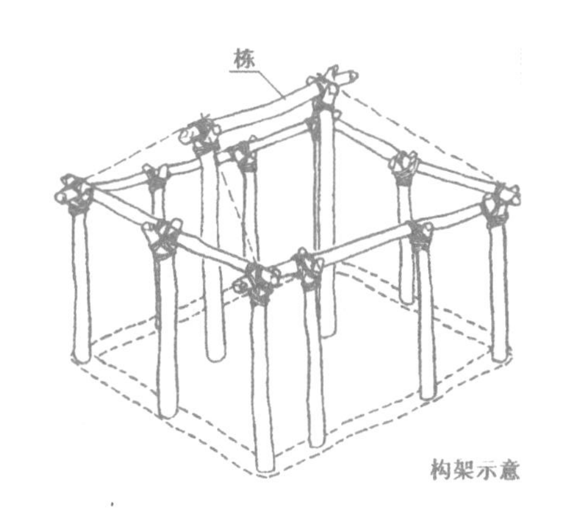

栜(용마루) 프레임도

으로 완성되었다 볼 수 있다.

다시 宮자를 살펴보자. 고서 『석명』에서 "宮, 穹也, 屋見于垣上, 穹窮然也(궁, 크다. 벽 위에 지붕이 있으니 크다—역주)"라고 기록했다. 벽 위에 지붕이라는 구조가 기록되어 있고 그 덕에 공간이 넓어진 효과가 있었다고 한다. 위의 설명에서 알 수 있다시피 宮자가 나타나기 전에 지붕은 바로 땅 위에 직접 얹어지는 것이었다. 바로 반혈거 가옥처럼 말이다. 고대 사람들은 땅 위의 지붕이 익숙했기에 지붕이 벽 위에 얹어진 것을 보고 낯설게 느껴 위와 같은 기록을 하고 그러한 집을 宮이라 불렀다.

宮의 내부 공간을 室이라 부른다. 즉 『석명釋名』에서 "室은 실질적인 것이고, 人은 그 실질 속에 있는 것이다"라고 말했다. 宮을 형체의 개념으로 室을 공간적으로 간주한 개념으로서 宮과 室은 동전의 앞뒷면과도 같다. 고서 『이아爾雅』에서 말하기를 "宮이 室이고, 室이 宮이다"라고 했고, 고대 자전 『설문해자』에서도 "宮, 室이다"라고 말하였다. 은상 시대 이후에 지상 위의 건축 양식이 보편화되면서 宮의 의미는 점차 확대되어 가옥이나 주거지의 총칭으로 불렸다. 진한 시대에 이르러서는 제왕들이 가옥을 크고 화려하게 짓게 되면서 宮은 제왕들이 살고 있는 궁궐의 고유명사가 되었다.

와瓦자의 출현과 기와의 제작

도시에서 모자이크와 유리벽으로 장식된 신식 건축물은 도처에서 볼 수 있지만 기와와 와당(기와의 무늬가 있는 부분 — 역주)은 보기 어렵다. 기와를 모르는 사람은 없을 것이다. 중국에는 '秦磚漢瓦(진나라는 벽돌, 한나라는 기와 — 역주)'라는 말도 있는데 지금은 일반적으로 구닥다리를 뜻하는 말로 사용된다. 하지만 역사를 되돌아보면 초가지붕에서 기와집까지의 발전이야말로 건축사 최고의 일대 진보라 할 수 있을 것이다.

瓦자가 갑골문이나 금문에 없는 것으로 보아 상商나라 때 아직 기와가 없었다는 것을 알 수 있다. 기와瓦는 일정 단계까지 발전한 사회의 산물로 추정된다. 춘추 시대의 기와 제작 기술 발전은 매우 빠르게 진행되었고 그중 와당瓦当은 가장 큰 특징이다.

瓦자의 전문 서법(가로로 본다) 은 마치 두 장의 기와를 맞붙여놓은 모습 같다.

원시 시대에 인류는 자연의 동굴을 이용해 바람을 피하고 추위를 막았다. 점차 반지하의 반혈거 가옥에서 초가로 지붕을 얹었다. 좀 더 발전하여 평지 위에 기초를 세우고 판축법版筑法(두 개의 나무판 사이에 흙을 다져 굳히면서 층층이 높이는 방법)으로 벽을 세우고, 나무 기둥으로 지붕을 지탱한다. 비를 막기 위해 옛사람들은 지붕을 넓게 얹는 방식도 생각해냈다.

瓦는 상商나라 유적지에서 거의 볼 수 없으며, 갑골문, 금문에도 없다. 그런데 산시 주원의 서주 시대의 궁전 유적지에서 와당이 대량 발굴되었다. 이는 기와가 어느 정도 사회가 발전을 이룬 후에 생겨났다는 것을 의미한다.

유적에서 알 수 있다시피 서주 시대의 기와는 판형과 굽은 형의 두 종류로 나눠볼 수 있다. 동시에 와당도 등장했다. 토기와 비교해 기와의 제작은 좀 더 복잡했다. 그러나 기와에 대한 수요가 많아 대량으로 생산하기 위해 모양틀과 같은 도구가 필요했다. 와당은 실용적 기능도 있었지만 장식의 효과도 있었다.

와당은 통기와의 머리 부분으로 지붕의 서까래가 비바람의 피해를 입는 것을 막음과 동시에 장식적인 기능도 담당하고 있다. 고대의 와당을 보면 반원형과 원형의 두 종류가 있다. 반원형은 서주 시대부터 등장했고 전국 시대까지 사용되었다. 원형은 전국 시대에 생겨나 한나라 때까지 유행했다. 건축 기술의 관점에서 보자면 원형 와당은 반원형보다 더 발달된 형태라 할 수 있다. 원형 와당의 제작이 반원형보다 어렵지만 건축물 보호에는 확실히 더 효과가 있었다. 미학적인 관점에서 보자면 원형 와당이 반원형보다 약 두 배 정도 많은 무늬를 새길 수 있기에 감상용으로 더 가

전국 시대의 반원형 와당

전국 시대 원형 와당

치가 있다고 볼 수 있다.

와당의 제작은 다음과 같은 몇 단계로 나눌 수 있다. 와당 제작, 기와 제작, 건조, 굽기이다.

1. 와당 제작

꽃무늬가 있거나 글자가 새겨진 와당은 먼저 나무로 문양을 새겨낸 후 진흙에 눌러 모양틀을 찍어낸다(음각). 그리고 가마에 넣어 구워낸 후 사용한다.

2. 기와 제작

와당의 무늬를 찍어낸 후 즉시 빼내는 것이 아니라 이어서 기와를 제작한다. 전국 시대에 유행한 진흙판축법泥條盤筑法은 우선 진흙으로 가늘게 빚어 똬리를 틀어 올린다. 그 위에 와당과 통기와를 놓고 틈을 평평하게 고른 후, 안에서 연결을 해준다. 그리고 필요한 길이(일반적으로 40센티미터)만큼 만든다. 접촉면을 평평하게 다듬고 밧줄 따위로 표면에 줄무늬를 새겨준다.

3. 건조

흙 가락으로 틀어 올린 다음 틈을 고르고 단단하게 두드린다. 그다음 통기와가 절반 마른 후 절단한다. 자르는 도구로는 활선 혹은 칼(혹은 대나무 칼)이 사용된다. 우선 통기와를 반원형 통 안에 넣어서 통기와가 구르는 것을 방지한다. 그다음 활선을 반원형 통의 표면에 붙이고 통기와의 끝 부분부터 시작하여 파고 들어간다. 와당에 닿을 때쯤 바깥쪽으로 비틀면 와당과 통기와는 양분된다. 칼로 절단할 때 역시 절반 마른 와당과 통기와를 반원형 통 속에 넣어 반원형 통 표면을 따라 베어낸다.

초기의 원형 와당은 진흙반축법으로 제조한 것이다. 서한 시대에 와서 모제법模制法으로 제조했는데 이는 바로 와당과 통기와를 따로 만든 다음 함께 이어 맞추는 방법이다. 모제법은 후세에도 사용되었다.

기와와 와당은 중국에서 아주 옛날부터 사용되어 비단 황궁뿐 아니라 민가에도 기와를 이용해 지붕을 만들었다. 다만 황궁에서는 오지기와琉璃瓦를 전용하고 백성들은 흙기와黑瓦를 사용했다.

19세기 말 서구의 철근과 시멘트가 중국에 전해져서 중국의 벽돌 기와는 점차 사라졌다. 그런데 요즘 들어 서구의 모자이크나 유

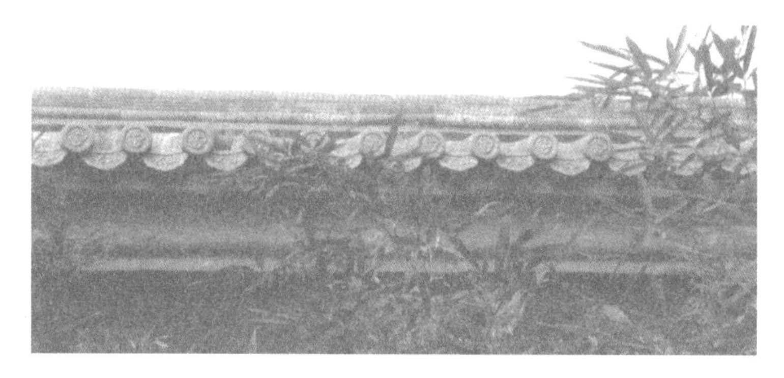

북경 자금성 담의 와당과 기와

리 타일에 싫증 난 사람들 사이에서 기와가 다시 유행하고 있다.

건축 문화의 측면에서 보자면 기와는 실용적 가치와 함께 문화적 가치도 지니고 있다. 그래서 요즘 새로 짓는 건축물 중에는 일부러 기와를 사용하는 곳도 있다. 기와는 우리에게 전통의 향기를 느끼게 해준다.

음식점 내부에 기와로 지붕의 한 부분을 장식하여 단아하고 고풍스러운 미를 더했다

양梁과 고대의 다리

다리는 우리에게 익숙한 건축물이다. 중국은 예부터 강남 지역의 아름다움이 유명했는데 그래서 강남수향江南水鄕이라는 말도 있다. 이 강남수향의 우아하고 아름다운 작은 돌다리, 장엄한 분위기의 장강과 황허위의 강철 다리, 그리고 숭산 높은 곳에 우뚝 솟은 철도 다리, 중요 도로를 관통하는 대도시의 철근 콘크리트 교차교 같은 많은 다리가 있다.

다리를 뜻하는 한자는 橋(다리 교, 木 — 총 16획)이다. 그런데 아주 옛날 중국에서는 다리를 橋가 아니라 梁(들보 량, 木 — 총 11획)이라 했다.

梁의 고대 문자 형태는 아래와 같다.

금문의 梁의 왼쪽은 물을 뜻하고, 오른쪽은 그 독음을 표시하는데 위의 글자는 좌우 구조로 조성된 형성形聲문자이다.

梁은 고대 사전 『설문해자』에서 "물 위의 다리요"라고 해석되어 있다. 청淸나라 학자 단옥재段玉裁는 이에 대해 "梁이라는 문자는 나무로 물 위를 가로질러 놓인 것을 가리키는데 바로 지금의 다리이다"라고 주석을 달아놓았다. 梁은 물 위의 다리를 말한다. 『징자莊子』나 『사기史記』 같은 고대 서직에는 梁과 관련된 유명한 이야기가 있다.

미생尾生이라고 부르는 사람이 한 여자와 '期于梁下(다리 아래에서 만날 것을 약속함)'를 했다. 미생이 기다리는데 약속 시간은 다가 왔지만 여자가 오지 않았다. 이때 갑자이 물이 불어나기 시작했는데 너무 고지식한 미생은 "抱梁柱而死(교각을 붙잡고 죽고 말았다)" 했다. 이야기에 등장하는 梁이 곧 다리를 뜻한다. 미생이 잡고 죽은 것도 바로 다리 기둥이었다.

진시황 통일 이전 시대에는 외나무 다리를 '杠(강, 작은 다리)'이라고 불렀다. 杠과 비교하면 梁은 비교적 넓고 큰 다리이다. 杠은 사람만 지나다닐 수 있다면 梁은 수레도 지날 수 있었다. 『맹자·이수孟子·離婁』에는 "지난해 11월에 걸어서 지날 수 있는 다리가 만들어졌고, 12월에는 수레가 지나다니는 다리가 만들어졌다. 그리하여 백성들은 물을 건너는 것을 근심하지 않았다"라고 했다. 杠은 사람들의 보행 통과를 위한 것이기에 도강徒杠이라고도 한다. 『한비자·외저설우하韓非子·外儲說右下』에서 "茲鄭子引輦上高梁, 而(力)不能支(정나라의 한 사람이 수레를 끌고 다리 위에 올라가는데 힘이 모자랐다)"고 했다. 정나라 사람이 수레를 끌고 '梁'을 지나고 있다는 말이다. 이와 같이 '梁'은 수레가 지나다닐 정도의 넓은 다리이다.

고대에는 물고기를 잡기 위해 막아놓은 둑을 梁이라고 했는데 이는 '어량魚梁'이라고 불렀다. 강이나 시냇물 위에 둑을 쌓고 물이 흐르는 구멍을 작게 뚫어 그 밑에 큰 그릇을 놓아두면 물고기가 모두 그릇 안으로 들어간다. 이런 시설을 어량이라 불렀다. 이런 어량 위로 사람이 물을 건너다니기도 했는데 아마 초기의 다리가 아니었나 싶다.

橋자는 梁보다 늦게 등장했다. 초기에는 정교井橋, 즉 두레박을 지칭하는 글자였는데 나중에 점차 다리의 의미가 생겨났다. 진秦나라 때 죽간에서 두레박이라는 의미로 사용된 것을 볼 수 있다. '다리'라는 의미는 한漢나라 이후부터 시작되었다.

橋와 梁은 그 명칭은 다르나 나타내는 사물은 같다고 한다. 그러나 좀 더 깊숙이 분석하면 아주 미세한 뜻의 차이를 알 수 있다. 고대학자들은 "크고 울퉁불퉁한 것은 橋라고 부른다"라고 해석했다. 橋는 아마도 중간이 높은 아치형 다리를 지칭하는 듯하다. 그러나 梁은 보통 평평한 다리나 물 위에 찰박거리는 징검다리를 지칭한다.

초기의 다리는 보통 梁에 가까웠는데 평평하고 곧게 놓아졌기에 평교平橋라고도 불렀다.

후에 점차 아치형 다리가 나타났는데 아치형 다리는 중국 교량 건축의 큰 특징이라 할 수 있다. 여기에서는 주로 梁이 가리키는 다리 형태에 대해 이야기하겠다.

최초의 다리는 외나무다리나 돌다리의 형태였을 것이다. 원시 인류는 맹수들의 공격을 막기 위해 집 둘레에 깊은 고랑을 파놓았고 나무나 돌을 놓고 왕래했다. 나무 하나만 올려놓으니 흔들흔들 불안해서 몇 그루의 나무를 더해 다리 너비를 넓혔을 것이다. 이런 방식은 후세에 전해졌는데 너비를 더욱 넓히고 튼튼하게 만들기 시작했다. 예를 들면 춘추 시대 제나라 해자城壕에서 다리를 놓았던 흔적을 발견하였는데 그 길이가 약 8~9미터 정도로 당시로서는 정말 긴 다리였다고 할 수 있다.

한나라 화상석(그림이 새겨진 벽돌)에서 다리를 주제로 한 그림을 많이 발견할 수 있는데 이로 미루어 한나라 때부터 다리 만드는 기술이 보편화되었고, 梁의 형식을 가진 다리, 즉 평평한 다리가 당시의 대표적인 다리 건축 형태로 보인다.

중국 역사에서 유명한 다리가 몇 있는데 파교灞橋라는 다리가 그 중의 하나다. 파교는 산시 시안 지역 동북쪽으로 약 20여 리 떨어진 곳에 위치하는데 파수강灞水과 찬수강滻水이 만나는 지점 가까이에 있다.

문헌 기록을 보면 파교는 처음 진목공秦穆公 시대(기원전 7세기)에 만들어져서 나중에 여러 차례 파괴되고 또한 수리되었는데 가장 마지막에 한 수리가 바로 청나라 도광道光 황제 때였다고 기록되어 있다. 청나라 때 『파교도설灞橋圖說』에 의하면 "다리의 길이는 134장(丈:약 415미터), 너비는 67용문龍門, 408개의 기둥이 세워져 있고 매 6개의 기둥이 한 개의 문門이다. 매 문의 아랫단에는 6개의 받침대를 세우고 위에는 돌은 4겹 쌓아 올려 다리를 평평하게 한다. 그다

한나라 화상석에 그려진 다리

음 가로대를 걸치고 위에 나무 다리를 한 층씩 쌓아 올린다. 木梁을 각기 한 층씩 올린다. 나무판자를 또 한 층 쌓고 두 층에 가로대를 하나씩 더 설치한다. 위에 흙을 평평하게 다지고 그다음 눌림돌을 올리고 난간을 두 층으로 올리는데 넓이가 2장 8척, 높이가 1장 6척이고, 다리 양 끝을 흙으로 다진다"라고 기록되어 있다.

위의 내용으로 파교의 규모가 얼마나 대단하고 또 얼마나 복잡한 공정을 거쳐 완공되었는지 알 수 있다. 실제 고찰에서도 위의 기록을 증명할 수 있다. 파교는 6대의 돌기둥으로 조성되었고 매 한 대의 돌기둥은 4층의 돌 축으로 겹쳐 쌓여 있고 밑 부분은 돌 받침대로 받쳐져 있다. 매 돌 축은 높이가 70센티미터이고 지름이 95센티미터이다. 그 두께는 25센티미터이고 지름이 1.4미터이다. 돌 받침대는 지지 작용을 하고 또한 압력 받는 면적을 최대화시킨다.

이처럼 중국 고대의 다리 건축 기술 수준은 놀라울 정도다. 청나라 때 재건설된 파교는 100여 년을 거치면서 수차례 홍수의 시련을 겪었지만 여전히 튼튼하고 자동차가 그 위를 달릴 수 있을 정도다. 실로 중국 다리 건축사의 빛나는 성과라고 하겠다.

문헌 기록에서처럼 다리는 처음에 梁이라고 지칭되었고 한나라 때부터 橋가 다리를 총칭하는 글자가 되었다. 그 후 크기와 모양에 상관없이 모든 다리를 橋라고 불렀다. 교량橋梁이라는 한자 단어도 바로 다리를 의미한다.

교량은 물에 의해 갈라진 두 곳을 연결시킨다. 그래서 다리는 자연스레 교류와 소통 작용을 하는 사람이나 사물을 비유하는 말로도 사용된다. 예를 들어 갑과 을 사이의 다리를 놓다, 갑과 을을 연결하는 다리가 되다 같은 표현을 들 수 있다.

척尺과 촌寸

고대 길이의 도량을 이야기할 때 빼놓을 수 없는 두 글자가 있다면 바로 척尺과 촌寸이다. 이 두 글자는 모두 중요한 도량 단위이다. 척尺은 고대 사전 『설문해자』에서 해석하기를 "10촌이요, 사람의 손바닥 중지에서 동맥의 자리를 10으로 나눈 것을 촌이라 한다. 10촌이 곧 한 척이다"라고 했고 촌은 "10분이요, 손바닥에서 동맥 자리까지를 1촌이라 한다"라고 했다.

尺의 고대 문자 형태는 아래와 같다.

寸의 고대 문자 형태는 다음과 같다.

전문

寸의 글자 모양은 오른손 밑에 어떤 표시가 있어 손바닥에서 1촌 떨어진 동맥 자리를 가리키는 것 같다. 寸(마디 촌, 寸 — 총 3획)자가 들어간 글자는 모두 그림 (오른손)와 관련이 있다. 예를 들면 尋(찾을 심, 寸 — 총 12획)과 封(봉할 봉, 寸 — 총 9획) 등이 있다.

어느 정해진 참고물을 근거로 물체의 길이를 재는 행위는 고대 사회가 발전하면서 필요 불가결한 행위로 자리 잡았다.

최초에 옛사람들은 눈으로 물체의 크기와 길이를 짐작했는데 나중에 인체의 한 부분과 물체를 비교하는 방식으로 바뀌었다. 『설문해자』에서는 "寸 , 尺, 咫(길이 지, 口 — 총 9획), 尋(찾을 심, 寸 — 총 6획), 常(항상 상, 巾 — 총 11획), 仞(길 인, 人 — 총 5획) 등의 단위는 모두 사람의 몸을 기준으로 한다"고 했다. 『대대예기大戴禮記』에서는 "布指知寸, 布手知尺, 舒肘爲尋(손가락을 펴면 寸의 길이를 알게 되고, 손바닥을 펴면 尺의 길이를 알 수 있으며 팔을 펼치면 尋의 길이를 알 수 있다)"고 했는데 위의 『설문해자』의 설명을 증명한다.

布指知寸은 손가락의 너비를 寸으로 하는 것을 말한다. 손가락의 너비로 길이를 재는데 이는 지금까지 계속 사용되고 있다. 중국 북방 지역의 농민들은 보통 비가 내린 후 젖은 흙을 파면서 그 깊이가 몇 손가락인지를 재어본다. 상商나라 때 1尺을 10寸으로 나누었다. 매 寸은 약 1.6센티미터에 해당하는데 여성 손가락의 너비와 비슷하다.

布手知尺은 뼘으로 길이를 재는 것을 말한다. 엄지손가락과 가운뎃손가락(혹은 새끼손가락)을 편 길이를 尺이라고 한다. 지금까지도 중국 전역에서 尺으로 길이를 재는 이가 많고 서남 지역의 소수 민족들은 보통 이 尺으로 베의 길이를 잰다.

舒肘爲尋, 두 팔을 펼치면 곧 尋의 길이다. 진시황 통일 이전에 尋은 약 8尺 정도였는데 常은 尋의 두 배, 즉 16尺이다.

진시황 통일 이전 시대에 남성을 장부丈夫라고 부르기도 했는데 오늘날의 1미터가 3尺이라고 하면 3.3미터가 한 丈이니 거인이라고 할 수 있다. 진시황 통일 이전 시기에는 한 뼘을 尺으로 열 뼘을 丈으로 계산했다. 상商나라 때의 기준으로 계산한다면 장부는 1.7미터 정도에 달한다. 초패왕 항우의 키가 8尺에 달했다고 하는데 이를 진한秦漢 시대의 기준으로 계산하면 약 1.85미터에 해당한다. 그 당시치고는 체격이 꽤 큰 사람이라고 할 수 있겠다.

고대 중국에서는 손의 길이를 기준으로 삼았는데 영국 같은 유럽 국가에서는 발의 길이를 도량 단위로 삼았다. 영어의 'foot'은 단위로도 사용된다.

상주 시대는 중국의 고대 도량형이 차츰 정립되던 시기다. 이때부터 도량 단위가 규정되고 법적 효력을 가진 측정 전용 도구도 등장했다.

지금까지 발굴된 가장 오래된 측정 도구는 상나라 때의 상아와 뼈로 만든 자다. 길이로 보면 약 16~17센티미터이고 표면에 分, 寸, 尺의 단위가 그려져 있다.

춘추 전국 시대에 각 제후국의 측량 단위는 제각각이었다. 그래서 진시황은 중국을 통일한 이후에 도량형을 통일시켰다. 이로써 중국의 시장 경제와 과학기술은 더욱 발전하게 되었다. 한漢나라 때는 尺, 寸에 대한 더욱 명확한 규정이 있었다. 『한서 · 율역지漢書 · 律歷志』의 기록을 보면 거서秬黍(현재의 기장이라는 설도 있다)를 골라 기준으로 삼았다고 한다. 한 톨의 폭을 1分, 10톨을 나란히 가로로 배열한 길이를 1寸, 100톨을 길이를 1尺으로 했다고 한다.

전국 시대 채색된 뼈로 만든 자(骨尺). 길이 21.94센티미터, 너비 1.2센티미터 크기

동한 시대의 채색된 뼈 자(骨尺). 길이 23센티미터, 너비 1.82센티미터 크기

고대부터 현재까지 尺과 寸으로 규정되었던 길이는 계속해서 변화했다.

시대별 1尺의 길이는 다음과 같다.

상商나라 : 16센티미터.

전국戰國 시대 : 23.1센티미터.

동한 시대 : 23.5센티미터.

명 · 청明 · 淸 : 32센티미터.

민국民國 시대 : 1미터의 1/3을 1척으로, 이는 약 지금의 33.33센티미터.

이제 우리는 고대의 측량 단위를 사용하지 않고 있다. 그러나 문화의 연속성으로 아직도 측량 단위와 관계된 한자를 사용한다. 중국어에는 다음과 같은 표현이 있다. '득촌진척得寸進尺(욕심의 끝없음을 비유 — 역주)', '척단촌장尺短寸長(각기 장단점이 있음을 비유 — 역주)', '분촌分寸(말이나 행동에도 적당한 정도가 있다는 비유 — 역주)' 등이 있다. 또 '심상尋常(심상하다는 의미 — 역주)'이라는 한자 단어도 이제는 보통普通, 평상平常과 같은 뜻으로 사용되고 있어 전에 치수를 가리키는 것과는 전혀 관련이 없게 되었다.

근斤과 양两

길고 짧음을 재는 측량 단위가 있으면 당연히 무게를 재는 단위도 필요하다. 근斤과 양兩은 모두 고대의 무게 단위로 일반인들의 생활과 밀접한 관계가 있었다. 기원을 찾아 거슬러 올라가 보면, 斤은 나무를 베는 도구와 연관이 있고, 兩은 수레의 멍에와 연관이 있다.

斤의 고대 문자의 형태는 아래와 같다.

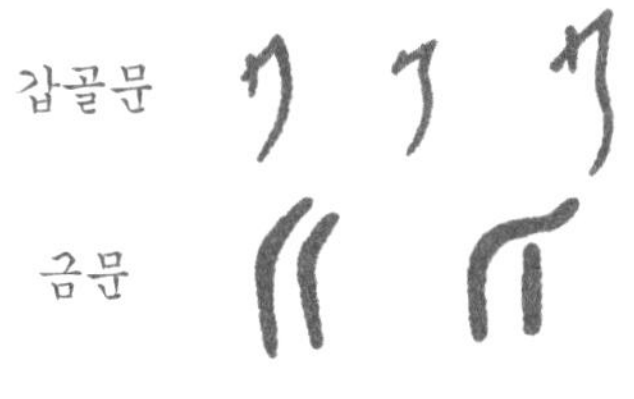

갑골문

금문

斤은 구부러진 도끼의 형태와 비슷하다.

兩의 고대 문자의 형태는 다음과 같다.

금문 

兩자는 수레의 끌채와 가름대의 형태에서 따왔고 중간의 從은 수레 위의 두 개의 멍에를 표현한다.

고대 사전 『설문해자』의 해석에 의하면 "근斤, 나무를 베는 도끼요"라고 했다. 그 칼날의 모양으로 말하면, 斧(도끼 부, 斤 — 총 8획)는 직선의 똑바른 날이고 斤은 휘어진 날이다. 斤 형태는 요즘의 목수들이 사용하는 자귀(나무를 깎는 연장)와 비슷하다. 『장자莊子』에는 장석匠石의 도끼 기술에 대한 이야기가 실려 있다.

> "郢人堊漫其鼻端若蠅翼, 使匠石斫之. 匠石運斤成風, 聽而斫之, 盡堊而鼻不傷."
>
> 郢나라의 한 사람의 코끝에 마치 파리 날개와 같은 악창이 생겼다. 장석을 불러 이를 자르게 하는데 장석은 도끼 기술이 아주 날렵하여 코끝의 악창을 완전히 제거하였는데 코는 상하지 않았다고 한다."

郢나라 사람은 코끝에 백색 가루를 묻혀놓고, 장석에게 맞은편에서 근斤으로 베게 하였다. 이로부터 근斤의 刃(날)은 휘어져 있다는 것을 알 수 있다. 우리가 알고 있는 도끼라면 옆으로 베는 방법 말고는 없기 때문이다.

斧와 斤은 모두 나무를 베는 데 쓰여 고서에서는 둘을 겸용하는 경우가 자주 있다. 예를 들어 『맹자孟子』에서 "斧와 斤이 삼림에 자

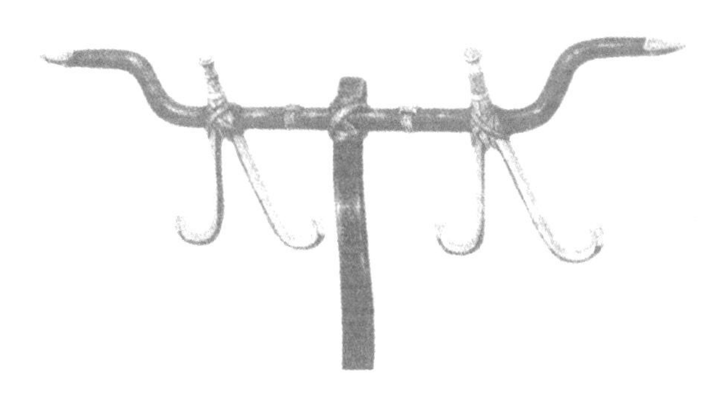

인(人)자형 수레 멍에

주 드나드니, 나무가 모자라는구려"라고 했다. 하지만 斧의 용도가 더 광범위했고, 斤은 斧보다 작으며, 주로 목수들이 사용하였다.

청동기 시대, 斧와 斤은 모두 거푸집을 이용하여 만들어졌는데 이로써 생산되는 물건의 중량이 거의 비슷하게 되었다. 물물교환이 발달하면서 무게를 재는 일은 매우 중요시되었다. 옛사람들은 斧와 斤을 기준으로 무게 단위를 수립하였다. 점차 斤자는 무단위로 더 자주 쓰이고 도끼라는 의미는 斧자가 대신하게 되었다.

兩은 고대 문자 가운데서 수레의 멍에와 가장 비슷하다. 멍에는 인人자형으로 생겨 말의 목 위에 얹어 사용한다. 물론 兩자도 처음에는 '수레의 멍에'라는 의미를 가리켰다. 진시황 통일 이전에는 짝을 이루는 물건을 부를 때 사용되기도 했다. 예를 들면 『묵자墨子』에서 "爲閨門兩扇, 令各自閉(규방의 문은 두 짝으로 하여 각기 한 짝씩 열고 닫을 수 있게 한다 역주)"라고 했는데 문이 서로 짝을 이루기에 兩자를 사용했다.

한漢나라 때에는 양兩으로 근斤과 수銖라는 무게 단위 사이를 보충했다. 24銖가 한 냥, 16냥이 한 근이었다. 銖는 가장 작은 무게 단위로 기원이 명확하지 않은데 전국 시대에 사용된 저울의 가장 작은 무게에 해당한다.

그렇다면 무엇 때문에 한 근을 16냥으로 규정하였을까? 한漢나라 때의 『회남자淮南子』에 의하면 "天有四時 以成一歲 因而四之 四四十六 故十六兩爲一斤"이라고 했다. 그 뜻은 자연계에는 사계절이 있고, 사계절이 1년을 이루며 4를 기본 단위로 하여, 4×4 하여 16냥을 한 근으로 한다는 것이다. 하지만 이런 설명은 조금 억지스럽다.

斤, 兩 같은 단위는 중국에서 오랜 시간 사용되었다. 현재까지도 과학 영역에서는 모두 그램(g)과 같은 공식 도량형을 사용하지만 민가에서는 옛날의 도량 단위를 그대로 사용한다. 특히 시장에서 채소나 기름, 소금, 쌀, 밀 따위를 살 때 많은 사람들은 한 근이니 반 근이니 하는 것을 500그램, 100그램이라고 하는 것보다 더 익숙하게 느낀다.

세계화라는 파도 앞에서 중국 역시 다른 국가들과 마찬가지로 세계적 공인을 받은 도량 단위를 사용해야 한다. 斤이니 兩이니 하는 구식 습관은 사라질 때가 온 것이다. 그러나 중국어에서는 여전히 그 존재를 보여준다. 중국에서는 '결근단량缺斤段兩(근과 량을 속이다 — 역주)'이라는 말로 상인들의 부정행위를 질책하곤 한다. '반근팔량半斤八兩'이란 말로 두 사람이나, 두 사물이 서로 비슷하다는 것을 비유하거나 위아래를 구분할 수 없을 때 사용한다. 한국식 표현으로 보자면 '도토리 키 재기'가 가장 비슷한 말이다.

두斗, 승升과 도량기구

斗와 升은 고대의 도량기다. 나라에 세금을 내거나 물건을 사고 팔 때 요긴하게 사용된 도구다. 요즘 중국에서 斗라는 도량기는 찾아볼 수 없다. 물론 1리터라는 의미로 升은 현대 중국어에서 사용된다. 그러나 과거의 升은 1리터가 아니었다.

斗의 고대 문자 형태는 아래와 같다.

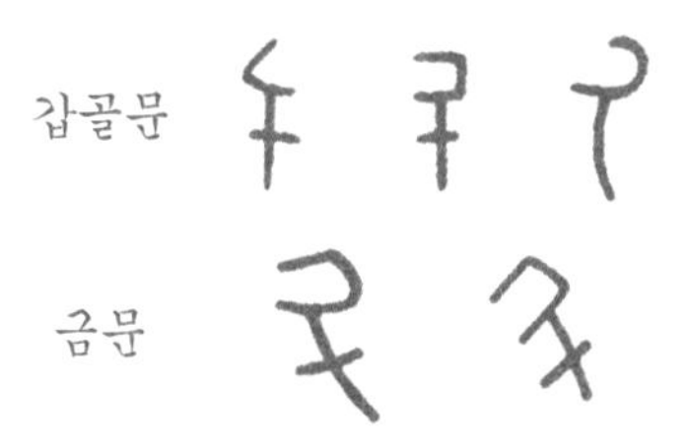

升의 고대 문자 형태는 다음과 같다.

갑골문

금문

升의 고대 문자 형태는 두斗에 작은 가로선을 추가한 것이다. 되로 쌀의 양을 잰다는 것을 표현한다. 升은 斗의 일부분이라고도 한다.

측량 도구와 단위로 사용되던 斗와 升은 고대 사회가 어느 정도 발전된 형태라는 것을 증명한다.

신석기 시대 초기에 수확의 계절이 돌아오면 부족의 족장은 양식을 모두에게 똑같이 나누어주었다. 이런 분배를 할 때 손으로 몇 움큼씩 집어주거나 또는 근처에 있는 그릇을 이용하기도 했다. 그리고 또 다른 분배의 시기가 돌아오면 새로운 그릇을 이용했다. 수확물이 풍부하지 못한 시대에 고정된 양의 개념이 있을 리 없다. 다만 저장이 중시되어 조나 쌀과 같은 곡식은 관리들의 녹으로 주었고 이때부터 양에 대한 개념이 생겼다.

법적 효력을 가진 전용 도구는 세금 제도와 함께 등장했다. 문헌 기록에 의하면, 주周나라 때 국가에서는 도량형을 중시하였다. 각 제후국과의 도량 단위에 큰 차이가 있어 불편했기 때문이다.

斗와 升은 측량 기구와 단위 명칭으로 사용되는 데 모두 차용된 것이다. 斗는 본래 술을 풀 때 사용하는 기구를 가리키는데 긴 손잡이가 달려 있다. 斗에 손잡이가 달렸기 때문에 후세부터는 모양이 斗와 비슷하고 손잡이가 달린 기구도 斗라고 불렀다. 예를 들면 '다리미熨斗', '깔때기漏斗' 등이 있다.

국자와 관련된 전설을 지닌 북두칠성北斗七星도 바로 이 斗의 모습이기 때문이다.『시경·소아·대동詩經·小雅·大東』에서 "남쪽에 키가 있는데, 넉가래질할 수 없다. 북쪽에 두가 있는데, 술을 풀 수가 없네"라고 읊었다. 여기서 斗는 북두칠성을 가리킨다. 시의 뜻은 북두칠성이 국자 같은 斗의 모양을 가졌지만 하늘의 별이라서 술을 푸는 데 사용할 수 없다는 것이다.

춘추 전국 시대에 斗는 일종의 계량 도구로 조와 쌀을 계산하는 기본 단위로 차용되었다. 술을 푸는 斗는 뜻이 크게 다르고 또한 손잡이도 필요 없어져 손잡이 없는 斗로 변했다. 술을 푸는 斗와 양식을 다는 斗가 구별되어, 후대에서는 부수를 더해 술을 푸는 기구를 두枓로 썼다.

승升은 국자 작勺으로부터 변해온 것이다. 국자도 초기에 술을 푸거나, 국을 뜨는 도구로 사용되었다. 勺은 斗보다 작다. 맨 처음에 한 勺은 한 升을 뜻했다.『주례·고공기·재인周禮·考工記·梓人』의 기록에는 "勺一升. 爵一升. 觚三升"라고 했다. 勺一升이란 한 勺이 한 升에 해당된다는 말이고, 爵一升이란 작爵이라는 그릇에 술을 한 勺 담을 수 있다는 뜻이며 觚三升이란 고觚라는 술잔에는 세 勺을 담을 수 있다는 뜻이다. 승升의 양의 단위가 가장 작았는데, 진秦나라 때의 상앙동방승商鞅銅方升을 예로 한다면, 이 용기 내부 길이가 약 12.5센티미터, 넓이는 약 7센티미터, 깊이는 약 2.3센티미터다. 그 부피를 계산해본다면. 202.15세제곱센티미터 정도

秦商鞅銅方升(진상앙동방승)

된다. 물을 가득 채워 넣는다면 200그램과 같다. 상앙동방승의 가치는 법적 효력을 지닌 표준 계량기이며 또한 상앙변법이라는 역사적 사실을 증명하는 데 있다. 상앙이 진나라에서 규정한 도량형 제도는 뒷날에 진시황의 전국 통일에 기초를 닦는 데 큰 영향을 미친다.

진나라 측량 단위인 한 두(一斗)는 열 승(十升)과 같은데 이런 배율은 후대에까지 전해진다. 한나라 시대의 동방두銅方斗를 보면 그 아가리에는 가로로 전서체가 "律量斗, 方六寸, 深四寸五分, 積百六十二寸, 容十升"이라고 새겨져 있다. 이 동방두는 길이가 약 13.8센티미터, 깊이가 약 10.36센티미터, 부피가 약 1,978.25세제곱센티미터, 즉 1978.25밀리미터이다.

斗, 升은 고대에 있어서 중요한 계량 도구였다. 관리의 녹봉도 쌀 몇 斗로 계산했다. 그래서 진晋나라 때의 현령縣令 녹봉이 '오두

한나라 동방두(銅方斗)

미五斗米'였다는 기록도 있다.

『진서晉書』 기재에 의하면 도원명은 매우 청빈했는데 '不爲五斗米折腰'라고 했다. 뜻인즉 '미약한 녹봉을 위해, 권리와 부귀를 향해 허리를 구부리고 머리 숙이지 않는다'이다. 도원명의 목소리가 생생하게 귓가에서 울리는 듯하다.

소금과 고대의 제염 기술

소금은 사람이 살아가는 데 없어서는 안 될 소중한 물건이다. 왜 인간이 소금 없이 살 수 없는지에 대해서는 생물학적 관점에서 탐구해보고 여기에서는 소금 염鹽자에 대해 알아보겠다.

鹽(소금 염, 皿 — 총 10획)은 글자의 모양과 구조로 보면 鹵(소금 알갱이), 目(눈)과 皿(그릇)의 세 부분으로 구성되었다. 이는 사람이 눈을 뜨고 그릇 속의 결정된 소금을 본다는 의미다.

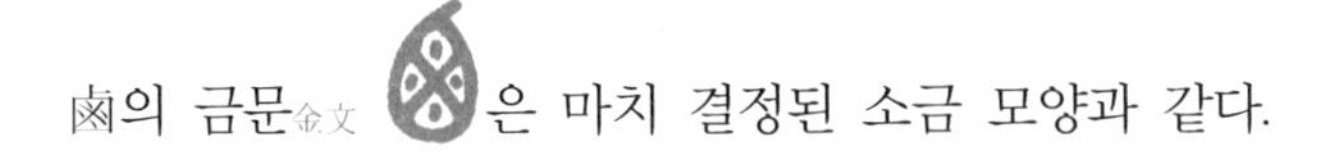

鹵의 금문金文 은 마치 결정된 소금 모양과 같다.

鹽이 나타내는 정보는 사람이 눈을 뜨고 그릇 속의 결정된 소금을 바라보는 것이다. 이러한 결정된 소금은 바닷물이나 짠물을 끓여 얻을 수 있다. 고대의 제염법에는 여러 가지가 있는데 짠물을 끓이는 방법은 진시황 통일 이전 시기의 아주 중요한 기술 중 하나였다.

『설문해자說文解字』의 해석은 다음과 같다.

“염, 소금이다. 로鹵라는 형태로 생기나 사람들에 의해 염이 된다. 鹵자에서 시작되고 음은 監자를 따른다. 고대 사람인 숙사夙沙가 처음으로 바닷물을 끓였다.”

鹵, 역시 滷(소금밭 로, 水 — 총 14획)라고도 쓰이는데 고대 사전『옥편』에서는 “짠물이다”라고 했다. 鹵는 염분 함량이 높은 물을 말한다. 소금기 있는 땅에서 저절로 생겨난 소금 결정이나 바닷물이 말라붙어 생긴 소금, 그리고 암염巖鹽을 모두 통틀어 鹵라고 한다. 즉 자연적으로 생긴 형태다.

소금을 먹는 행위는 인류의 생존과 성장에 꼭 필요하다. 인류는 수렵 채집 생활 단계에서는 염분을 주로 잡은 짐승의 혈액에서 섭취했다. 농경 정착 생활을 시작한 이유로 곡물이 주 식량 자원이 되면서 이제 자연계의 또 다른 소금 공급원을 찾아야 했다. 바다 소금과 함수호 소금이 점차 인류의 생활에 등장하기 시작했다.

鹽(소금 염, 皿 — 총 10획)의 고대 문자는 그릇 속에 담긴 소금 알갱이와 흡사하다.『세본·작편世本·作篇』에 의하면 산둥 연해 지역에는 오래전부터 “숙사씨夙沙氏가 바닷물을 끓여 소금을 만들었다”고 한다.『여씨춘추·용민呂氏春秋·用民』에서 이르기를 “숙사씨의 백성은 군주를 뒤엎은 후 신농씨에 귀속되었다”라고 한다. 숙사씨는 중국 신화 속의 인물인 신농씨와 동시대의 사람이다. 이런 기록들로 약 5,000년 전부터 사람들은 바닷물을 끓여서 소금을 만들었다는 것을 알 수 있다.

짠물을 끓여 소금을 얻는다는 게 말이 쉽지 그 옛날에 어디에 끓여 소금을 얻었을까? 5,000년 전에 금속 솥이 존재하지 않았다는 사실을 알고 넘어가자. 그 당시는 아직 구리나 철의 제련술이 발달하지 않아 아마 짠물을 끓일 때 토기를 사용했을 것이다. 원시 인류가 만들어 사용하던 토기에 여러 사용법이 있었음을 증명한다. 단지 곡식이나 물만 담아놓는 도구가 아니었다는 말이다. 상주 시대에 이르러 청동 제련술이 발달하면서 청동기를 만들어 짠물을 끓이는 것은 이제 문제가 되지 않았다. 그러나 청동 농기구의 사용 상황으로 미루어보아 비싼 청동 솥으로 짠물을 끓여 소금을 얻는 일은 백성들까지 두루 사용하지는 못했을 것이다. 그래서 그때까지 아마도 토기를 사용했을 것이다. 춘추 전국 시대에 이르러서는 토기 제작이 더욱 수월해지고 가격도 저렴해서 토기로 소금을 만드는 일이 상당한 비중을 차지했을 것으로 보인다.

소금을 만들던 토기는 어떤 모양이었을까? 사서에는 이에 관한 기록이 없다. 다만 추측만이 가능할 뿐이다. 산둥성에서 실시한 문물 조사에 따르면 근해의 많은 지역에서 대량의 투구형 토기가 발견되었다고 한다. 물론 토기의 크기는 차이가 있었고 중원 지역에서 구리 제련을 위해 사용하던 투구형 토기와도 모양이 달랐다. 고고학자들의 분석에 따르면 투구형의 대형 토기는 구리를 제련하거나 취사용의 도구가 아니라는 것이다. 왜냐하면 산둥성 근해 지역은 고대에 구리를 제련하는 조건이 갖추어지지 않았지만 바닷물로 소금을 만들기에는 충분한 조건을 갖추었다. 고대 제나라(산둥 지역이 고대의 제나라)에서는 대규모로 '바닷물을 끓여 소금을 만들었다'고 하는데 조사 과정 중 투구형 토기가 비교적 넓은 지역에서 골고루 발견되었기에 전문가들은 아마도 소금을 만드는 데 사용된 기구가 아닌지 추측했다. 추측에 불과하지만 신빙성이 있다. 예를 들자면 쓰촨 지역의 정염井鹽 생산지에서는 근대까지 손잡이가 없는 작은 솥을 사용했는데 그 모양은 밑이 뾰족하고 원추형이다. 높이는 약 한 자 6치이고, 지름은 8치이다. 밑 부분은 점차 좁아지는데 각 솥에 담을 수 있는 짠물의 양은 30~40근이고 물이 다 증발하고 나면 소금 결성은 술잔 모양으로 남는다.

과거의 제염술에 대한 분석과 설명을 보면 간단하고 단순하다고 여길 것이다. 그러나 옛사람들에게 소금을 만드는 일은 매우 중요했다.

짠물을 끓여 소금을 얻는 방법은 가장 간단한 제염술이다. 역사서의 기록에서도 알 수 있다시피 강태공 시기부터 제환공까지 고대 제나라의 소금 제작 기술은 보통 '물을 끓이는' 방법이 주였다. 예를 들어 『관자 · 경중갑管子 · 輕重甲』에는 "지금 제나라에는 많은 양의 소금이 있습니다. 군주께서 물을 끓여 소금을 만들 수 있습니다"라고 기록되어 있다. 또 "맹춘이 곧 다가오고 농사일을 시작하게 된다……북해의 백성들은 모여서 소금을 끓인다"라는 기록도 있다. 위의 기록들로 보아 당시에는 소금 만드는 일을 전문으로 하는 이도 있었고 부자들은 사람을 고용해 소금을 만들기도 했다.

소금을 만드는 데 엄청난 화력과 시간이 필요했지만 그에 비해 생산량은 그다지 많지 않았다. 다만 아주 좋은 품질의 소금이 만들어졌다. 『주례周禮』의 기록을 보면 주나라의 소금은 여러 등급이

한(漢)나라 화상석 정염(井鹽) 생산도

있으며 각 등급에 따라 용도가 다르다고 되어 있다. 이는 모두 제염술과 관계된 것이다.

한漢나라 때 쓰촨 지방에서는 정염 생산이 발달했다. 한나라 화상석에 그려진 것처럼 산으로 둘러싸인 소금 우물이 있는데 우물 위에는 목제 골조가 있고 한 사람이 그 골조 위에서 짠물을 끌어올리고 있다. 우물의 오른쪽은 부뚜막이다. 부뚜막 위에는 솥이 여러 개 놓여 있다. 우물에서 끌어 올린 짠물은 관을 통해 솥으로 들어간다. 부뚜막 아래에는 한 사람이 불을 지피고 있다. 산등성이 위에는 한 사람이 나무를 이고 걸어오고 있는데 이는 장작이다. 화상석은 한나라 정염의 생산 상황을 실감나게 표현했다.

사회가 발전하고 인구가 늘어나면서 당송 시대에 와서는 바닷물을 햇볕에 쪼여서 소금을 만드는 염전鹽田이 발달해 짠물을 끓이는 제염법은 점차 사라졌다.

지금은 슈퍼마켓에서 큰 봉지에 1,000원밖에 안 하는 소금이지만 고대 사람들이 오랜 시간 공들여 만들었던 사실을, 그 역사를 잊지 말았으면 한다.

닭 유酉와 술 주酒

술은 인류의 친구라고도 할 수 있다. 축하할 일이 생겨도 드는 게 술잔이요, 괴로워도 술의 힘을 빌리기 때문이다.

술의 역사는 아주 오래되었다. 7,000~8,000년 전 심지어 더 멀리 거슬러 올라갈 수 있다. 고대 동서양 사람들은 모두 술을 즐겼는데 그래서인지 술과 관련된 이야기가 허다하다. 술을 마시면 취하는 인간의 약한 모습은 동서양의 구분이 없나 보다.

酒자에서 삼수변을 없애면 바로 酉자인데 이는 酒와 酉가 밀접한 연관이 있다는 걸 뜻한다. 한편 尊(높을 존, 寸—총 12획), 奠(제사 지낼 전, 大—총 12획), 配(아내 배, 酉—총 10획)' 같은 문자도 酉와 관계가 있다.

酉의 고대 문자 모양은 다음과 같다.

갑골문 금문

酉의 고대 문자는 단지 모양과 비슷하다.

자료에 따르면 고대에 만들어진 토기는 각양각색인데 실용성을 강조한 것도 있고, 관상용의 공예품도 있다고 한다. 실용적인 토기를 말한다면 壇(단, 크기가 작은 것은 尊이라고 함)이라는 토기가 있는데 밑이 뾰족하고, 복부는 크고, 목은 가늘고 주둥이는 작다.

고고학자들의 연구에 따르면 이러한 토기는 술을 빚는 데 사용되었다고 한다. 자체의 특징이 있는데 바로 주둥이가 작아서 원료가 쉽게 들어갈 수 있고 목이 가늘어서 술 냄새가 쉽게 넘쳐 나오지 않고, 복부가 커서 많은 양을 담을 수 있으며, 밑이 뾰족해 땅속에 파묻기가 편리한 것이다. 酉의 고대 문자를 보면 항아리의 상형문자라는 것을 알 수 있다.

초기의 酒자는 酉의 왼쪽 또는 오른쪽에 점을 더한 것인데 이는 술이 액체라는 것을 표시한다(彡을 가한 酉자는 별도로 논해야 한다). 이러한 상형문자의 변화에서 보면 당시의 酒자는 최종적으로 정형화되지 못했는데 금문에서의 酒자도 酋(추)자와 흡사하다.

둘의 비교를 통해 우리는 酒자와 酋는 밀접한 관계를 갖고 있다는 것을 알 수 있다.

갑골문 酋자

酋의 아랫부분은 양조釀造하는 용기를 표시하고 윗부분의 형태는 기장이 발효하여 액체 위로 떠오르거나 향기가 밖으로 넘쳐나는 정경을 묘사했다. 당시 기장(지금의 좁쌀)은 술을 빚는 주요 원료였다. 이로써 酋의 본래 의미가 '술을 빚다'라는 것을 알 수 있다. 『설문해자』에는 "酋, 술이요. 酉를 본떴고 수면 위로 반이 떠오른 모습이다"라고 했다. 『예禮』에서는 '대추大酋'라는 글이 있는데 이는 술을 관리하는 관직의 명칭이다. 청나라 학자 단옥재는 "역주繹酒, 오래된 술을 가리킨다"라고 해석을 달았다. 酋자가 오래 익은 술을 뜻함을 알 수 있다. 『예기 · 월령禮記 · 月令』에는 술 빚기를 감독하는 벼슬아치를 '대추大酋'라고 부르며 전문 관원을 만들어 관리하게 했다고 한다. 주나라 때 술의 생산과 공급이 중요시되었음을 알 수 있다.

酋와 酒자의 관계에서 술 빚기가 고대 사회에서 아주 중요했다는 점을 알게 된다. 실제로 갑골문, 금문에는 술과 관련된 많은 글자들이 있는데 예를 들자면 尊은 마치 두 손으로 술잔을 받든 모양이고, 또 奠자는 술잔을 대 위에 놓은 모양이다.

갑골문 尊
갑골문 奠

이런 글자들은 상주 시대에 양조업이 발달했고 상류 계층에는 음주 현상이 일반적이었다는 것을 증명한다.

봉수동종(鳳首銅鐘)에서 따라낸 서한 시대의 술

술과 양조에 관련된 고대의 효모도 발굴되었다. 1974년 하북성 고성 대서촌 상나라 유적지에서 상나라 중기의 양조장을 발견하였다. 작업장 안에는 술을 발효하고 저장하는 큰 사기그릇, 큰 단지, 술잔, 주전자 등이 발견되었다. 그중 한 사기그릇에는 8.5킬로그램에 달하는 흰색의 침전물이 있었다. 감정을 거쳐 이 침전물이 양조용 효모임이 밝혀졌다. 물론 너무 오래되어 균은 죽고 그 껍질만 남아 있는 상태였다. 1985년에 재발굴을 시도했는데 양조장 부근에서 직경이 약 1.2미터 되고 깊이가 약 1.5미터 되는 곡물 지하 저장실을 발견했다. 조사에 따르면 곡물은 기장이라고 한다. 이 대서촌의 상나라 양조장 유적에서 당시의 양조 과정과 수준을 엿볼 수 있었다. 출토된 유물로 보아 당시에는 곡물 발효주뿐만 아니라 과실주와 약초를 이용한 약주도 빚었다는 것을 추측할 수 있다. 출토된 양조용 그릇으로 보아 상나라 때 이미 일련의 양조용 그릇이 규범화되었음을 알 수 있다.

얼마 전에 후베이, 후난 같은 지역에서 고대의 술이 발견되었다. 특히 2003년에 시안 봉명 한나라 묘지에서 발굴된 서한 시대의 술은 우리를 놀라게 했다. 두 점의 봉황 머리 장식을 한 구리 항아리가 발굴되었는데 그 높이는 78센티미터였다. 2,000년 정도 밀봉되어 있던 마개를 여는 순간 술 향기가 사방에 퍼졌다고 한다. 약 26킬로그램 정도의 술이 보존되어 있었는데 맑고 투명한 액체였다. 아마도 지금까지 발굴된 것 중 가장 잘 보존된 고대의 미주美酒였을 것이다. 중국으로서는 아주 대단한 발견이었다고 볼 수 있다.

경쇠 경磬과 제작법

磬은 중국 고대의 타악기로서 돌을 갈아서 만든 것이다. 청아한 소리를 내는데 보통 편종編鐘과 함께 연주하면 흔히 말하는 '은 쟁반에 옥구슬' 굴러가는 소리가 난다고 옛사람들은 노래했다. 磬은 신석기 시대 말기에 출현했는데 처음에는 아주 거칠고 형태도 규범화되지 못했지만 점차 형태가 확정되고 전국 시대에 이르러서 磬의 제조는 이미 아주 섬세한 수준에 이르렀다.

磬의 고대 문자 모양은 아래와 같다.

갑골문에서 보면 磬자의 왼쪽에는 돌로 만든 磬이 매달려 있고

오른쪽은 사람이 손에 작은 망치를 쥐고 두드리는 모양 같다.

磬은 고대의 타악기로서 돌을 갈아서 제작한 것이기 때문에 磬자는 石자를 따른다. 『설문해자』의 해석에는 "磬은 일종의 돌악기요"라고 했다. 磬의 등장은 신석기 시대 말까지 거슬러 올라갈 수 있는데 당시는 보통 돌로 만든 음이 없는 磬을 사용했다고 한다. 『상서·익직尙書·益稷』에서 "擊石拊石(돌로 두드리고 치면, 뭇 짐승들이 춤을 춘다)"라고 했는데 부拊는 두드린다는 뜻으로서 돌을 두드리고 치는 소리를 들으면 뭇 짐승들이 이에 따라서 춤을 춘다는 것이다. 이런 돌은 그냥 평범한 돌멩이가 아니라 전문적으로 제작된 것으로 청아한 소리를 낼 수 있었을 것이다.

출토된 실물을 보면 은상 시대 磬의 기본 형태는 윗부분은 호형을 이루고 아랫부분은 직선에 가깝다. 서주 시대의 磬은 윗부분은 각형을 이루고 아랫부분은 약간 호형을 이루며 전국 시대의 磬은 상하로 균일하게 각이 져 있다.

신석기 시대 말기의 석경(길이 66.8센티미터, 너비 28.6센티미터)

상나라 석경(길이 84센티미터, 너비 42센티미터, 두께 2.5센티미터)

하나 걸려 있는 磬을 특경特磬이라고 부른다. 특경은 음을 조율하는 데 사용한다. 크기가 제각각인 磬을 일렬로 걸어놓은 것이 바로 편경編磬이다. 편경의 개수는 일정치 않으나 보통 1대에 16개가 달려 있다.

磬의 각 부분의 명칭은 그림에서 표시한 바와 같다. 전국 초기에 편집된 『고공기』에서 최초로 磬의 형태, 규범과 음 조율 방법을 기록했다. 磬을 제조하는 데 정각의 도수는 135도, 股의 너비를 한 단위의 길이로 하고, 股의 길이를 두 단위의 길이로 하며, 鼓의 길이는 세 단위의 길이로 한다. 鼓의 너비는 股의 너비의 3분의 2이고, 鼓의 너비의 3분의 1로 磬의 두께로 한다는 기록이 있다.

출토된 춘추 전국 시대의 편경의 크기, 두께와 음의 높낮이로 보아 그 당시 장인들은 磬의 두께와 크기에 따라 음의 높낮이가

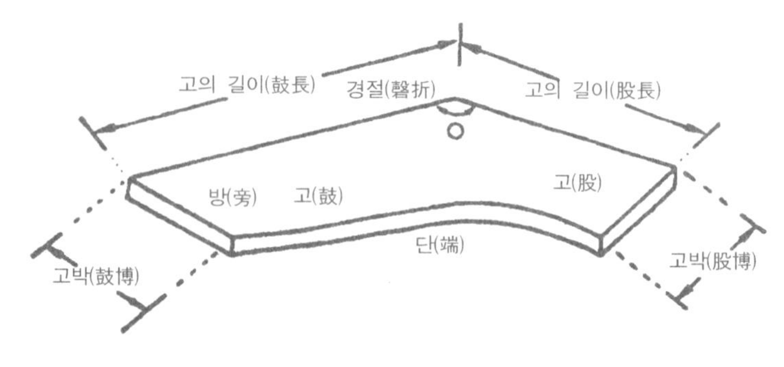

磬의 각 부분 명칭

달라지는 것을 알고 있었다. 磬이 크고 얇을수록 그 진동이 작고, 磬이 작고 두꺼울수록 진동이 크다. 이러한 진동의 일반 지식에 의하여 『고공기 · 경씨考工記 · 磬氏』에서는 磬의 음 조율 방법을 기록했다. "(磬音) 을상乙上은 양쪽을 문지르고 을하乙下는 끝을 문지른다." 을상乙上은 음이 너무 높은 것 즉 진동 주파수가 너무 높은 것을 말하고, 을하乙下는 음이 너무 낮은 것 즉 진동 주파수가 너무 낮은 것을 말한다. 소리가 너무 높은 磬은 양쪽을 갈아서 그 두께를 상대적으로 얇게 해야 한다. 너무 낮은 磬은 磬의 양 끝을 갈면 소리를 높일 수 있다. 이런 음 조율 방법에 대한 기록을 통해 우리는 전국 시대의 장인들이 진동에 관한 일반적인 원리를 인지했다는 사실을 알게 된다.

전국 시대의 磬은 음에 대한 요구가 엄격할 뿐만 아니라 색채나 장식적인 면도 매우 중시했다. 위 그림의 후베이 초나라 묘지에서 출토한 석경과 같이 위에는 세련된 수법으로 봉황의 형상을 그렸는데 봉황은 머리를 쳐들고 머리 위에 볏은 대담하게 과장돼

전국 시대 채색화 석경

있고 펼쳐져 있다. 발은 앞으로 물건을 잡는 형태를 하고, 날개는 펼쳐져 있고, 꼬리는 내려져 있다. 봉황의 양쪽에 깃털 그림을 넣어 봉황의 모습을 생생하게 묘사했다.

증후을묘 편경

1978년 후베이 증후을묘에서 대량의 진귀한 유물이 출토되었는데 그중 편경이 32점으로 석회암과 대리석으로 만들었다. 이를 기초로 한 복제품은 아름다운 음악을 연주할 수 있다.

삼차參差는 무엇인가?

參差에 대한 현대 중국어 사전의 일반적인 해석은 길이, 크기, 높이가 일치하지 않은 것을 가리키는 형용사라고 한다. 그러나 고대의 '삼차參差'는 악기의 이름이었다. 굴원의 『구가 · 상군九歌 · 湘君』을 보면 "낭군님을 그리는데 오지 아니하고 삼차를 불어도 그 누가 헤아려줄 수 있으랴"라고 했는데 문맥에서 알 수 있다시피 삼차는 불 수 있는 것으로서 분명히 일종의 악기다. 그럼 어떤 모양이었을까? 삼차의 모양에 관해서는 재미있는 기록들이 남아 있다. 중국은 자고로 음악을 중시하였는데 문헌에도 음악과 관련된 기록이 많다. 또한 악률樂律에 관한 저서도 많다. 문헌 기록을 보면 고대 중국에는 악기의 종류가 다양했다고 한다.

'토土는 훈, 포匏는 생황이고, 가죽은 북, 견사는 현, 돌은 경, 금은 종, 나무는 축柷이요'라는 팔음지설이 있다. 여기에서 토, 포, 가죽 등은 제작 재료를 나타낸다. 예를 들어 土는 흙을 구워서 만들고 匏는 박으로서 모양은 조롱박과 비슷하지만 조롱박보다 큰

데 이것을 이용하여 생황을 만들 수 있다. 8음은 악기 종류가 8가지라는 의미다. 그리고 한 부류의 악기에도 여러 가지로 분류하는데 예를 들면 竹(대나무)으로 만든 관악기에는 피리, 붕소가 있고, 金(청동)으로 만든 종은 용종과 박종 따위로 나뉜다.

이런 고대의 악기는 지금까지 보존된 것이 없어 문헌의 기록만을 가지고 그 모양과 쓰임새를 이해해왔다. 그러나 문헌 기록만으로는 한도가 있어서 오랫동안 중국 고대 악기(특히 진시황 통일 이전 시기)에 대한 인식은 모호했다. 하지만 최근 20년간의 과학적인 고고학 연구는 풍부한 실물 재료를 제공했고 학자들의 심도 깊은 연구를 통해 고대 악기에 대한 정보도 많아졌다. 지금까지 알려진 최초의 악기는 허난 무양현 가호에서 출토된 뼈로 만든 피리로서 짐승의 목뼈로 만들어졌다. 길이는 22.7센티미터, 피리의 두께는 약 0.15센티미터이다. 피리에는 구멍이 일곱 개 있는데 알아보니 일곱 가지 기본음이 구비되었다. 가호 유적지는 약 8,000년 전의 유적으로 추정되며 당시에 벌써 일곱 가지 기본음이 구비되어 연주를 할 수 있었다는 사실은 믿기 어려우나 사실이다. 고고학 자료에 따르면 토기로 만든 훈(塤, 나팔의 일종— 역주)은 더욱 많다고 한다. 허난 안양 은허유적에서 다섯 구멍의 도훈(도기로 만든 나팔)이 출토되었는데 실험한 결과 음이 상당히 정확하고, 11음 사이에는 반음 관계가 있으며, 문헌에 기록된 '십이율(12음)'과 단 한 음의 차이가 있다.

악기 삼차를 보면 고문헌에서는 순舜이 만든 것이라고 했다. "그 형태는 고르지 못하고 마치 봉황의 깃과 같다"라고 기록했는데 기

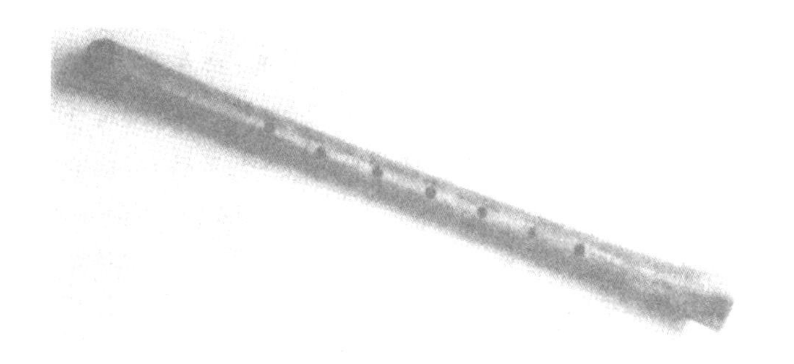

가호의 골 피리

록으로 보아 적어도 4,000년의 역사를 갖고 있다. 삼차는 8음 중에서 관악에 속하는데 보통 대나무로 만든 것이다. 후세에 전해진 것으로는 퉁소가 있는데 이는 대통 하나로 제작한 것이다. 통소에 비해서 삼차는 사실상 여러 개의 퉁소가 가로로 연결된 모양으로 서양의 팬파이프와 흡사하다. 그러나 중국에서는 그 실물이 전해지지 않아 문헌 기록만 보고 사람들은 삼차는 '길이, 크기, 높이가 다르다'를 뜻하는 글자로만 알지 원래 악기였다는 사실은 모르고 있었다.

고대 시 속에는 악기 삼차에 대한 묘사가 남아 있다. 당나라 이교의 『영소시詠簫詩』에서

> 우순虞舜이 청관을 다듬자 왕포王褒가 우아한 가락으로 반주하네.
> 봉황의 깃처럼 퍼진 삼차가 사람의 마음을 흔드는구나.

이교가 시에서 읊은 '봉황의 깃처럼 퍼진 삼차'라는 구절로 보

아 나열된 모양의 피리라는 것을 알 수 있다.

이 나열된 모양의 피리가 무엇인지 발굴된 유적에서 실물을 보게 되었다. 1978년 후베이 수이현 증후을묘에서 출토된 두 점의 나열된 모양의 피리는 모양이 비슷하고 균일하게 13자루의 피리가 붙어 있었고 그 굵고 가느다란 두께가 제각각이었다. 관은 고죽(대나무의 일종)의 가는 본대로 만들어졌는데 비교적 가는 한쪽 끝은 얇게 깎아서 입에 물고 불 수 있게 만들었다. 이런 모양의 피리 말단 부분은 밀봉되어 있어야 한다. 그래서 하단에 대나무의 나무 마디를 남겨놓고 바람이 새지 않게 밀봉했다. 피리관의 구멍은 모두 위로 향해 있고 관의 길이에 따라 좌에서 우측의 순서로 촘촘히 배열되어 있다. 전체 모양은 새의 한쪽 날개와 비슷하다. 나열된 피리의 부는 입구는 모두 일렬로 나란히 배열되었는데 아랫단이 들쭉날쭉 일치하지 않고 세 가닥의 가느다란 대나무로 전체를 단단히 고정시켰다. 윗부분의 전체 너비는 11.7센티미터이고 왼쪽으로부터 첫 번째 관이 제일 큰데 길이가 22.5센티미터, 둘레가 0.85센티미터이다. 오른쪽에 있는 13번째 관이 제일 작은데 길이가 5.1센티미터, 둘레가 0.55센티미터이다. 전체는 흑색 바탕에 붉은 선으로 장식했다.

1980년, 허난 석천淅川 춘추 1호 초나라 묘지에서 한 점의 보존 상태가 완벽한 한漢나라 때의 백옥으로 만든 나열 피리가 출토되었다. 13자루의 피리관, 피리관의 각 두께는 1밀리미터이고 관과 관 사이의 간격은 채 1밀리미터도 되지 않았다. 가장 긴 것은 15센티미터, 가장 짧은 것은 3센티미터이다. 윗부분은 넓은 띠로 연

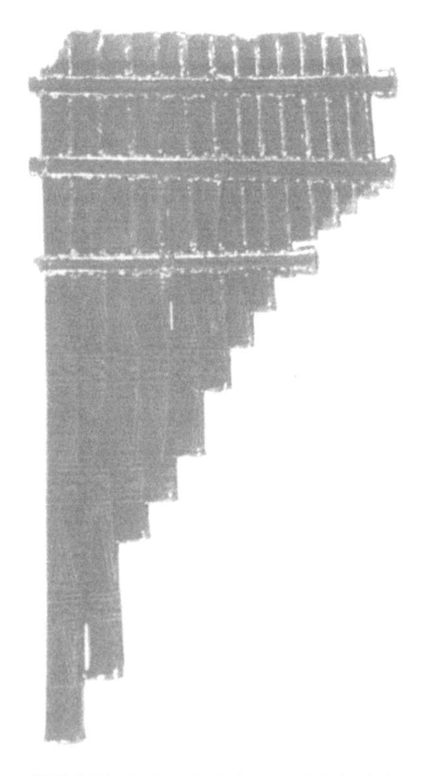

증후(曾候) 乙 묘지에서 출토된 나열된 피리

결하여 고정되었다. 이 피리는 출토 당시 부분적으로 손상되었는데 수리를 거쳐 한 개의 관만 제외하고 나머지 12대는 모두 소리를 낼 수 있게 되었다. 돌로 만든 악기인 경은 유물 발굴 과정에 비교적 자주 발견된다. 그러나 돌로 만든 피리에서 아름다운 소리가 날 줄은 눈으로 직접 확인하기 전에는 믿기 어려웠다. 한나라 때의 백옥 피리 위에는 구멍의 간격이 제각기였으나 일정한 정도를 지킨 것으로 보아 고대 장인들의 섬세한 기술을 느낄 수 있다.

지금까지 출토된 나열 피리는 모두 그 지역이 고대 초나라에 국한되어 있다. 아마도 이런 나열 피리와 같은 악기는 옛 초나라 사람이 즐겨 연주하던 것으로 추정되며 초나라 음악의 중요한 부분인 것 같다. 오죽하면 초의 위대한 시인 굴원이 이 피리를 소재로 서정적인 시를 썼겠는가.

붓 필筆자로 알아보는 고대 붓 제조 기술

붓은 중요한 서예 도구다. 그러나 고대와 현대의 의미 차이가 있다. 고대의 필筆은 붓을 가리키는데, 즉 짐승의 털이나 새의 깃털을 모아 만든 붓을 의미한다. 붓은 아주 오래전에 등장했는데 기술이 점차 발전하면서 당송 시대에 이르러서는 이미 아주 정교한 붓이 생산되기도 했다. 이런 털이 있는 붓의 제작에 대해 이해하는 것 역시 중국 고대 문화에 대한 이해로 이어진다.

붓 필의 정자는 筆이라고 쓰는데 聿의 고대 글자 모양은 아래와 같다.

聿의 고대 글자 모양은 마치 손으로 붓을 쥔 모양과 흡사하다. 원래의 의미는 서예書藝(붓글씨)를 뜻한다.

붓의 제작은 아주 오래된 역사를 갖고 있다. 신석기 시대의 채색 토기의 꽃문양을 고고학자들은 붓을 이용해 색칠한 것이라고 여기고 있다. 그러나 당시의 붓이 어떤 모양이었는지 실물 유적이 없는 관계로 추측만이 무성하다.

아주 먼 옛날, 오랜 시간 발전을 거듭해 춘추 전국 시대에 이르러서 붓은 중국 전체 지역에서 사용되고 제작되었다. 중국 전체 국토가 여러 나라로 갈라져 있었기에 붓에 대한 호칭은 제각각이었다. 초나라는 '율聿'이라고 하였고, 오나라에서는 '불률不律'이라고 했으며, 연나라에서는 '불弗'이라고 했고, 진나라에서는 '필筆'이라고 불렀다. 나중에 진시황이 중국을 통일한 후에야 모두가 '필筆'이라고 호칭했다.

고대 붓은 대부분 대나무와 동물의 털로 만들었는데 일반적으로 장기간 보존이 어려웠다. 지금까지 발견된 가장 오래된 붓은 허난 창사 조가공산 초묘에서 출토된 한 세트의 서예 도구다. 그 중에는 붓(붓대 포함), 대나무 조각, 청동 칼, 작은 대통(먹을 담는 용기로 사용함)이 있었다. 붓은 작은 대나무 통 속에 있었고, 붓대는 길이 18.5센티미터, 지름은 0.4센티미터인데 가늘기가 꼭 대나무로 된 뜨개바늘과 비슷했다. 관찰에 의하면 당시의 붓털은 품질이 좋은 토끼털을 사용했는데 길이가 2.5센티미터였다. 옛날의 붓 제작법은 지금과 많이 다르다. 붓털을 붓대 안에 집어넣는 것이 아니라 붓대의 한쪽 끝을 둘러 싼 후 가는 실로 고정시키고 다시

풀을 붙여 고정하는 방식이었다.

1975년 후베이 윈멍 수이후디 진묘에서 출토된 세 자루의 진나라 붓은 붓대가 대나무로 만들어졌고, 붓대의 끝이 비어 있어 붓털을 끼워 넣고 고정시키기 쉽게 되어 있다. 유물 전문가에 의하면 이는 붓 제조 역사의 큰 발전이라 한다. 이때부터 이런 모양의 붓이 점차 중국 고대 붓의 전형적이 모습이 되었다.

역사적으로 품질 좋은 붓은 대부분 중국 남쪽 지역에서 만들어졌다. 이는 아마 대나무 생산지라는 환경과 관련이 있는 듯하다. 저장의 후저우와 안후이의 쉬저우 모두 명품 붓 생산지로 유명하다. 진晉나라의 유명한 서예가 왕희지와 그 아들은 연달아 후저우의 태수로 근무하였는데 이들은 서예에 능했을 뿐 아니라 붓 만드는 장인과 함께 상의하여 붓 제조 기술을 개량하였다. 쉬저우의 자호붓(紫毫筆)은 토끼털로 만드는데 붓끝이 닳지 않아 오래 쓸 수 있어 유명했다. 쉬저우의 붓은 당나라 때 와서 더욱 유명해졌는데 시인 백거이는 자호시(紫毫詩)를 써서 그 붓의 우수함을 노래했다. “자호필, 뾰족하기로 송곳 같고 예리하기로 칼날 같으니 강남석 위의 늙은 토끼, 대나무를 먹고 샘물 마시며 자호털을 기르네. 쉬저우 사람들이 이 털을 모아 천만 가닥 속에 단 한 가닥만 사용하니……매년 쉬저우에서 진상되는 진상품 중 자호의 가격이 금은보다 비싸더라.”

시인은 쉬저우 붓에 대한 애정과 그 값진 가치를 노래하였다.

당나라 때, 붓의 제작은 이미 상당한 수준에 이르렀다. 특히 당시 종이가 일반적으로 사용되면서 붓은 단단하고 붓털이 짧은 형태에서 부드럽게 써지는 긴 붓털의 모양으로 변했다. 이런 붓의 변화는 또한 서예법에도 변화를 가져왔는데 당송 시대에 많은 서예가가 등장한 것 역시 붓의 개량과 깊은 관련이 있다 하겠다. 다시 말하자면 붓의 발전과 개량이 중국 서예와 회화사의 발전을 이끌었다 볼 수 있다.

붓은 비록 작은 물건이지만 그 제조 과정은 매우 섬세하다. 붓을 만들기 위해서는 재료를 선택하고 침피(가죽 담그기), 발효, 채모(털을 채집), 분모(털을 나눔), 털 익히기, 풀 바르기, 대 안에 넣기, 다듬기, 대 조각하기 같은 수십 가지의 절차를 거쳐야 한다. 붓을 만드는 첫걸음은 바로 재료 선택인데 그 조건이 매우 까다롭다. 이리의 털을 예로 들어보겠다. 기준은 겨울에 잡힌 북방 누런 이리의 꼬리털을 최고로 친다. 굵기가 일정하고, 털을 모아놓으면 뾰족하니 잘 모이고, 길이도 길며, 탄력도 적합한 장점을 가지고 있어 최고급 이리털붓의 재료로 각광받는다. 각 짐승의 가죽을 구하면 우선 물에 담그고 발효를 시킨 후에 털을 뽑는다. 물속에서의 작업은 바로 '천만 가닥 중 한 가닥'을 뽑아내는 일이다. 분류를 통해 털을 가지런히 모아 숙성시킨다. 숙성시킨 털 조각을 붓 끝에 매다는데 그 모양이 죽순 모양, 조롱박 모양, 목련 망울 모양 등 여러 가지다. 붓대에 붓털을 이은 후 다듬는 과정이 필요한데 글씨를 쓸 때 엇나가 삐친 털을 제거하는 과정이다. 이로써 한 자루의 붓이 소위 말하는 전문가들의 '4덕四德'의 표준에 도달한다. 이 '4덕'에 대해서 명나라 두룽의 『고반여사考槃余事』의 기록을 보자. "붓을 만드는 법에는 뾰족하고 가지런하며 둥글고 단단한 것을 4덕이라 한다"라고 되어 있다. 날카로운 것은 붓끝이 뾰족하니 날카로운 것이고 가지런한 것은 붓털이 들쭉날쭉하지 않고 가지런한 것을 의미하고 둥근 것은 붓털이 둥글게 묶여 있어 마음대로 휘두를 수 있는 것이요, 단단한 것은 털이 빠지지 않고 단단하게 고정되어 오래 쓰고 탄성이 있는 것을 말한다. 이 '4덕' 중 하나라도 부족하면 좋은 붓이라고 할 수 없다.

붓대의 재료는 무게와 굵기, 그리고 길이가 붓의 사용에 지대한 영향을 미친다. 또 장식적 역할도 하는 중요한 부위다. 붓대는 재료를 선택하고 글씨를 새기고 색칠하기, 상감하기, 띠 두르기, 줄 매기 따위의 여러 순서를 거친다. 역사적으로 붓을 만들었던 장인들이 선택한 붓대의 재료는 매우 다양했다. 옥, 돌, 대나무, 나무, 이, 뼈, 자기, 금, 은, 법랑 등이 있었다. 그중 곧고 단단하면서도 가벼운 대나무를 일반적으로 많이 사용했다.

붓은 고대 중국 문화 전파의 큰 역할을 했다. 20세기 초까지 서양의 볼펜과 만년필 등이 중국에 유입되었는데 이런 필기구는 사용하고 휴대하기가 매우 간편했다. 그래서 점차 붓의 자리를 대신하게 되었다. 그럼에도 불구하고 붓은 사라지지 않고 서예, 전통화, 공식 석상의 휘호 등에 빠지지 않는 도구로 자리 잡고 있다.

먹 묵墨자로 말하는 고대의 먹 제조법

먹은 고대에 붓으로 글씨를 쓰거나 그림을 그리는 데 없어서는 안 되는 물건이다. 묵墨은 黑과 土로 구성되었는데 회의자會意字로 볼 수 있다. 黑은 묵의 전형적인 특징이다. 고대 중국의 먹 제조는 오랜 역사를 가지고 있다. 먹의 제조와 발전 과정을 통해 우리는 고대 중국의 장인들의 경험과 창조적 정신을 배울 수 있다.

고대의 黑자는 다음과 같은 모양이다.

고대 墨자는 굴뚝에서 조금씩 연기가 피어오르는 모습이며 아랫부분은 염炎자로 재를 표현해 검은색을 나타낸 것이다.

50만 년 전 인류는 처음으로 불을 사용하게 되었고 그때부터 우매함과 이별해 문명의 길을 걷게 되었다.

나무를 태우면 일정 시간 지나서 목탄이 된다. 그 검댕은 손이나 물건에 묻게 되지만 쉽게 닦여지지 않는다. 이런 상황은 자연스레 원시 인류의 이목을 끌게 되었다. 그래서 일부러 탄 나무의 재를 사용하게 되었고 이것이 바로 원시 시대 염색의 시초가 되었다.

이런 검댕을 이용해 염료로 사용한 일은 고서에도 기록이 있다. 신석기 시대의 토기에는 검은색으로 그린 도안이 있으며 은상 시대의 갑골에는 검은색으로 글씨와 그림이 그려져 있다. 유물 전문가의 검사에 따르면 이런 검은색은 모두 목탄에서 나온 색이라고 한다.

주나라 때 먹이 등장했다. 고서에서 먹 묵墨자에 대한 설명을 찾을 수 있다. 예를 들어 『장자庄子』의 기록을 보자. "송원군이 그림을 그리려고 하면 하인들이 다가와서 붓과 먹을 바친다"라는 구절이 있다. 또 주나라 오대 형벌 중의 하나인 묵형墨刑은 범인의 이마에 글자를 새긴 후 먹을 칠하는 것이다. 문신처럼 평생 까만 글자를 몸에 새기고 있으면서 치욕을 느끼게 하는 형벌이다. 학자들의 연구에 따르면 춘추 시대에는 고체로 된 먹 덩어리가 없었고 필요할 때마다 목탄과 아교를 섞어 사용했는데 바로 이 액체 상태의 먹이 최초의 먹이다.

전국 시대 말기에 이르러서야 진짜 먹이 등장했다. 고고학 유물 중에서 이 시대의 고체 먹으로 추정되는 유물이 발견되었다. 1975년 후베이 윈멍 수이후디 전국초묘에서 출토된 한 점의 고체 먹은

색이 아주 검고 타원형이었다. 함께 출토된 유물 중에는 온통 검은 자국이 가득한 벼루와 먹 글씨가 쓰여 있는 목판도 있었다. 당시에 이미 돌벼루에 먹을 갈아 사용했음을 알 수 있다.

초기의 고체 먹은 순수하게 목탄과 동물의 아교질, 두 재료만으로 만들어졌다. 한나라 때 종이의 사용이 널리 퍼지면서 먹 수요도 크게 증가하였고 먹을 만드는 기술도 발전하게 되었다. 먹을 만드는 장인들은 소나무가 목탄을 만들기 쉽고 또한 송진의 솔향이 아주 우수한 목탄을 만든다는 것을 알게 되었다. 그래서 소나무와 송진을 사용한 먹을 만들어 자연스럽고 품격 높은 먹의 향기를 만들어냈다.

당나라 때, 먹 생산이 흥성하게 되었고 제작 기술도 점차 고급화되었으며 많은 명장들을 배출했다. 당나라 말, 이수(지금의 후베이 이현) 지역의 장인 해초奚超를 비롯한 명장들이 전란을 피해 안후이 서주歙州로 거처를 옮겼는데 해초와 그의 아들 정규廷珪가 이곳에서 다시 먹을 만들었다. 황산의 소나무를 원료로 하고 또 아교 배합과 송진 추출 기술을 개량하여 먹을 제조하였다. 이 먹은 "부드럽고 윤기가 나며 옻처럼 광택이 난다"는 평을 들으며 유명세를 탔다. 남당 후주 리욱李煜의 인정을 받아 해奚씨를 국성國姓인 이씨로 고치게 되고 아들 정규廷珪는 묵무관墨務官으로 봉해졌다. 리씨의 먹李墨은 이로써 명성을 떨치게 되었다.

리씨의 먹李墨의 특징은 바로 정밀한 세공과 좋은 재료에 있다. 그들은 서주歙州의 고송古松을 원료로 질 좋은 소나무 숯을 만들어 등황, 물소의 뿔, 진주, 파두, 옥 부스러기 등을 첨가한 후 양질의

명나라 정군(程君) 방의 천부어향(天府御香) 묵

아교를 넣어 가공하고 또 가공 과정에서 반드시 '십만목'이라는 과정을 거쳐 최상의 먹을 제조해냈다. 이 먹은 '집어 들면 가볍고 냄새는 향기로우며 갈면 깨끗한 색이 나온다'는 평가를 받아 옛사람들로부터 "황금은 얻기 쉬우나 리씨의 먹은 얻기 힘들다"라는 말을 들었다. 역수 먹 제조장의 우수한 기술과 서주(歙州) 현지의 풍부한 자연 자원, 우수한 문화 전통이 결합되어 서주의 먹 사업이 번성하게 되었다. 송나라 휘종 선화宣和 3년에 서주는 휘저우(徽

州)로 이름을 바꾸고 이때부터 휘저우에서 생산되는 먹은 휘묵徽墨으로 불려지게 되었고 아직까지 생산되고 있다.

송·원宋·元 나라 때는 휘묵 제조 기술이 계속해서 개량되었다. 주로 기름 성분이 있는 숯을 원료로 하는 새로운 제조법을 만들었는데 가루가 잘 생기지 않고, 쉽게 갈리며, 빛을 잘 흡수해 먹의 색을 풍부하고 부드럽게 만들었다. 그 품질 또한 소나무 숯보다 한 수 위였다. 또 사향 같은 향료를 첨가해 아교의 역겨운 잡내를 없애고 향기를 더했으며 금박을 입혀 먹의 광채를 살리며 가치를 더했다. 휘묵은 이때부터 실용품에서 하나의 예술 작품으로 간주되기 시작했다.

다시 말하자면 먹에는 아주 다양한 첨가제가 들어간다. 이런 첨가제가 중국 먹 제조 기술의 가장 큰 특징이라 할 수 있다.

책 책冊자로 알아보는 죽간의 제작

冊, 현대 중국어 사전에서는 이 글자를 책자, 즉 명부, 화집, 기념집 등을 일컫는다고 해석하고 있다. 또한 수량사로 사용되기도 해 한 질의 책은 몇 권, 이런 식으로 사용된다. 이런 해석은 모두 종이와 관련이 있다. 그러나 종이가 아직 등장하지 않았거나 사용되지 않았던 시대에 책은 서간, 즉 문자가 기록되어 있는 한 가닥의 죽간이나 목간을 의미했다. 이런 죽간을 엮어 만든 것을 책이라고 불렀다. 죽간이라고 우습게 생각하지 말자. 알고 보면 대단한 기술을 요하는 작업이다.

고대 冊의 문자 형태는 아래와 같다.

冊은 마치 토막토막의 죽간 혹은 목간을 세워서 끈으로 묶은 것과 같은 모양이다. 글자 모양으로 보아 죽간의 길이는 일치하지 않았는데 출토된 유물로도 확인되었다.

문자를 죽간(혹은 목간이나 목판) 위에 쓰는 일은 원시 인류가 아주 중요한 사건을 기록하거나 법조문을 기록하거나 숫자를 통계하는 일의 주요 수단이 되었다.

맨 처음 인류는 토기, 동물의 뼈와 거북의 등껍질 따위에 글자를 새겨 넣었는데, 말이야 쉽지 원시 인류에게는 결코 쉬운 일이 아니었다. 우선 새길 수 있는 글자의 수가 제한되어 있고, 다음으로는 이런 재료들의 모양은 들쭉날쭉 기록한 양이 많아져서 저장할 때 순서대로 정리하기가 쉽지 않다.

사회가 발전하고 문자 기록에 대한 수요가 늘어나면서 전통적인 방식만으로는 한계에 부닥쳤다. 그래서 옛사람들은 비단이나 직물, 대나무나 나뭇조각 위에 글씨를 쓰는 방법을 생각하게 되었고 이것이 우리가 알고 있는 '면서', '죽간', '목판'이다. 비단과 같은 직물에는 글씨를 쓰기가 쉬웠지만 가격이 비싸 널리 사용되기 어려웠다. 상대적으로 대나무나 나무는 쉽게 구할 수 있는 재료였다. 특히 중국 남방 지역은 여러 곳에서 대나무가 서식해 쉽게 가공할 수 있었고, 원가도 저렴해 문자를 기록하는 재료로 매우 적합했다. 그러나 대나무의 모든 부위가 문자를 기록하는 재료로 적합했던 것은 아니다. 여기에도 일정한 기준이 있었고, 이런 기준을 통해 우리는 원시 인류의 총명함을 엿볼 수 있다.

옛사람들은 경험에 의해 막 잘라낸 대나무는 수분을 많이 머금

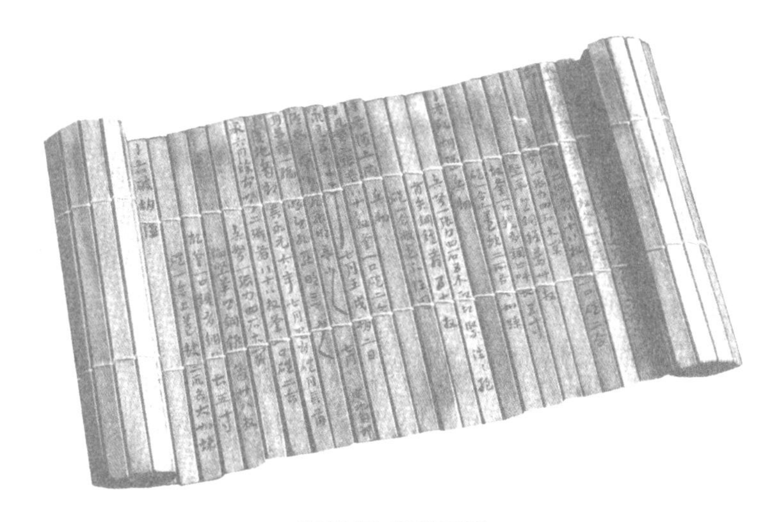

진(秦)나라 죽간(복제품)

고 있어 글을 쓰면 먹이 쉽게 번져 죽간으로 사용하기 어렵다는 것을 알았다. 대나무는 부위마다 그 쓰임새가 각각 달랐다.

윗부분은 너무 가늘어 적절한 너비의 대나무 조각을 만들 수 없고 뿌리 부분으로 갈수록 마디가 촘촘해서 가공하기가 어려웠다. 출토된 죽간을 관찰한 결과 대나무 조각의 대부분은 잘라낸 후의 진년모죽이었다. 옛사람들은 우선 모죽을 조각조각의 죽간으로 만들고 최대한 마디를 피해서 잘라냈다. 어쩔 수 없이 마디가 나오는 경우에는 살살 깎아 만들었다. 그리고 이 죽통을 너비 10밀리미터, 두께 1.5~2.5밀리미터의 대나무 조각으로 쪼갠다. 조각의 안쪽 면은 깎아 평평하게 만들어 겉은 굽었지만 안은 평평한 모양으로 만든다. 이것이 바로 죽간의 기본 형태다.

대나무는 일반적으로 유분기를 가지고 있고 이런 유분기는 먹이 대나무에 스며드는 것을 방해해 글씨 쓰기가 수월치 않다. 죽간의 기본 형태는 풀을 태운 재를 넣은 잿물에 어느 정도 담가두면 가장 좋은 상태가 된다. 잿물 속의 알칼리 성분이 대나무의 유분과 만나 화학 반응을 일으켜 유분기를 제거하기 때문이다. 출토된 죽간 위의 먹 자국을 보면 일반적으로 모두 대나무의 섬유질 내부까지 스며들어 있다. 이런 점에서 옛사람들이 죽간을 만들 때 잿물 작업을 했다는 걸 추측할 수 있다. 출토된 죽간을 보면 어떤 것은 표면(즉 대나무의 표면의 푸른빛을 띠는 부위)에도 글자의 흔적이 있다. 글자의 흔적이 안쪽 면처럼 아주 자연스럽게 남아 있는 것을 보아 만일 잿물 작업을 하지 않았다면 겉 표면에 이처럼 글씨를 자연스럽게 쓸 수 없었을 것이다.

위에서 언급한 작업 말고 대나무 조각은 또 모양을 고정시키는 처리를 필요로 한다. 무거운 물체를 대나무 조각 위에 올려놓아 대나무가 구부러지거나 휘어지는 것을 예방한다. 건조 후에는 다시 한 번 안쪽 면을 깎고 가장자리에 두세 개의 삼각형 모양의 구멍을 뚫어 나중에 끈으로 엮을 수 있게 한다. 각 대나무 조각의 구멍 위치는 비슷해야 하는데 그래야만 나중에 끈으로 엮었을 때 가지런한 모양의 한 권의 대나무 책이 된다. 고고학 자료에 따르면 전국 초묘에서 아직 글이 쓰이지 않은 백지 상태의 죽간이 몇 권 발견되었는데 윗부분에 엮으려 했던 흔적을 찾을 수 있었다고 한다. 이로써 당시 사람들은 우선 대나무 조각으로 죽간을 엮어 만든 후에 글씨를 써 내려갔지 조각 하나 하나에 글을 쓴 뒤에 연결한 것은 아니라는 거다. 당연히 기록장 같은 죽간은 종종 먼저 글씨를 쓴 후에 엮었을 수도 있고 혹은 몇 개의 조각만 엮은 짧은 죽간 여러 개를 엮어 긴 죽간으로 만들었을 수도 있다.

또 다른 학설에 따르면 죽간은 사용 전에 모두 대나무의 푸른빛을 없앴다고 한다. 즉 죽간을 불로 그슬려 푸른빛의 반질거리는 껍질을 태운 후 깎아 없애 벌레가 꾀는 것을 막았다. 이를 '한간汗簡'이라고 부르는데 후에 의미가 확대되어 사실을 기록하는 일을 '한청汗青'이라고 했다. 중국인들 중 모르는 사람이 없다는 중국의 민족 영웅 문천상文天祥의 시를 보면 "인생은 자고로 뉘 아니 죽으랴만 그 정성 어린 한 점 붉은 마음 한청에 비춰보네"라고 쓰여 있다. 한청汗青이라는 말의 근원을 찾아 거슬러 올라가 보니 죽간과 관련되어 있다.

종이 지紙자의 등장과 제지 기술의 혁명

제지술은 중국 3대 발명 중 하나다.

紙는 갑골문, 금문 중에는 등장하지 않는 글자이나 한漢나라 때 와서 처음 등장하고 널리 사용되었다. 문헌에는 채륜이 종이를 만든 이야기가 기록되어 있다. 그래서 한나라 때는 모두가 쉽게 종이를 사용할 수 있었다고 여겼다. 그러나 사실상 채륜이 살았던 때보다 300년이나 거슬러 올라간 시대에 벌써 종이가 등장했다. 이는 또한 고대 문자의 발명이 일반적으로 기술 발명보다 한 걸음 늦는다는 속설을 증명하고 있다. 출토된 일부의 서한 종이의 과학적 검사와 분석 결과가 글자 없는 역사를 인식하는 데 도움이 되었다.

紙는 系(계)를 편방으로 한다. 여기에서 우리는 지자가 누에고치와 관련됨을 알 수 있다.

갑골문과 금문에서는 紙자를 찾아볼 수 없다. 紙자는 한漢나라 때의 문헌 기록에 최초로 등장한다. 그중 가장 중요한 문헌으로

『설문해자』가 있는데, 이 책은 AD 100년경에 쓰인 책으로 작가는 유명한 학자인 허심許愼이다. 허심은 『설문해자』에서 紙에 대한 해석을 다음과 같이 했다.

"紙, 실오리가 한 광주리에 있다. 糸에서 의미를, 氏(씨)에서 발음을 땄다"라고 했다.

紙는 糸를 편방으로 하는데 누에고치와 관련돼 있다. 허심의 해석은 종이가 바로 누에고치를 씻을 때 생기는 광주리에 붙은 실오리라고 말한다. 이는 현재 우리가 알고 있는 역사상 최초의 종이에 대한 해석이며 아마도 紙자의 본래 뜻일 것이다. 『후한서 · 채륜전』에는 "(은대에 나무 대나무나 귀갑 따위에 새긴) 문자…… 겸백縑帛(함사로 짠 견직물)으로 만든 것을 종이라고 부른다"라고 했고 동한의 학자 복건服虔은 『통속문通俗文』에서 "방서方絮는 종이이다"라고 했는데 이런 해석도 참고하자.

왜냐하면 문헌의 기록에 의하면 사람들은 한나라 때가 돼서야 종이가 있었다고 생각하게 된다. 긴 시간 동안 학술계는 채륜이 종이를 최초로 발명한 사람이라는 데에 이론의 여지가 없었다.

그러나 반세기가 지나면서 끊임없는 고고학 연구를 통해 서한시대의 종이가 채륜이 발명한 종이보다 200~300년 앞섰다는 것을 알게 되었다. 그럼 우리는 또 다른 의문에 직면하게 된다. 그렇다면 도대체 누가 최초의 종이를 만들었을까?

만일 허심의 지에 대한 해석에 동의한다면 최초의 종이는 아마도 고치실 부스러기로 만들어졌을 것이다. 이에 대해 학계는 두 가지 상반된 견해를 가지고 있다. 하나는 과감하게 고치실로 만든 종이를 부정하는 학설이다. 이 학설을 주장하는 사람들은 고치실과 같은 섬유질은 동물성 단백질로 이루어져 분자끼리 서로 달라붙지 않아 매끈한 종이를 만드는 게 어려웠다는 주장이다. 또 다른 사람들은 고대에는 이미 고치실 부스러기가 존재했고 이런 부스러기들과 일종의 접착제를 이용해 편평하게 만들면 어렵지 않다는 주장이다. 게다가 접착제는 어떻게든 만들어냈을 것이라는 의견이다. 그러나 아직까지 실물의 고치실 종이는 발굴되지 않았다.

고치실 종이의 존재 여부에 상관없이 한 가지 확신할 수 있는 것은 제지 기술의 시작과 양잠업은 아주 밀접한 관련이 있다는 사실이다. 중국은 바로 세계 양잠업의 고향으로 상주 시대에 이미 뽕과 누에를 키우는 일이 농민들의 중요한 업무 내용이었다. 몇 대의 경험을 거쳐 한漢나라 때에 와서는 견직 기술이 발달하고, 비단 무역이 활발해지면서 한무제漢武帝가 중국과 서양 교류의 통로인 '실크로드'를 개척하는 중요한 밑바탕이 되었다.

다시 한 번 고대의 누에고치 표백에 관한 기술을 살펴보자. 비단을 짜기 위해서는 우선 최상의 누에고치를 선택해야 한다. 차등품의 누에로는 솜을 틀 수밖에 없다. 이런 이등품 누에를 끓는 물에 넣어 삶고 나서, 광주리나 소쿠리 위에 놓고, 물에 담그고, 반복해서 문질러 씻는 작업을 해 고치 표면의 아교질이 씻겨나가게 한다. 이런 고치를 서늘하고 그늘진 곳에서 말린 후 곧 솜으로 틀게 된다. 이런 이등품 누에고치 처리 방법을 바로 표서법漂絮法이라고 했는데 이 중 두 가지 공정은 나중에 제지 과정에 그대로 도입되었다. 하나는 바로 물에 넣어 씻는 과정인데 이는 제지 공정 중

펄프를 반죽하는 기술로 발전했다. 다른 하나는 대나무 도구를 이용해 실을 건지는 작업인데 이는 종이를 뜨는 기술로 발전했다. 그 외에 아교질을 씻어내는 공정도 펄프를 만드는 데 응용되었다.

제지술은 또 마섬유의 아교 분리 기술을 참고하기도 했다. 대마와 모시는 중국이 원산지로 가장 많이 사용되는 마섬유 식물이다. 삼마를 사용해 직물을 짜기 위해서는 우선 마식물의 껍질을 벗기고, 그리고 섬유질이 함유하고 있는 아교 성분을 분리해야 한다. 그래야 섬유질이 하나하나 잘 떨어진다. 고대 삼마류의 아교 분리 기술을 구마漚麻라고 불렀는데 물속에 자연적으로 번식하는 어떤 균류가 분비하는 효소를 가지고 아교 성분을 씻어냈다.

삼마류의 아교 제거 기술의 주요 내용을 참고해 일정 정도의 강도를 가진 얇은 섬유를 만들어냈고, 이렇게 제지술이 발전하게 되었다. 제지술의 발명은 적어도 서한 시대 초보다 앞섰을 것으로 추측된다. 지금껏 발굴된 고고학 자료에 의하면 서한의 고대 종이는 대마와 모시풀을 원료로 한 마종이라고 한다.

고대의 많은 기술과 마찬가지로 한대의 제지술과 관련된 문헌 기록은 한계가 있다. 다만 짧은 문장 몇 편과 몇 개의 글자로 남아 있다.

예를 들면 좌剉, 도擣, 초抄 등인데 즉 자르고 부수고 찧고 삶아 만들었다는 말이다. 우리는 문헌 기록만으로는 한나라 때의 제지술에 대한 상세한 정보를 얻을 수 없다. 그러나 고대 종이의 분석과 지금까지 이어져 내려오는 전통 수공 제지술을 참고해 일부 학자들은 서한 시대의 제지 기술의 공정을 알게 되었는데 다음과

『천공개물』 제지도

같다.

대마, 모시풀 같은 원료를 깨끗이 씻고 잘게 썰어 불순물을 제거한다.

물에 담가 두드리는 과정을 거쳐 펄프를 만든다.

펄프를 반죽해 섬유질을 부드럽고 다루기 쉽게 만든다.

끓는 물에 삶아 종이 펄프를 만들고 종이를 떠낸다.

견직물과 마섬유의 아교 제거 기술에서 제지술의 등장까지 아주 오랜 시간이 걸렸다. 종이의 원료에 한계가 있어 생산량도 많지 않고 이는 종이의 보급에도 영향을 미쳤다. 나중에 채륜이 제지술을 개량해 다양한 원료가 쓰이게 되고 기술도 개량되어 백성에게까지 종이를 보급할 수 있게 되었다.

제지술의 발명은 중국뿐 아니라 전 세계의 문명을 앞당겼고, 문화 매체로 서적과 지식의 전파 속도를 가속화했으며, 나중에는 인쇄술의 발명에까지 영향을 미쳤다.

붉을 단丹자와 고대 단사丹砂의 쓰임

丹, 즉 단사 또는 주사를 가리키는 글자로 고대 중국인들이 가장 좋아하는 붉은색 염료와 도료였다. 또한 고대 연단술사가 사용하던 주요한 재료 중 하나였다. 단에 대한 인식과 사용은 바로 중국 고대 과학 기술의 한 측면을 반영한다고 볼 수 있다.

고대 丹의 글자 모양은 다음과 같다.

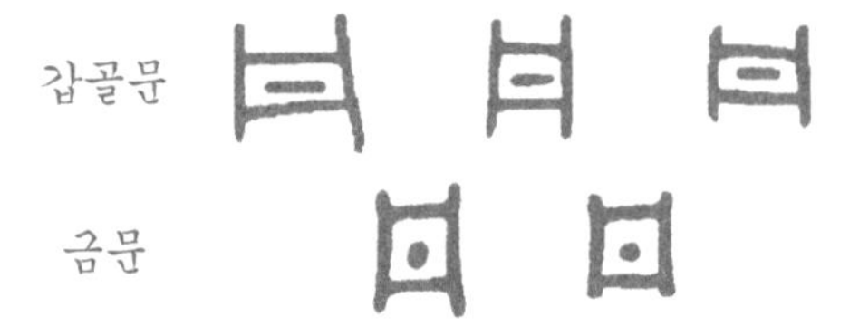

丹의 옛글자 모양은 단을 추출하던 우물의 모양으로 가운데 짧은 가로획이 바로 단사를 의미한다.

丹, 즉 단사 혹은 주사로 화학 성분으로 천연 황화수은HgS이다.

자연계에서는 결정 형태로 존재해서 그 모양이 모래와 비슷하다. 그래서 고대 사람들은 이를 단사, 즉 붉은 모래라고 불렀다. 단사는 후난 천저우(지금의 원령 지구)에서 생산되는 것이 가장 유명해서 때로는 '천사辰沙'라고도 한다. 단사는 아주 선명한 붉은색이라서 고대에는 붉은색을 丹이라고 했다. 『광아 · 역기廣雅 · 釋器』에서 "丹, 적색이요"라고 했다. 『시경 · 진풍 · 종남詩經 · 秦風 · 終南』에서는 "군자가 빌길음을 멈추니 몸에는 비단옷과 여우 목도리요, 그 얼굴은 연지를 칠한 듯 붉고 윤기가 났다"라고 노래했는데 기수에서는 사람의 아름다운 외모를 형용했다. 아름다운 외모는 곧 단사를 바른 양 붉었다고 묘사했다.

단丹은 어떠한 상황에서도 그 색이 변색되지 않아 최고의 붉은색 염료로 간주되었다. 고고학 자료에서도 알 수 있듯이 지금으로부터 약 7,000년 전의 하모도 유적지에서 출토된 옻칠한 그릇을 보면 그릇 표면을 천연 단사를 사용해 무늬를 그려 넣었다. 5,000년 전의 양저良渚 문화 유적지에서 발굴된 목판은 검사 결과 단사를 사용했음이 밝혀졌다.

상商나라 때 단사를 물감으로 자주 사용하였는데 그 선명하고 빛나는 선홍색으로 고대 중국인들의 사랑을 받았다. 주周나라 때에는 아예 붉은색 숭배 사상까지 생겼다. 『예기 · 단궁禮記 · 檀弓』에서는 "하후씨는 흑색을 숭상한다", "은나라 사람은 백색을 귀히 여긴다", "주나라 사람은 적색을 숭배한다"라고 기록되어 있다. 주나라 천자의 궁전 바닥은 모두 붉은색의 도료(아마도 혈액에 단사를 혼합한 것)가 칠해져 있다 하여 이를 '단지丹地'라고 불렀다. 『예기 · 교특목禮記 · 郊特性』에서 "붉은색을 칠한 조각들의 아름다움"이라고 쓰여 있는데 이를 통해 궁전의 대부분의 방과 장식품이 붉은색으로 아주 화려하고 열정적이며 웅장한 분위기를 만들었다는 것을 알 수 있다.

상주商州 시대의 많은 방직물도 단사를 염료로 사용했다. 허난성 은허 부호 묘에서 출토된 청동기 표면에 붙어 있는 견직물을 보자. 그중 다섯 종류의 견직물 중 염색된 비단이 있었는데 단사로 붉게 염색된 것이 모두 아홉 필이었다. 산시에서 출토된 서주의 방직물과 자수품을 살펴보면 자수 실은 붉은색과 누런색 두 가지로 검사 결과 단사와 석황으로 칠한 것이 입증되었다. 춘추 전국 시대에 이르러서는 서약서와 칠기 등에 모두 단사가 붉은색 염료로 널리 사용되었다.

그 외에 단사는 한漢나라 때 화장품으로도 사용되었다. 예를 들면 장쑤 롄윈강하이저우 서한 묘에서 화장품 도구가 출토되었는데 그중 작은 둥근 곽 속에 붉은 연지분이 담겨 있었다. 검사 결과 황화수은이라는 것이 밝혀졌고 아마 당시 여인들은 연지분에 단사를 섞어 썼을 것으로 추정된다.

위진남북조魏晋南北朝 이후 전국 각지의 석굴, 묘실, 사찰의 벽에 대부분 주사를 물감으로 사용한 그림이 그려졌다. 그중 둔황 석굴의 그림이 가장 오래되었으며 사용량도 가장 많았다. 채색화들은 주사의 품질이 제각각이라 벽화의 다양한 부분에 사용되었다. 선명한 선홍색의 고급품은 부처의 입술과 얼굴을 그리는 데 사용되었고 사용 면적은 작았다. 품질이 떨어지는 주사는 별로 중요하지 않은 그림이나 바탕을 칠하는 데 사용되었다. 이런 사실로 보아 당시 주사가 여러 지역에서 생산되었으며 가격 차이 역시 천차만별이었음을 알 수 있다.

전국 시대부터 시작해 연단술이 점차 유행하기 시작했다. 왜냐하면 수은은 쉽게 용해되고 많은 금속을 추출할 수 있고 또한 그 형태가 여러 가지로 변할 수 있어 단을 고대 연단술사가 선택하는 중요한 재료 중 하나였다. 『사기·효무본기史記·孝武本記』의 기록을 보면 "소군이 아뢰길, 화로에서 물질을 뽑아 단사와 섞으면 황금이 되고 이 황금으로 식기를 만들어 음식을 담아 먹으면 장수할 것이다. 장수를 하면 저 바다 건너의 봉래 신선을 만날 정도로 오래 산다"라고 기록되었다. 『포박자·금단抱朴子·金丹』에는 "모든 초목은 타면 재가 되지만 단사는 타면 수은이 되고 이는 다시 단사로 변하니 능히 사람을 장수하게 할 것이다"라고 되어 있다. 연단술은 사실 미신적 색채가 강했지만 오랫동안 실시되면서 옛사람들은 물질의 화학적 성질에 대한 지식을 얻게 되었고, 화약의 발명에 아주 중요한 작용을 했다.

고대 연단술사는 연단술을 통해 장수할 수 있다고 여겼다. 그래서 단은 '영단묘약(영험하고 효력 있는 신기한 약을 가리킴)'의 단에도 쓰이고 완성된 약품도 단이라고 불렀다. 이런 습관이 이어져 내려와 중국인들이 여름에 즐겨 먹는 더위를 쫓는 보양 식품을 '인단人丹'이라 부르는데 그 생김새도 작고 둥글며 겉면이 붉은색을 띤다.

고대에는 주朱를 붉은색이라고 불렀기에 붉은색의 단사를 주사朱

沙라고 부르기도 했다. 단과 주의 차이점은 단은 자연계에 존재하는 광물인데 반해, 주는 사람들이 수은에서 인공적으로 뽑아낸 주사, 즉 은주銀朱를 가리킨다.

이시진李時珍은 『본초강목本草綱目』에서 "단은 원래 돌의 이름으로서……후에 사람들이 단의 붉은색으로 인해 주사朱沙라고 칭하였다"라고 했다. 또 "수은에서 단사가 나오는데 녹은 후에 다시 붉은색으로 돌아온다"라고 했다.

병들 녁疒과 고대의 질병 기록

병들 녁疒, 일반적으로 병자病字 편방이라고 부르는데 중국어 사전의 부수 중에서 아주 많이 사용되는 한 가지다. 질병과 관련된 글자에는 거의 모두 疒이 따라다니는데 옛사람들이 질병과 질병이 인류에게 주는 고통에 대해 어느 정도 인식하고 있었음을 의미한다. 질병과의 오랜 투쟁 과정을 통해 옛사람들은 점차 치료의 경험을 쌓게 되고 독특하고 특색 있는 중의학으로 발전하였다.

고대 疒의 문자 형태는 아래와 같다.

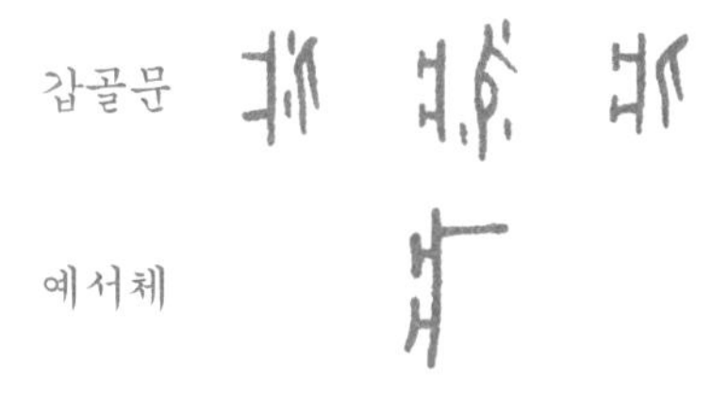

병들 녁疒의 문자 형태는 사람이 아파서 침상 위에 누워 있는

모습, 혹은 점 몇 개를 더해 땀을 흘리고 있는 것을 의미한다.

중국의 전통 의학, 중의학은 오랜 역사를 지녔다. 중국의 원시 인류가 오랫동안 건강을 위협하는 질병과 투쟁하면서 쌓은 경험이다.

중의학의 기원에 대해 문헌 기록은 거의 남아 있지 않다. 예를 들면 『사기 · 삼황본기史記 · 三皇本紀』에는 "신농씨……처음 100가지 풀을 맛본 후에 처음으로 의술과 약초를 사용하다"라고 되어 있다. 『황제내경皇帝內徑』에는 "오랜 옛날 성인들은 탕약으로 몸을 다스렸다"고 되어 있다. 신농씨나 옛 성인들이 의술을 만들었다는 전설은 사실 검증하기가 쉽지 않다. 지금 연구가 가능한 가장 오래된 문헌 자료는 은허에서 출토된 갑골문이다. 이 기록에 대한 심도 깊은 연구를 통해 우리는 은 · 상나라 때 이미 어느 정도의 의학 지식이 있었고 이는 아마 중국 최초의 병력과 의학 관련 기록이라 할 수 있을 것이다.

疒의 갑골문 모양은 사람이 병이 들어 침상에 누워 있는 모습이며 원래 의미는 사람에게 병이 생긴 질병 병病을 가리킨다. 고대의 사전인 『설문해자』의 疒의 해석은 "기대는 것이다. 사람이 병이 들면 기대게 된다"이다.

질병 질疾도 병病을 의미한다. 갑골문에 새겨진 그림에서 보자면 질은 어떤 사람의 겨드랑이에 화살이 하나 꽂혀 있는 모습으로 화살을 맞아 부상을 입었다는 의미다. '시상인矢傷人 — 화살 부상을 당한 사람', 이는 외상에 가까운 위급한 병을 의미하며 내과와 관련된 만성적 질병을 의미하는 병과는 차이가 있다. 나중에 두 글자는 점차 함께 사용되어 모두 질병을 의미하게 되었다.

갑골문의 점괘 중 질병에 관한 묘사에는 모두 疒이 있다. 질병의 상황에 대한 일반적인 기록을 제외하고도 아주 많은 양의 각종 질병의 구체적인 기록이 남아 있다. 통계에 따르면 기록된 질병은 20여 종으로 예를 들면 疒首(머릿병), 疒目(눈병), 疒耳(귓병), 疒孜(콧병), 疒口(입병), 疒齒(치아병), 疒腹(복부병), 疒子(소아병), 疒育(부인병) 등이 있는데 대부분이 사람의 신체의 각 부분으로 구분했다. 예를 들어 역목疒目은 안과 질환을 뜻한다. 고대 의학에서는 안과 질환을 크게 외상과 내상의 두 종류로 나누었다. 보통 붉게 충혈되고 부어오르며 시력이 감퇴되는 것을 외상이라 부르고 대부분 풍열로 인해 생겼다고 여겼다. 그리고 눈이 가물거리며 시력이 감퇴되는 것을 내상이라 보았는데 모두 몸의 기가 허한 허증虛症에 의한 병이라 여겼다. 갑골문의 점괘에는 이렇게 쓰여 있다. "정貞, 왕기역목王其病目, 정貞, 왕불역목王弗疒目." 눈에 병이 있어 눈이 불편하게 느껴질 때의 점괘이며 눈병이 계속될지 이미 병에 걸린 후에 보는 점괘이다.

또 自자를 보면 갑골문에는 𦣹으로 써 있다. 이는 코의 모양으로 코 비鼻자의 최초의 모습이라 할 수 있다. 『설문해자說文解字』의 해석을 따르면 '自는 비鼻로서 코의 모양이다', 역자疒自, 즉 코에 병이 있음을 말하는데 당시에는 주로 비강이나 비염이 주였다. 점괘에 따르면 "정貞, 부호婦好 추출隹出, 疒"이라는데 갑골문에 으로 기록돼 있다. 자는 이전에는 해석이 되지 않았으나 이 글자가 스스로 자自와 고기 육肉에서 나왔다는 것을 근거로 콧속에 종기가 생겼음을 의미한다. 즉 코가 헐어 코 안이 부어 종기가 난 것을 의미한다. 점괘의 대략의 의미는 이러하다. 부호(은왕 무정의 처)의 콧속에 종기가 났으니 병이 아닌가? 지금껏 의학적으로 점막 표면에 살이 도도록하니 올라 부은 것을 뭉뚱그려 종기라고 불렀는데 콧속에 난 종기를 중의학에서는 비치鼻痔라고 한다. 이런 비치는 콧구멍을 막아 호흡 곤란을 일으키며 비염이나 비두염을 일으키기도 한다. 의학사 연구자에 의하면 이런 갑골 점괘는 세계적으로 콧속의 종기에 대한 최초의 기록이자 또한 환자의 신분도 명확히 기록된 것으로 그 가치가 아주 소중하다고 한다.

어떤 질병은 갑골문을 통해 그 주요 특징을 알 수 있고 전문적인 병명도 있었다. 예를 들면 학瘧, 옴疥이 그렇다. 이런 자료를 통해 은나라 사람들의 질병에 대한 관찰력과 지식이 이미 상당한 수준이라는 것을 알 수 있으며 의학사 연구에 좋은 참고 자료가 되고 있다.

갑골문에 나온 일부 병명은 생리 기능의 상실로 인해 이름 붙여졌다. 예를 들면 질언疾言, 즉 말하기 어렵고 목소리가 나오지 않는 증상을 말한다. 갑골문에는 또 이 질언과 관련된 많은 기록이 있다. 상왕商王 무정武丁이 이런 병에 걸린 적이 있었다는 기록이다. 그 외에 한 가지 유념할 점은 질년疾年에 관한 기록이다. 질년은 보통 이질이 많이 퍼진 해를 의미하는데 이는 전염병에 대한 최초의 기록이라 볼 수 있다.

성할 은殷자로 알아보는 고대의 치료법

성할 은殷, 현대 중국어 사전에서 가장 자주 쓰이는 의미는 바로 풍부하다, 풍성하다, 깊고 두텁다 등이다. 그 외에 나라의 이름이나 사람의 성씨로도 쓰인다. 만일 성할 은과 침술이 관계가 있다고 하면 아마 일반인들은 이해하기 어려울 것이다. 그러나 고대 문자의 형태를 살펴보면 관련된 정보를 얻을 수 있다. 다음을 보자.

금문

성할 은의 고대 문자 형태로 보면 사람이 손에 뾰족한 바늘을 들고 배가 나온 사람을 찌르는 모습과 비슷하다.

殷의 고대 문자 형태에서 알 수 있다시피 고대에는 침을 이용하여 병을 치료했다. 또 학자들의 견해에 따르면 옛 글자 殷자는 인체 복부에 병이 난 환자를 안마 기술로 치료하는 모습溫少峰 등

(『殷墟 卜辭 연구 — 과학기술 편』 참조, 사천성 사회과학원출판사, 1983년)을 나타낸다고 한다. 이런 논리도 어느 정도 타당성이 있다.

인류는 대자연과의 투쟁을 겪으면서 발전해왔으며 그중 필연적으로 인류의 생명을 위협하는 여러 질병과의 투쟁도 겪었다. 원시 인류가 병에 걸렸다면 어찌했을까? 의학적 지식도 약도 부족한 상황에서 다만 이것저것 먹어보며 무엇이 효과가 있나 찾았을 것이다. 고름이 꽉 찬 종기를 예로 들어보면 가장 손쉬운 방법이 날카로운 물건으로 종기를 째서 고름을 짜냈을 것이다. 만일 통증이 있다면 날카로운 물체로 아픈 곳을 찌르거나 혹은 돌망치의 머리 부분을 환부에 대고 지그시 누르거나 살짝 두드리면 아픈 것이 조금 나아졌을 것이다. 치료 효과가 있으면 오랜 시간 전해지면서 전문적인 의료 도구가 되었을 것이다.

문헌 자료와 출토된 유물로 살펴보면 폄석이 아주 오래된 의료 도구였다는 것을 알게 된다. 폄석을 이용해 병을 치료하는 것을 폄술이라 불렀고 아주 오래된 고대 치료법 중 하나이다. 『황제내경·소문皇帝內徑·素文』에는 "동방지역에서……그 병은 곧 옹양癰癢(즉 보통 말하는 부스럼)으로 치료에는 폄석이 잘 듣는다", "고름이 오래 고여 있으면 폄석으로 찔러 짜내면 된다"라는 기록이 있다. 『설문해자』는 "폄砭, 돌로 찔러 병을 치료한다"고 전한다. 이러한 기록을 통해 알 수 있듯이 원시 인류는 맨 처음 '폄석'을 사용했다. 즉 돌의 날카로운 부분을 이용해 환부를 자극하거나 돌칼로 환부를 째서 고름을 짜내는 것이다. 청동 야금 기술이 등장하면서 점차 금속침이 생겨났다. 사실 폄석은 찌르거나 환부를 째는 데뿐 아니라 다른 여러 가지 용법(뒷장 '돌침 폄이란 무엇인가?』 참조)이 있어 폄술의 시술법이 아주 다양했다고 할 수 있다.

하夏, 상商, 주周 세 시대부터 춘추 전국 시대와 서한 시대에 이르기까지 폄술은 여전히 명의들이 활용하는 치료법이었다. 사마천의 『사기史記』에 『편작창공열전扁鵲倉公列傳』이 있는데 그중에 편작이 호號나라 태자를 살려낸 이야기가 기록되어 있다. 편작이 호나라를 지나던 중 우연히 호나라의 태자가 위급한 병에 걸려 혼수상태에 빠진 것을 보았다. 편작은 태자가 죽은 것이 아니고 다만 정신을 잃어 시체처럼 보인다는 것을 알았다. 제자들의 도움으로 편작은 침술과 폄술을 병행해 우선 태자를 깨어나게 해 위급한 상황에서 구해냈다. 그리고 탕약으로 조리를 시켜 태자의 병을 완치시켰다.

태창공太倉公은 서한의 문제 때의 명의로서 순우淳于라는 성도 쓰며 이름이 의意이다. 『사기』에는 수많은 난치병을 치료한 사례가 적혀 있다. 그중 폄술은 태창공의 장기였다.

그러나 동한 시대 이후 사서와 의학 서적에서 폄술과 관련된 기록은 거의 찾아볼 수 없었다. 『후한서 · 화타열전後漢書 · 華佗列傳』의 기록에 보자면 동한의 명의 화타는 약, 침, 뜸에 조예가 깊고 또한 전신 마취를 사용해 처음으로 외과 수술을 시도한 전설적인 명의이다. 그러나 『황제내경』에 나와 있는 폄砭, 침針, 뜸灸, 약約의 네 가지 치료법이 화타 때에 와서는 침針, 뜸灸, 약約의 세 방법으로 줄어들었다. 폄술의 흔적을 찾을 수 없게 되었다.

서한 시대까지는 아직 폄술의 흔적이 남아 있었으나 뜻밖에 동한 시대에 와서는 그 자취를 감추었고 당나라 때에는 이미 폄술

(민간에서의 시술 제외)을 시술하는 경우가 거의 없었다. 당나라 학자 안사고顔師古는 "옛사람들은 병을 치료할 때 폄을 사용했는데 지금은 그 흔적도 보이지 않네"라고 한탄했다.

그렇다면 폄술은 왜 단절되었을까? 지금 생각해보면 그 이유는 폄구를 만들던 특수한 석재를 찾기가 힘들어서 같다. 1980년대에 일부 학자들이 사방으로 찾아다니다가 결국 산둥성 남부 지역에서 사빈부석泗濱浮石을 찾게 되었다. 사빈부석으로 만든 폄은 그 치료효과가 매우 우수했다. 고대 폄이 다시 사람들의 곁으로 돌아왔으니 고대의 폄술 역시 발전하게 될 것이다.

다시 성할 은자에 대해 이야기해보자. 은자와 고대의 폄술은 관계가 있다. 어떤 학자들은 殷자의 맨 처음 의미가 바로 '침을 찔러 병을 치료하다'라고 한다. 殷은 침을 찌르는 것이고 침은 반드시 환부에 찔러야 한다. 바로 殷이 중국어로 '가운데이다, 적중하다, 중간이다'라는 의미를 가지게 된다(『아아 · 석언爾雅 · 釋言』 참조). 고대 중국의 통일 전의 고서인 『서 · 요전書 · 堯典』에는 "은殷은 봄의 가운데요"라고 했고, 『우공禹貢』에는 "구강공은九江孔殷"이라 했는데 여기서의 殷은 바로 학자들이 말한 '가운데이다, 적중하다, 중간이다'의 뜻이다. 그 외에 침으로 병을 치료하는 것은 일반적으로 고름과 피를 흘리게 하는 방법이다. 그래서 殷자에는 '검붉은색'이라는 의미도 있고 이런 의미 때문에 殷자를 연烟으로 발음하기도 한다. 지금까지 은홍殷紅이라는 단어를 사용하는데 약간 검은빛이 도는 붉은색을 의미하며 일반적으로 시간이 좀 지난 핏자국을 묘사할 때 사용한다.

殷이 은실殷實(부유하고 풍요롭다), 은절殷切(간절하다)의 뜻으로도 사용되는데 이는 나중에 의미가 변이되고 확대되어 쓰인 것으로 원래의 의미와는 상당한 거리가 있다.

돌침 폄砭이란 무엇인가?

돌침 폄砭, 중국어 사전의 해석은 주로 다음과 같다.

1. 고대에 사용하던 의료용 돌침.

2. 돌침으로 살을 찔러 병을 치료함, 흔히 침폄針砭이라 한다.

폄砭, 더 정확히 말하자면 폄석으로 금속 침이 보급되기 전에 옛 사람들은 종기를 없애거나 통증을 없애는 도구로 사용했다. 그리고 여기에서 폄술이라는 의술이 발전되었다. 폄술에 관해『황제내경』같은 고서의 기록을 보면 편장과 같은 고대의 명의들이 모두 폄술의 고수였다고 한다.

1980년대에 일부 학자들은 폄술에 가장 적합한 돌을 찾아냈고 문헌 기록에 의거해 고대의 폄술을 재현했다. 이제 고대의 치료법이 다시 빛을 발하게 되었다.

지금으로부터 수만 년 전 혹은 십몇만 년 전의 구석기 시대에는 무슨 의료 기구니 하는 말을 할 만한 상황이 아니었다. 그저 날카로운 도구를 사용해 생산 활동도 했고 같은 도구로 병을 치료하기도 했다. 대부분 조악하게 가공된 돌조각이었다. 신석기 시대에 이르러 원시 인류는 돌 두 개를 양손에 쥐고 두드려 석기를 만드는 법을 익혔다. 점차 의료용으로 사용되는 폄석도 생기게 되었다.

폄석은 아주 날카로운 돌로 바로 돌침의 할아버지 격이라고 할 수 있다. 또한 최초의 의료 기구라고도 할 수 있다. 주로 종기를 째거나 고름을 짜거나 피를 뽑는 데 사용하거나 몸의 어떤 부위를 자극해 통증을 없애는 데 사용했다. 찌르거나 살을 째는 데 사용하기 위해 폄석은 아주 날카롭고 뾰족하게 다듬어졌다. 그래서 고대에는 폄석을 침석(날카로운 것), 혹은 참석饞石(날이 있는 것)이라고도 했다.

고고학 자료에 따르면 폄석에는 여러 가지 모양이 있다. 검 모양, 칼 모양, 바늘 모양 등이 있다. 대부분 신석기 시대부터 춘추전국 시대에까지 생산되었다. 나중에 금속침을 이용한 침술이 이 폄술을 기초로 발전한 의술이다. 예를 들어 1978년에 내멍구에서 고대 청동기 유물 중 청동 폄침이 한 점 발견되었는데 그 모양과 크기는 1963년 내멍구 둬룬치 터우도우와 신석기 시대의 유적지에서 출토된 갈아 만든 돌침과 매우 흡사했다. 이 돌침은 길이 4.5센티미터, 한쪽 끝은 평평하고 반원형의 날이 있어 종기를 짼 수 있다. 다른 한쪽 끝은 원추형으로 침처럼 사용할 수 있다. 중간의 손을 잡는 부위는 네 군데에 홈을 파서 쉽게 잡을 수 있도록 했다. 검증을 거쳐 고대 침술에 사용되었던 도구인 폄석임이 밝혀졌다. 후베이 만성 한漢나라 묘지에서 출토된 금침金針도 위의 돌침과 매우 비슷한 특징을 가지고 있다.

고대의 폄석은 사용법에 따라 몇 가지로 나눌 수 있다. 예를 들면 다림질에 사용하는 폄석, 종기 절개에 사용하는 폄석, 어혈을 찌르는 데 사용하는 폄석, 안마에 사용하는 폄석과 두드리는 데 사용하는 폄석 등이 있다.

1. 다림질에 사용하는 폄석

1964년 허난 창사 샤바의 전국 시대의 묘에서 출토된 디원형의 석기는 길이 6센티미터, 양쪽 끝에는 갈았던 흔적과 불에 태워 쪼갠 흔적이 남아 있다. 한쪽 면은 거울처럼 반들거리는 것으로 보아 불에 달구어 다림질에 사용했던 것으로 보인다.

2. 종기 절개와 어혈을 찌르는 데 사용하는 폄석

이런 폄석의 모양은 여러 종류이다. 끌 모양, 자귀 모양, 칼 모양, 화살촉 모양, 바늘 모양 등이 있다. 예를 들어 1965년 후난 화룽현 장강묘 신석기 시대의 유적지에서 출토된 세 점의 갈아 만든 정교한 자귀 모양의 석기는 가장 큰 것은 6센티미터, 가장 작은 것은 겨우 3.2센티미터였다. 세 점 모두 단면이 기울어진 칼로 날이 예리하고 폄석용으로 쉽게 살을 베어낼 수 있다(그림 참조).

3. 안마에 사용하는 폄석

1964년 허난 이양 타오바오의 전국 시대의 묘지에서 한 점의 오목하게 파인 둥근 돌이 출토되었는데 직경은 3.2센티미터이고 안과 밖의 표면에 모두 선명한 마찰 자국이 남아 있었다. 파인 부분에는 손가락 하나가 들어가기 알맞은 모양인데 분석에 의하면 사람의 살갗에 대고 하는 안마 용도였던 것으로 보인다.

4. 두드리는 안마에 사용된 폄석

이런 종류의 폄석은 모양이 비교적 크고 주로 방망이 모양을 하고 있다.

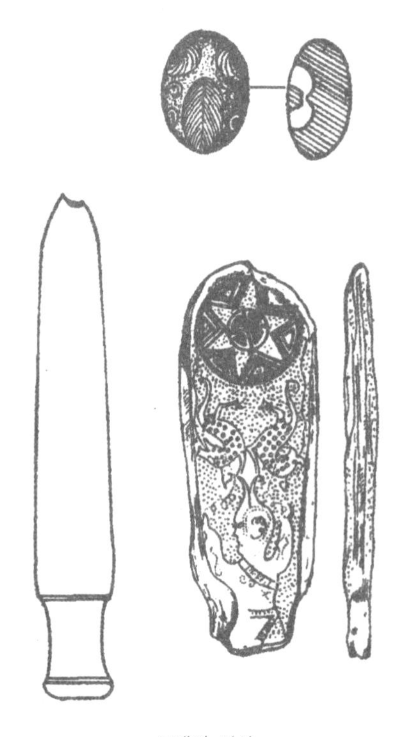

고대의 폄석

사실 폄석의 외형은 그다지 큰 특징이 아니다. 폄석의 특이함은 아무 돌로나 만드는 것이 아니라는 데 있다. 옛사람들은 오랜 시행착오 끝에 어떤 석재로 폄석을 만들었을 때 그 효능이 뛰어난지를 알게 되었지만 그 수량이 매우 적은 것이 흠이었다. 그래서 폄석의 재료를 찾는 일은 어려웠고 서한 때 존재하던 폄술이 동한 때 와서 사라지게 되었다. 동한의 학자 복건服虔이 한 말이 딱 맞다.

"더 이상 좋은 돌이 없으니 철로 대신하네."

1980년대 일부 학자들이 사방으로 찾아다녀 결국 동남부 지역에서 사빈부석의 한 종류를 찾아냈는데 이 돌로 만든 폄석에 우수한 치료 효과가 있음을 알게 되었다. 중국 핵공업지질분석실험연구센터의 실험 결과에 따르면 사빈부석은 탄산칼슘을 주요 성분으로 하며 또한 인체에 꼭 필요한 칼슘, 철분, 인, 칼륨, 나트륨 같은 원소가 함유되어 있다. 독성이 없으며, 방사성 물질도 보통 돌보다 적은 재료여서 사람의 인체에 아무런 해도 끼치지 않는다고 한다. 중국 과학원지질연구소는 사빈부석의 미량 원소에 대한 분석을 실시한 결과 사빈부석에는 티타늄, 크롬, 망간, 아연, 스트론튬과 다종 희토류 원소 같은 인체에 유익한 미량 원소가 30여 가지나 함유되어 있다고 한다.

중국 과학원 리모트 응용연구소에서 사빈부석이 인체에 어떤 영향을 미치는지 적외선 실험을 했는데 사빈부석이 닿는 인체 부위의 체온이 올라가는 현상을 발견하였다. 사람마다 각각 달랐으나 일반적으로 섭씨 0.5~2도 정도였다. 현재 이 현상의 정확한 원인은 아직 밝혀지지 않았다(취나이광 등, 『폄술요법砭術療法』 참조, 중국의약과기출판사). 그 외에 국가 지진국지구물리연구소는 사빈부석에 초음파 특성 실험을 했다. 결과는 사빈부석으로 만든 석판에 마찰을 시켰을 때 발생하는 초음파 주파는 보통의 석판 마찰이나 다른 암석보다 훨씬 높은 수치가 나왔다. 사빈부석에 대한 이러한 과학 실험 결과는 사빈부석이야말로 폄구를 만들기에 가장 적합한 재료라는 것을 증명한다. 당연히 사빈부석이, 옛사람들이 보편적으로 사용하였던 석재였는지는 좀 더 연구할 필요가 있다.

아침 단旦에 관한 이야기

旦, 가장 기본적인 의미로는 날이 밝는다, 예를 들면 通宵達旦(밤을 지새운다는 뜻)라는 말에 쓰인다. 그 외에 하루라는 의미가 있어서 한 해의 시작이 되는 날을 원단元旦이라고 한다. 고대의 문자 형태는 아래와 같다.

금문에 새겨진 모양으로 보아 태양이 막 돋기 시작해 아직 완전히 그 모습을 드러내지 않았고 그래서 어두운 그림자(혹은 구름)가 연결된 것을 표현했다. 나중에 그림자는 한 획으로 그어 표시했고 또 태양과 분리되었다. 그래서 글자 모양이 旦으로 되었다.

해가 뜨고 해가 지는 것은 인류가 최초로 관찰한 자연현상 중의 하나다. 태양은 빛을 내뿜어 어둠을 사라지게 했고 대지와 만물을 따뜻하게 보듬었다. 이 때문에 인류는 일찍부터 태양에 대한 숭배와 경의를 갖게 되었다. 태양에 대한 묘사는 일찍부터 고대인들이 그림으로 자주 표현하던 주제다.

도형 위의 그림문자

지금까지 발견된 갑골문의 단자는 지금으로부터 약 3,000년 전의 것이다. 사실 그 모양은 그보다 더 오래전에 등장했다 할 수 있다. 지금으로부터 5,000년 전의 토기에 새겨진 문자에 관련 정보가 남아 있다. 예를 들면 산둥 영현의 루양허와 주청 앞의 전재前寨의 대문구 문화 유적지에서 출토된 넉 점의 도존陶尊 위에 각기 비슷한 위치에 그림 문자가 새겨져 있다. 그중 두 점은 고문 전문가들의 분석에 따르면 바로 해가 돋는 것을 표현한 의부자意符字(한자의 뜻을 나타내는 부분)라고 한다(그림 참조). 위성우는 단旦과 旦은 정자체이고 소왕핑은 단旦과 단에서 파생된 글자라고 해석했다(『상고 문명의 불꽃 — 陶尊 위의 문자』 참조, 고고考古 1978년 제9기). 소왕핑의 분석에 따르면 도존陶尊은 제기로 사용되어 새겨진 문자들로 대부분 농사와 천문과 관련된다고 한다. 왕수밍은 이와 달리 달炟과 경炅으로 해석해야 한다고 주장했다(『東夷古國史硏究』 제1편 참조, 삼진출판사, 1988년, 29쪽). 달炟의 상형자에 근거하여 왕수밍의 해석은 다음과 같다. 그가 쥐현에 가서 탐사할 때 유적의 5킬로미터 떨어진 곳에서 산을 하나 발견했는데 봉우리 다섯이 병렬로 서 있고 가운데에 가장 높은 봉우리가 있었다고 한다. 봄가을에는 오전 8시나 9시쯤 되면 태양이 동에서 떠오르는데 알맞은 가운데 봉우리 위로 떠올라 마치 상형문자 의 5개 산봉우리 같았다. 『산해경山海經』에는 "일월이 뜨는 산은 6개이고, 일월이 지는 산은 6개 봉우리이다"라고 했다. 동에서 서로 두 개씩 짝을 이루어 대응했다. 지구가 태양을 에워싸고 공전하기에 1년 중 해와 달의 출몰점은 한 산에 고정되어 있지 않고 조금씩 남쪽이나 북쪽으로 이동한다. 이것이 바로 『산해경』에 기록된 해와 달이 출몰하는 산이 하나가 아닌 여섯인 이유다. 만일 이런 기록이 신빙성이 있다면 대문구 문화 시대의 인류는 이미 산봉우리를 기준으로 기록을 남기는 원시적인 방법을 사용했고 또 당시 사람들이 계절의 개념에 대해 조금은 이해했다고 볼 수 있다.

도존위의 문자에 대해 과학자나 예술가들은 위의 해석에 개의치 않는다. 저명한 물리학자 이청다오는 이들이 해와 달, 산의 모습과 더욱 비슷하다고 한다. 그는 "중국 문화는 세계의 다른 고대 문화와는 다른 몇 가지 큰 특징이 있다. 신석기 시대부터 지금까지 이어져 내려온 것이며 자연과 인류의 조화를 기본으로 하는 정복자가 아닌 인류의 바람을 담고 있다. 대문구에서 출토된 신석기 시대의 조각의 일日, 월月, 산山이야말로 가장 좋은 증거다"라고 했다. 리청다오는 루샤오파의 그림(그림 참조)이 "동일한 주제의 현대적 해석이다. 해, 달, 산의 세 가지 자연계의 중요 원소와 인류의 조화를 의미한다. 산봉우리 두 개의 천체는 합쳐져 사람의 모습처럼 보인다. 이 철학적이면서 신화의 형식을 띠고 있는 조화야말로 인류의 자연에 대한 깊은 애정을 의미한다"고 했다(이정도 편집, 『과학과 예술』, 147쪽, 상해과학기술출판사). 리청다오의 말을 귀담아들을 필요가 있다.

'일, 월, 산'(루샤오파의 그림)

가운데 중中의 맨 처음 뜻

中, 굉장히 자주 사용되는 한자로 관련 단어도 매우 많다. 중국中國, 중심中心, 중앙中央, 중등中等, 중용中庸……. 만일 中자의 맨 처음 뜻이 무엇이냐 묻는다면 대답할 수 있는가? 고대 과학기술과 관련된 이번 이야기 역시 아주 재미있다.

고대 中자의 문자 모양은 다음과 같다.

위에서 알 수 있듯이 中자는 상형자이다. 바람에 날리는 띠를 달고 있는 막대기를 바닥에 수직으로 세워놓은 모양이다. 막대기는 두 개, 네 개, 여섯 개 혹은 금문에서와 같이 여러 개의 띠 형체의 물건(혹은 새끼줄)을 달고 있으며 폭이 넓은 깃발과는 다르다는 걸 알 수 있다.

中자는 갑골문 점괘卜辭에서 자주 등장하는 글자로 그 용법도 다양하다.

네모난 틀(口)은 中자의 원시 형태에서 꼭 존재하지는 않았다. 다만 나중에 중자를 표시할 때는 없어서는 안 되는 요소가 되었다. 이런 점 때문에 깃발이 날리는 모습을 표현한 갑골문과는 구분된다.

고문학 학자의 해석에 따르면 中자는 땅 위에 네모난 틀을 그리고 그 가운데 곧은 막대 하나를 꽂은 모양을 상징한다고 한다. 공간적인 위치로 말하자면 위에서 아래로 똑바로 서 있으며, 지표와 지하의 사이에 꽂혀 있으니, 상하 순서를 나타내는 상중하에서 가운데 중의 의미를 뜻한다. 동시에 네모 또는 동그라미가 그려진 지면 위의 동일한 거리의 중심에 꽂혀 있다.

갑골문 점괘 중 이 입중立中에 관한 기록이 많은데 과거 학자들은 이를 '깃발을 세워 바람의 방향을 알아본다'라는 의미로 여겼다. 또 어떤 의견은 이 점괘의 참뜻이 막대기를 꽂는 데에 있다고 하는데 만일 입중인 그날 바람이 분다면 깃발과 깃대는 바람에 쓰러지고 이는 곧 불길함을 의미한다고 한다.

쑤량징蕭良瓊 같은 이들의 연구에 따르면 입중의 작용은 실질적으로 후세의 그림자 측정표와 같다고 한다. 이는 아주 간단하고 또 가장 원시적인 천문 측량기라 할 수 있다(『복사卜辭 중의 입중立中과 상商나라 규표의 그림자 측정』, 『과학기술역사문집』 10회 참조).

'입중(立中)'의 그림자 측정 표시도

규표圭表로 천문을 측정하는 것은 아주 오래전부터 이루어져왔다. 서구의 유명한 과학사학자인 리위에친은 『중국과학기술사中國科學技術史』에서 "모든 천체 측량 도구 중 가장 오래된 것은 아주 간단한 형태로 만들어진 땅 위에 수직으로 세운 막대이다. 적어도 중국에서는 그러하다"고 했다. 이 책의 참조 사진을 보면 포라저우의 어떤 부락에서 두 사람이 지평에 막대기를 세워 해 그림자의 길이를 측정하는 모습으로 이는 곧 근대까지 일부 소수민족 부락에서는 이런 나무 막대 천문 측정기와 땅바닥의 규표가 사용되었음을 말해준다.

규표 측정은 아주 오랜 시간이 필요한 작업이다. 수렵과 채집을 주로 하던 인류가 농경 사회로 진입하면서 정착 생활을 하게 되었고 차츰 방위와 계절에 대해 알고자 하는 욕구가 생겼다. 그래서 나무 막대기를 세워 해 그림자의 방향과 길이 변화라는 가장 간단하지만 실용적인 방법을 사용했다.

땅 위에 막대를 세우고 막대 위에 끈을 묶으면 바람 없는 맑은 날에는 끈이 모두 막대에 붙어 있을 것이고 이는 곧 막대가 수직으로 세워진 것을 나타낸다. 막대를 중심으로 좌표점을 정하면 방향을 정할 수 있는데 이것이 모두 입중의 간단하고 또 이미지화된 반영이다.

위에서 말한 바와 같이 中을 간단한 천문 측량 도구인 표로 이해한다면 일부 고문은 다시 새롭게 해석되어야 할 것이다. 예를 들어 『논어 · 요왈論語 · 堯曰』편의 서두에서 "堯曰:咨! 爾舜! 天之曆數在爾躬, 允執厥中, 四海困窮, 天祿永終"라고 했는데 이에 대해 저명한 학자 양백준은 이를 현대 중국어로 다음과 같이 해석했다. "요(순에게 자리를 맡기며)가 말하길, 쯧쯧. 너 이 순아! 하늘의 큰 명이 이미 너에게 내려졌다. 성실하게 바른 것을 지켜나가라! 그렇지 않다면 하늘 아래 백성들을 고통에 빠뜨리게 되고 하늘이 네게 주신 복록은 영원히 사라지게 될 것이다(양백준, 『論語譯註』 참조)." 만일 우리가 문장의 中자를 표로 이해한다면 天之曆數는 '천지가 운행되는 규율(또는 간단히 천도라고 할 수 있다)'이 되는데 표를 통해 천지 운행의 이치를 안다는 것이 더 적절한 해석이 아닐까 싶다.

中은 고대에서 후대로 넘어오면서 철학적 의미의 중용지도中庸之道의 뜻으로 변화되었다. 규구規矩나 권형權衡의 변화와 마찬가지로 처음에는 모두 도량이나 측량 정도를 의미하는 어떤 객관적 사물 도구를 의미했다. 그러나 나중에는 전문적인 정치·철학 용어가 되어 현대를 살아가는 우리는 그 원래 의미를 잊고 있다.

마지막으로 강조하고 싶은 것은 中은 가장 오래된 천체 측정기로 인류는 이를 통해 하늘의 운행에 대한 객관적인 지식을 얻게 되었음은 물론 나중에 주관적인 해석도 하게 되었다. 중의 소재지는 사람들이 이런 변화를 인식하는 출발점으로 사람이 존재하는 위치이기도 하다. 지구 상의 그 어디도 모두 중심이 될 수 있다. 그러나 동서남북의 방향 순서는 절대 변하지 않으며 이는 태양의 운동을 눈으로 관찰한 결과다. 사람은 자신이 서 있는 자리에서 지구와 우주의 상대적인 위치 변화를 관찰하게 된다.

中의 본래 의미는 표의 의미로 사용된다. 표는 중에서 파생된 여러 의미(공간, 시간, 순서, 안팎에서 시작되어 정치 용어까지)와는 구별된다. 우리는 이미 中자의 참뜻을 잊고 이제는 오직 갑골문에서 그 원형을 겨우 볼 수 있다.

무지개, 관찰에서 해석까지

무지개는 대기 중에 일어나는 빛의 현상으로 공기 중의 물방울이 햇빛을 받아 굴절과 반사를 통해 구부러진 형태의 색깔 띠를 나타내게 되는 움직임이다. 무지개는 안쪽에서 바깥쪽으로 빨주노초파남보의 일곱 색깔로 이루어져 있다. 태양과 반대되는 방향에 생긴다. 무지개의 아름다움은 일찍부터 고대 인류의 주목을 받았으며 때문에 무지개에 대한 원시 인류의 관찰과 이해는 어쩌면 과학에 대한 간접적인 관심의 표현이었을 수 있다.

무지개 홍虹의 고대 문자 모양은 아래와 같다.

갑골문에 새겨진 그림에서 虹자가 마치 활 모양의 몸을 가진

머리 두 개의 괴물처럼 그려진 것을 볼 수 있다.

'빨주노초파남보, 누가 오색 띠를 들고 하늘에서 춤을 추나?' 비가 온 후에 하늘에 떠 있는 아름다운 무지개를 싫어하는 사람은 아무도 없을 것이다. 또한 무지개가 생기는 원인에 대한 관심은 인류의 사고를 발전시켰다.

현대 과학 이론에 따르면 무지개는 햇빛이 공기 중에 떠다니는 물방울을 통과하면서 반사되고 굴절돼서 나타나는 현상이다. 무지개는 언제나 해의 반대 방향에서 나타난다. 그래서 오전에는 서쪽에서, 오후에는 동쪽에서 나타난다. 그래서 옛사람들은 오전의 무지개를 隮(독음은 計)라고 부르고 오후의 무지개를 蝃蝀(독음은 帝東)이라고 불렀다. 『詩經・鄘風・蝃蝀』의 첫 구절에서는 "蝃蝀在東, 莫之敢指"라고 노래했고 다음 구절에서는 "朝隮于西, 崇朝其雨"라고 했는데 이는 곧 무지개가 아침저녁으로 서로 다른 동서 방향에 나타나는 것을 말한다.

蝃蝀과 虹의 부수는 모두 虫인데 이는 옛사람들이 무지개를 몸이 활 모양으로 구부러진 머리 둘 달린 하늘에 사는 신성한 동물이라고 생각했기 때문이다. 『漢書・燕刺王傳』에서 "天雨, 虹下屬宮中飮井水, 水泉竭(하늘에서 비가 내리면 홍虹이 궁중에 내려와 우물의 물을 마심으로 우물은 곧 마른다)"라고 했고 『異苑』에는 "진릉설원晉陵薛愿에 홍虹이 깊고 큰 가마釜澳의 물을 마시는데 얼마 지나지 않아 다 마셔버렸다. 원愿은 대량의 술을 부어놓자 주는 족족 없어지는 것이었다便吐金滿器"라고 했다. 고문의 기록에서 보자면 홍은 자주 지상으로 내려와 물을 마셨고 당시 사람들의 상상 속의 모습은 아마 용과 비슷한 이미지였을 것이다.

무지개의 양 끝이 땅에 연결된 것처럼 보여서 옛사람들은 음양의 기운으로 이를 해석했다. 예를 들어 한나라 때 유희劉熙는 『석문』에 다음과 같이 해석했다. "홍은 또 미인이라 한다. 음양이 조화를 이루지 못하면 혼인이 문란해지고 풍속이 문란하며 남자가 여자처럼 되고 여자가 남자처럼 되고 서로 따르게 되면 이 기운이 성하게 된다." 이런 해석은 사실 황당하다 할 수 있다.

한나라 이후, 옛사람들은 무지개를 자세하게 관찰하게 되었고 점차 비교적 과학적인 이해를 하게 되었다. 당나라 초기의 학자 공영달孔穎達은 "만일 구름이 얇아 해가 드러나면 해가 빗방울을 비추니 무지개가 생겨난다"라고 했다. 이미 음양이 어떠니 하는 이야기는 들어 있지 않다. 당나라의 장지화張志和는 『玄眞子 · 濤之靈』에 기록하기를 어떤 사람이 해를 향해 물을 뿜으며 무지개를 만드는 모의 실험을 했다고 한다. 더욱 중요한 것은 남송 시대 정대창程大昌이 물방울 하나에 빛이 퍼지는 현상을 자세하게 관찰해 아주 중요한 지식을 얻게 되었다. 그는 『演繁露』라는 책에서 "물방울이 햇빛에 비춰 오색이 가득하고 아롱거리니 이는 햇빛이 물에 색을 더한 것이다"라고 했다. 명나라 말기의 유명한 학자 방이지方以智는 선조들이 관찰한 각종 색의 분산 현상에 대한 전면적인 종결을 지었다. 그는 『物理小識』에서 "모든 보석의 표면이 튀어나오면 빛은 한줄기고 각이 여러 개면 반드시 한 면은 오색으로 빛난다……해가 폭포를 비추면 오색이 나타나고 사람이 벽 앞에서 해를 향해 물을 뿜어도 오색이 나타난다. 예부터 무지개의 띠, 달무리, 오색의 구름은 모두 이런 이치로 만들어졌다." 방이지는 또 하늘의 구름, 안개와 이슬, 강물과 폭포, 분수, 천연의 보석과 유리에 햇빛을 비추면 모두 오색으로 빛나고 모든 색의 분산 현상은 동일한 원리로 이루어진다고 했다.

그러나 고대 중국에는 서구의 과학자들처럼 프리즘 실험을 못했고 빛의 스펙트럼에 대한 관찰도 부족했으며 또한 색에 대한 개념이 청, 적, 황, 백, 흑의 다섯 색에 국한돼 무지개 형성에 대한 연구가 깊지 못했다.

현대 과학 지식에 따르면 무지개는 주와 부로 나뉘는데 동시에 나타나지만 주 무지개는 안쪽에 부무지개는 바깥쪽에 나타난다. 주 무지개는 햇빛이 물방울을 통과하며 1차 반사와 2차 굴절로 분산된 일곱 가지 색깔이며 색채 띠의 배열은 바깥부터 빨주노초파남보의 순서다. 부무지개는 햇빛이 물방울을 통과해 두 번의 굴절과 두 번의 반사를 통해 만들어진다. 색깔은 주 무지개처럼 선명하지는 않고 색의 배열도 안쪽부터 빨주노초파남보이다. 좀 더 연구해 굴절과 반사 현상에 대한 탐구를 하자면 천태만상의 마커스웨이의 법칙으로 추론할 수 있는데 아름다운 무지개 속에 참으로 복잡한 물리학이 숨어 있다는 걸 아는 사람이 과연 몇이나 될까?

일에서 만까지

1, 2, 3……. 아라비아 숫자는 우리가 일상생활에서 사용하는 익숙한 숫자로 가장 기본적이면서 가장 중요한 숫자라고 할 수 있다.

역사적으로 구체적인 대상에 대한 인식에서 추상적인 관념으로 발전하기까지 아주 길고 긴 과정이 필요했다. 중국 고대 수학은 아주 독특한 체계를 가지고 있는데 수학 성과에 영향을 줄 만한 여러 결과를 도출해냈다. 좀 더 깊게 이야기하자면 역시 숫자에 대한 인식부터 시작해야 할 것이다.

숫자 관념의 발전은 아주 오랜 시간이 걸렸다.

원시 인류는 숫자에 대한 인식을 하나와 '많다'라는 개념에서부터 시작해 나중에 점차 둘, 셋이라는 개념도 생겨났다. 최초의 숫자에 대한 인식은 모두 구체적인 대상과 관련이 있다. 예를 들면 한 마리 양, 두 점의 토기 따위이다. 아직 추상적인 수 개념은 형성되지 않았다. 일반적인 상황에서 옛사람들은 손가락 따위로 간단히 물체의 개수를 관련시켰다.

계산하는 방법도 여러 가지이다. 고문헌의 기록은 크게 두 종류로 나누는데 하나는 노끈의 매듭, 다른 하나는 새기는 방법이다. 고서인『역경·계사易經·繫辭』에는 위의 두 가지 방법이 너무 구식이라는 말이 있다. 그러나 그 시작이 언제였는지는 확실한 고증이 어렵다.

매듭을 만드는 것은 일반적으로 삼마, 동물의 털, 풀 따위의 재료로 만들어져 있어 지금까시 남아 있기 힘들어 실물을 확인할 수는 없다. 새기는 각화刻畵는 매듭을 만드는 것과는 다르다. 각화에 사용되는 재료는 동물의 뼈, 돌, 토기 등이어서 오랜 시간 보존이 가능했다. 관련 유물도 많이 발견되었다.

현재 우리가 볼 수 있는 최초의 실증 자료는 산서 삭현朔懸 치욕峙峪촌의 구석기 시대 유적지에서 출토된 동물의 뼈로 약 3만 년 전의 것으로 추정된다. 그중 많은 동물의 뼛조각 위에 각기 다른 수가 새겨져 있다. 5 이상의 기록은 많지 않아 당시에 아주 단순한 숫자만 사용된 걸 알 수 있다.

인류가 구석기 시대에서 신석기 시대로 진입하면서 수를 기록하는 것은 점차 부호 기록으로 변화되었고 그래서 마지막과 원래의 각화가 분리되었다. 서안 반파半破, 청해 류만柳灣, 산동 성자애城子崖 같은 신석기 시대 중·말기 유적지의 유물에 모두 각기 다른 숫자 부호가 기록되어 있다. 분석해보면 이런 숫자 부호와 후의 갑골문의 숫자는 대체적으로 비슷한데 자형의 변화 맥락을 반영하였다. 예를 들면 산동 성자애城子崖 유적지에서 출토된 토기에는 숫자 七, 十, 二十, 三十이 있는데 아주 선명하게 적혀 있었다.

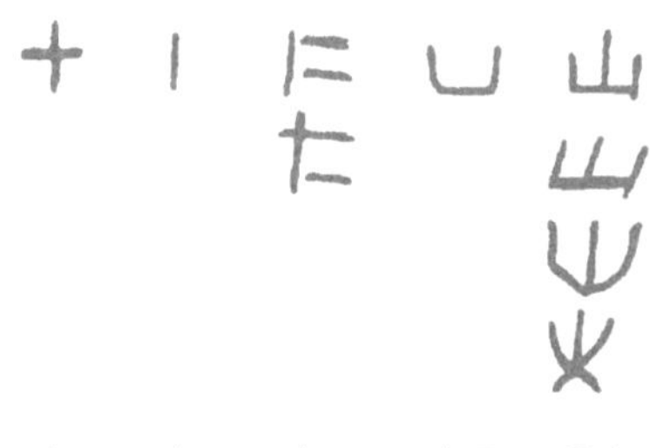

성자애(城子崖) 유적지의 토기에 있는 숫자(지금으로부터 5,000년 전)

상나라에 와서 비교적 체계적인 문자가 발전하게 되었고 갑골문에도 등장하게 되었다. 기록되는 숫자도 많아졌고 이미 수학적 지식이 응용되었다.

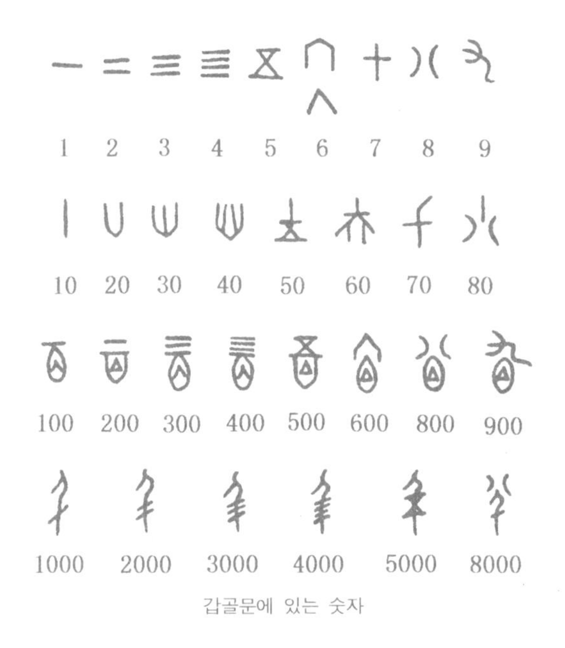

갑골문에 있는 숫자

갑골문의 숫자 부호와 초기의 토기에 새겨진 부호에는 일정한 관계가 있다. 일부는 원래의 형태를 유지하고, 일부는 약간 변화했다. 주의할 점은 필요에 의해 갑골문에 처음으로 백百, 천千, 만万의 숫자가 등장했고 더욱 체계적으로 십진수가 형성되었다는 것이다. 그 외에 동일한 숫자의 부호가 아주 정확하게 일치한다고는 할 수 없다. 예를 들면 육六, 구九 등은 많은 차이가 있다.

갑골문 万자의 쓰는 방법은 매우 재미있다. 바로 전갈의 모양을 하고 있다. 万자와 전갈이 무슨 상관인가 싶기도 하지만 사실이 그러하다. 万(정자체는 萬)자의 글자 모양으로 보아 머리가 크고, 몸이 가냘프며, 꼬리가 구부러지고, 촉각이 앞으로 뻗은 전갈의 모양이다. 전갈의 꼬리에는 독침이 있는데 말린 후에 약용으로 쓰기도 하고 두통, 풍습, 경련 같은 병을 치료할 수 있다. 지금껏 북부의 여러 지역에서 인공적으로 사육되었는데 중의학 약재로 사용되는 용도 외에 '몬도가네'를 즐기는 미식가의 영양 식품이기도 하다.

갑골문에 있는 '만(一万)', '이만(二万)', '삼만(三万)'

옛사람들은 왜 전갈로 숫자 万을 표현했을까? 풍문에 의하면 고대 중원 지역에는 이런 작은 생물을 이곳저곳에서 발견할 수 있었고 그 수가 어마어마했다. 이 점이 사람들에게 깊은 인상을 주었다. 게다가 전갈의 머리 부분에는 많은 집게와 발이 달려 그 정확한 개수도 헤아리기 어려워 그냥 '많다'라고만 표현할 수 있었다. 그래서 옛사람들은 전갈의 모양을 따 万자의 부호로 사용했다. 당연히 이런 숫자는 실제로 사용할 때 불편한 점이 많았다. 그러나 이런 기초 위에서 중국 고대 수학은 점차 성숙한 단계로 발전하였다.

수數와 산算

數와 算은 아주 밀접한 관계가 있다. 수학數學을 고대 중국에서는 산술算術이라고 불렀다. 그 이유는 산가지를 가지고 계산을 했기 때문이다. 즉 이 산술이라는 명칭을 통해 고대 수학이 계산 위주로 이루어졌다는 특징을 포괄하고 있다.

고대 數자의 갑골문은 아래와 같다.

어떤 학자들은 끈으로 매듭을 맨 모양이라고 한다.

算, 산筭이라고도 한다. 갑골문과 금문에는 등장하지 않는다. 그 전서체 모양은 다음과 같다.

마치 두 손으로 산가지를 들고 계산하는 모습 같다.

고대의 숫자에 대한 인식이 성립되기까지 아주 오랜 과정을 거쳤다. 數는 맨 처음에 동사로서 사용되었다. 초기에는 손가락을 꼽아 물체의 개수를 세는 방법이었다. 수에 대한 개념이 어느 정도 생기고 그에 맞춰 숫자가 생겨나자 옛사람들은 하나의 명사로 이를 통괄하고 대응되는 숫자를 기록하기 시작했다. 일반적으로 글자를 만들 때는 눈에 보이는 이미지를 근거로 하는데 갑골문의 數자는 노끈의 매듭을 이미지화한 것이라고 한다. 數의 편방을 뒤집어보면 마치 손으로 노끈의 매듭을 지어 수를 기록하는 것 같다. 이런 이치로 數는 일종의 동작을 가리키고 그래서 최초의 數자는 동사였다.

算은 산筭이라고 한다. 갑골문과 금문에는 구분하지 않은 것으로 보아 당시 이 글자가 아직 등장하지 않았던 것으로 보인다. 『설문해자』에서는 "산算은 수數요, 산筭, 길이는 6치, 數를 하는 데 사용된다"라고 해석되어 있다. 算과 筭은 원래 같은 뜻으로 쓰였으나 후에 동사와 명사로 구분되었다. 그래서 각기 하나씩의 의미를 가지게 되었는데 청淸나라 학자 단옥재斷玉裁의 『설문해자注』에서 "주籌는 셈을 세算는 도구이고 산算은 주籌를 이용한다"라고 했다.

算은 맨 처음에는 동사였고 숫자를 센다는 의미였다. 예를 들면 『논어·자로論語·子路』에는 "斗筲之人, 何足算也(도량이 작은 사람을 어찌 헤아릴 수 있겠는가?)"라고 했는데 여기서의 算은 수를 센다는 의미다. 『후한서·황후기서後漢書·皇后紀序』에는 "漢法常因八月算人(한나라 법률에서는 보통 8월에 인구의 수를 통계한다)"라고 했는데 算人은 바로 인구의 수가 얼마나 되는지를 계산한다는 말이다. 계산 도구로는 주를 사용하였는데 주는 수를 세는 것이어서 筭의 다른 이름으로 쓰이기도 한다. 算으로 말하자면 수를 센다는 동사에서 수를 세는 도구라는 의미로 변했다. 산이 명사가 되면서 산수算數라는 글자는 자주 함께 사용되었다. 『한서·화식열전漢書·貨殖列傳』에서 "運籌算, 賈滇蜀民, 室至童八百人(계산을 해보니 집에 온 동자가 800명 — 역주)"이라고 했다.

나중에 산은 곧 주를 의미하게 되어 전문적으로 계산을 하는 도

서한 시대의 상아로 만든 산가지

구를 일컫는 말이 되었다. 허신許愼이 『설문해자』에서 말한 籌長六寸은 바로 이 주籌를 말한다. 『한서 · 율력지漢書 · 律歷志』에는 "(算)徑一分, 長六寸, 二百七十一枚而成六觚(正面六體), 爲一握"라고 했는데 바로 전문적인 계산 도구의 제작과 보존 방식을 설명하고 있다. 한나라의 1척은 6촌 정도로 지금의 약 4촌 정도이다. 271가닥을 모으니 정육면체 하나를 만들 수 있었는데 한 손에 잡히는 정도라는 말이다. 1971년에 출토된 서한西漢 시대의 묘지에 있는 산주算籌는 그 굵기와 길이가 대략 비슷하다. 고대의 수학이 발전하면서 정수를 표시하는 정산正算과 음수(마이너스)를 표시하는 부산負算이 나타나게 되었다. 『구장산술九章算術』에는 '정산 적正算 赤, 부산 흑負算 黑'이라고 했다.

산과 주라는 이 동의어는 후에 상대되는 의미로 사용되었는데 수학 영역에서 술어로는 보통 산을 쓰고 민간에서는 주를 사용한다. 『진서 · 왕융전晋書 · 王戎傳』에서 "戎性好興利……每執牙籌, 晝夜計算, 恒若不足(융은 이로운 사업을 일으키기 좋아한다……매번 친히 상아로 만든 주籌(산대)를 가지고 밤낮을 계산하였는데 항상 이 일을 게을리 한 적이 없었다)"라고 했고, 백거이의 『동리십일취억원구同李十一醉憶元九』에서 "花時同醉破春愁, 醉折花枝當酒籌(꽃 피는 시절 함께 취하여 시름을 달래고 취하여 꽃가지를 꺾으면 주량을 알게 되리다)"라고 했다.

주를 이용해 셈을 하는 데 5 이하의 숫자는 각기 주 하나, 5 이상의 수는 방향을 반대로 놓은 주로 삼았다. 주는 왼쪽에서 오른쪽으로 십진법을 이용해 가로로 놓아간다. 1부터 9까지의 방법은

𝍠 𝍡 𝍢 𝍣 𝍤 𝍥 𝍦 𝍧 𝍨이고, 가로로 1부터 9까지는 𝍩 𝍪 𝍫 𝍬 𝍭 𝍮 𝍯 𝍰 𝍱로 나타낸다.

주와 책策은 종종 함께 사용된다. 『노자老子』에서는 "善計者不用籌策(계산에 능숙한 자는 주책을 사용하지 않는다)"라고 했고 『사기·고조본기史記·高祖本紀』에서는 "運籌策帷帳之中, 決勝于千里之外(장막 안에서 꾸미는 주책籌策으로 천리 밖에서 승패를 결정한다)"라고 했다. 이는 책이 죽간을 엮을 때 사용하던 대나무 쪽을 의미하는데 때로는 이를 산가지籌의 대용품으로 사용했다.

틀 기機에 관하여

機자는 자주 사용되는 한자로 관련 단어도 꽤 많다. 기기機器, 기계機械, 기회機會, 기관機關, 심기心機 등이 있다.

機는 고대에는 아주 오묘하고 방대한 뜻을 가진 글자로 機에 대한 분석에서 옛사람들의 재미있는 생각을 엿볼 수 있다.

機의 고대 문자 형태는 다음과 같다.

幾, 고대 사전 『설문해자』에서는 이렇게 해석했다. “작은 것이요. 위태로운 것이다. 幺幺와 戍로 이루어져 있다. 戍은 지킨다는 의미다. 약해서 보호받는 것은 위태로운 일이다.”

幺幺는 幺를 두 개 결합한 것으로서(발음은 幽), 幺의 서법은 갑골문에서 누에고치의 모양과 비슷하게 쓰여 있다. 그러나 누에를 가리키는 것은 아니다(系의 서법은 가는 실 사糸 자와 관련 한자들 참조). 어떤 학자들은 幺이 태아의 모양과 비슷하다고 하지만 정확한 근거는 없다. 그러나 幺는 어떤 어리고 약한 생명을 가리킬 가능성이 크다. 예를 들면 유충幼蟲, 유묘幼苗 등이 그러하다. 戍, 戈와 人을 합친 글자로 호위병을 가리킨다. 幾를 분석하면 '어리고 약하지만 생명력이 있고 중요하나 안전하지 않아 지킬 필요가 있다'라는 의미를 가졌다는 것을 알 수 있다.

적어도 춘추 시대에는 機(아래는 모두 机로 표시함)가 등장했을 것이다. 원래는 어떤 구체적인 실물을 지칭하는 단어였는데 원래의 幾(아래는 모두 几로 표시함)와 밀접한 관련이 있을 것이다. 나중에 기는 추상적인 단어로 변했다. 좀 더 시간이 지나고 机와 几는 함께 사용되었다.

이지초는 机의 본뜻이 기계장치 중의 축을 둘러싸고 돌아가는 부품을 지칭한다고 했다. 고대에는 선기璇璣라는 단어가 있었는데 때로는 旋机로 쓰기도 했다. 선기가 대체 무엇인가에 대해 여러 가지 설이 있으나 아직 증명된 이론은 없다. 만일 선기가 일종의 천체 현상(북극성을 에워싸고 많은 별들이 공전하는 모습)을 가리킨다면 다음과 같이 해석할 수 있다. 고대 학자 복승의 『상서·대전尙書·大傳』에서의 선기(즉 旋机)에 대한 설명을 보자.

"旋机는 어떤 물건인가? 전하는 말에 의하면 회전하여 되돌아오는 것이요, 움직이는 것의 일부분이요, 작도다. 그의 변화는 작지만 큰 것을 움직일 수 있는 것이요, 이가 바로 旋机로다."

이지초는 이에 근거 机를 축을 중심으로 도는 사물이라고 묘사했다. 작게 움직이는 것은 축과 근접한 부위, 즉 북극성과 가까운 지역을 말하나 크게 보면 하늘 전체를 움직이고 있다(이지초, 『기발론機發論—장래성이 있는 科學觀』, 『自然科學史硏究』 9책 1기, 1990년).

고대 중국에서 机와 車는 모두 축이 있는 기계였다. 車, 갑골문의 글자 모양으로 보면 바퀴가 있는 교통수단을 가리킨다. 넓게 말하자면 바퀴가 달린 것은 모두 車라고 부를 수 있었다. 다시 말하면 회전 운동이 가능한 모든 사물을 차라고 할 수 있다. 농업의 관개에 사용되는 기계, 예를 들어 수차, 번차, 그리고 방직 기계인 물레 등을 중국어에서 모두 車라고 부를 수 있는 이유도 여기에 있다.

机는 작업 기계로 축이 있지만 일반적으로 바퀴를 이용하는 반복과 회전 운동을 하지 않는다. 일반적으로 회전 운동을 하지 않는 기계를 机, 바퀴를 가지고 있으며 회전 운동을 하는 것을 車라 부른다.

『庄子』에 있는 두레박에 관한 이야기 하나가 机와 관련되어 있는데 철학적 교훈을 담고 있다. 이야기는 다음과 같다. 자공子貢이 길을 가던 중, 한 노인이 물동이를 안고 우물로 들어가 물을 퍼 올려 채소를 가꾸는 모습을 보았다. 매우 힘겨워 보여 자공이 노인에게 말했다. "여기에 기계가 있는데 이를 사용하면 하루에 100이랑에 물을 줄 수 있습니다. 또 힘도 적게 듭니다……나무에 구멍을 내어서 만든 기계로 뒤가 무겁고 앞부분이 가볍습니다. 축을 돌려서 물을 끌어 올리는데 몇 번만 돌리면 몇 동이를 올릴 수 있답니다. 두레박이라 합니다."

그러나 노인은 귀담아듣지 않고 도리어 자공을 비웃었다. “기계가 있는 자는 반드시 기밀한 일을 품고 있고 기밀한 일이 있는 자는 필시 간교한 심보를 가지기 마련이오…….” 과학기술사 연구에서 이 문헌에서 얻은 자료는 중국에 지렛대가 있었음을 증명한다. 자공이 말한 鑿木은 틀림없이 축을 넣는 구멍일 것이고 축이 있는 지렛대를 机라 부르나 그 전체 기계는 械라 불렀을 것이다. 노인이 機械라고 연이어 말했다.

고대 중국에서 机와 가장 밀접한 실제 기계는 바로 노기弩机이다. 쇠뇌는 전국 시대에 발명된 것으로 기본 원리는 활과 같으나 실제로는 큰 차이가 있다. 쇠뇌의 에너지 주입 방식은 누적형이고 조준 방식도 분리되어 있다. 쇠뇌 발명의 핵심은 방아쇠에 있는데 간단히 机라고 부르기도 한다. 소형의 축의 힘으로 움직이는 지렛대로 그 작용은 『설문해자』의 机자에 대한 해석과 완전히 일치한다. 현대의 총포 발사 장치는 모두 하나의 방아쇠를 가지고 있는데 그 작용은 작은 힘을 크게, 즉 작은 에너지로 큰 에너지를 변화시키는 것이다.

쇠뇌에서 출발해 동물이 건드리면 움직이는 덫 종류의 기계도 机라 부르게 되었다. 『장자 · 산림庄子 · 山林』에서 “여우니 표범이니……는 모두 덫에서 벗어날 수 없다”라고 했다. 이 고대의 덫의 원리는 현재 우리가 쓰고 있는 집게와 흡사하다. 중국어에서 기정機阱이라는 단어는 사람을 해치기 위한 음모와 계략을 가리키고 물동이를 안고 우물에 들어가던 노인이 말한 기심機心과 뜻이 비슷하다.

정리해보면 机라는 글자는 축이 있고 움직이는 지렛대에서 시작해 점차 두 가지 의미로 변했다. 하나는 바로 일반적인 기계를 지칭하고 다른 하나는 추상적 의미를 가지게 되었다. 그리고 이 추상적 의미는 확대되어 기회機會, 기우機遇, 기연機緣, 기요機要, 기구機構, 기교技巧 같은 의미를 가지게 되었다. 추상적인 의미로 기관機關은 '전체 기계에서 가장 중요한 부품'을 말한다. 또는 '일을 처리하는 부서'를 뜻하기도 한다. 그리고 '치밀하고 기묘한 계략'이라는 의미로 '識破機關(음모를 간파하다)', '機關算盡(여러 가지 계략을 다 쓰다)' 등이 현재 중국어에서 사용된다.

화和자와 고대의 기술관

和는 우리에게 너무나 익숙한 단어로 뜻도 매우 다양하다. 기본적인 의미로는 다음과 같다.

1. 사물의 상태

和順(착하고 온순함), 和善(온화하고 선량함), 祥和(상서롭고 화목함).

2. 사물의 속성

柔和(연하고 부드러움), 溫和(온화함), 暖和(따스함).

3. 기타 사물과의 관계

和諧(어울림), 和好(화해함), 政通人和(정치가 잘 이루어져 인심이 부드러워지다).

4. 동사로 조화의 의미

調和(어울림), 和解(화해함).

5. 동사로 복종, 협력의 의미

隨和(남과 사이좋게 지냄), 附和(남의 언행을 따라 하다).

6. 접속사로 사용

~과, ~와.

이렇듯 和는 그 뜻하는 의미가 광범위해 고대 철학에서 자주 사용되었고 또한 고대의 기술관을 나타내기도 했다.

고대의 和자는 아래와 같다.

고대 사전인 『설문해자』에는 다음과 같이 해석되어 있다.

"和, 相應也(화, 어울림이요), 從口禾聲(口를 기본으로 음은 禾를 따른다)."

和는 처음에는 龢로 쓰였는데 맛의 어울리는 배합을 의미한다. 후에 和로 변했다. 『상서 · 설명尙書 · 說命』에는 "若作和羹, 爾惟塩梅(입맛에 맞는 국물을 만드는데 짠맛의 소금과 신맛의 매실은 필수적이다)"라고 했는데 조미료로 음식의 맛을 조절해 입맛에 맞는 상태를 和라고 불렀고 이것이 가장 본래의 의미다.

和는 口를 기본으로 음은 禾를 따른다. 아마도 발음의 대조와 조화 때문에 그리되었을 것이다.

和는 고대 중국에서 철학적 의미로 사용되었다. 和의 철학적 의미는 맨 처음 주나라 때의 사관인 사백史伯에 의해 정의되었다. 『국어 · 정어國語 · 鄭語』의 기록을 보면 다음과 같다.

"서로 다른 것이 화합을 이루면 새로운 것을 만들어내고 같은 것의 결합은 발전을 중지시킨다. 때문에 선왕先王은 흙과 금, 나무, 물, 불 등으로 백물을 구성했다."

위의 구절에서 和는 異(다름)를 전제로 하고 있다. 다르기에 비교 평가가 가능하다는 말은 즉 서로 다른 사물의 상호 작용으로 발전을 꾀할 수 있다는 의미다. 만일 똑같은 사물의 반복이라면 무슨 의미가 있겠는가? 사백의 관점은 의미심장해서 그 후 和의 철학 이론의 근거가 되었다.

和의 개념은 고대 사상가들에 의해 끊임없이 확장, 발전되었다. 和의 철학은 중국인들의 성격, 문화 심리, 행동 양식 등에 굉장한 영향력을 끼쳤다. 예를 들어 고대 중국의 자연관은 일종의 전체적이며 종합적인 자연관이었다. 마찬가지로 고대 중국의 기술관 역시 일종의 전체적이며 종합적인 기술관이다. 바로 이 和라는 글자가 꽤 명확하고 분명하게 이런 기술관의 본질을 서술하고 많은 고문헌 기록에서 그 증거를 볼 수 있다.

진시황 통일 이전 시대의 유명한 수공업 기술 서적인 『고공기』를 보면 和의 사상에 대한 설명에 할애한 부분이 많다. 책에서는 이렇게 강조하고 있다.

"天有時, 地有氣, 材有美, 人有巧, 合此四者, 然後可以爲良."

"하늘에는 때가 있고, 세상에는 운기가 있으며, 재료에는 아름다움이 있고, 사람에게는 교묘함이 있다. 네 가지를 합쳐야만 훌륭한 일을 성사할 수 있다."

여기의 합合은 곧 화和의 의미다. 즉 반드시 구비해야 할 기술과 또한 이런 기술이 결합해야 예상하던 목표에 도달할 것이라는 말이다. 전체적 의미의 기술이라는 관점에서 말하고 있지만 또 구체적인 기술이나 기교의 각 단계에도 和의 관념이 꿰뚫고 있다. 예를 들면 "輪人爲輪, 斬三材必以其時, 三材飠具, 巧者合之(바퀴를 만드는 이가 바퀴를 만들고 다른 재료를 모아두고 때를 기다렸다 기술 좋은 이가 모두 조립한다—역주)"나 "弓人爲弓, 取六材必以其時, 六材飠具, 巧者合之(활을 만드는 이가 활을 만들고, 다른 재료를 모아두고 때를 기다렸다 기술 좋은 이가 모두 조립한다—역주)"라는 문장을 보면 차바퀴와 활의 제작 과정에서 적절한 때에 재료를 적당하게 합쳐야 우수한 품질의 제품을 생산할 수 있다는 설명을 하고 있다.

『북제서北齊書』라는 책에는 숙철도宿鐵刀를 제작할 때 무쇠와 연철軟鐵을 혼합하여 제련해 "數宿則成剛(서로 합쳐 곧 단단하게 하다—역주)" 했다고 한다. 宿의 원래 의미는 남녀 간의 성행위를 일컫는데 여기서는 비유적으로 사용되었다. 즉『도덕경道德經』에서 말한 "冲氣以爲和(기를 불어 화합한다—역주)"의 의미를 가리킨다. 후대에 와서는 이런 기술을 "生熟相和, 煉成則剛(무쇠와 연철을 화합하여 제련하면 강철이 된다—역주)"라고 했는데 매우 적절한 표현

같다.

짚고 넘어가야 할 점은 전통 금속 제련업에 사용되는 술어는 대부분이 요리나 의술과 관련되어 있다는 것이다. 예를 들면 철을 제련하는 것을 팽광烹礦, 증광蒸礦, 자철煮鐵, 전철煎鐵과 초철炒鐵이라고도 부른다. 위의 팽, 증, 자, 초는 모두 요리에 사용되는 삶고 찌고 끓이고 지지고 볶는다는 술어다. 금속의 합금 배합에 대해 『고공기』에는 齊(가지런할 세, 齊 — 총 14획)라는 말이 있다. 齊 즉 劑(벨 제{증서 자}, 刀 — 총 16획)이다. 또한 화제和劑라고도 한다. 의미는 각기 다른 금속 원료를 일정 비율에 맞춰 서로 섞어 만든 합금을 말한다. 그 후에 용광로에서 배합된 합금을 제조한다. 문헌의 기록을 보면 대부분이 '약으로 변화시키다'라고 했다. 이는 의술과 관련된 것이다. 그러나 위에서 언급한 재료의 준비라는 관점에서 보자면 和는 아마도 대부분 재료의 조화를 조절하는 작업이었을 것이다.

명나라 때의 기술대백과서전 격인 『천공개물天工開物』을 보면 작가 송응성宋應星은 고대 중국 기술 전통을 계승했다. 그래서 그는 和를 기술관의 출발점으로 삼고 있다. 『천공개물』이라는 책 제목 및 책 내용에서 여러 차례 언급되는 천공天工과 인공人工은 서로 대조되는 현상으로 송응성이 개념화했다. 즉 고대 중국의 천인합일天人合一 사상을 모토로 했다. 금속 제련술에 대해 송응성은 다음과 같이 이야기했다. "모든 철은 생철과, 연철로 나뉜다. 화로에서 추출한 한 후 볶지 않은 것은 생철이고 볶은 것은 연철이다. 생철과 연철을 혼합하여 제련하면 곧 강철이 된다." 생철은 그 성질이 딱딱하나 연철은 부드러운 것이 특징이다. 이 두 극단을 불화不和라고 표현했다. 생철과 연철을 섞어 제련해 단단함과 부드러움을 서로 조화롭게 하니 아주 품질 좋은 강철이 생겨났고 이를 곧 관강灌鋼이라 한다. 또 화약에 대한 기록을 보자. "모든 화포는 질산칼륨, 유황을 위주로 하여 초목회를 첨가한다. 질산은 음陰성을 띠고 유황은 양陽성을 띠는데 음과 양이 서로 완전 결합되면……서로 비율을 달리하면 직격자와 폭격자라는 서로 다른 것이 만들어진다"라고 했다. 위의 문장에 비록 和라는 글자가 등장하지는 않았지만 和의 기술관은 아주 명확하게 표현되었다. 화약의 주성분인 질산칼륨과 유황은 각기 음성과 양성을 띠는데 양자가 결합되면 화약이 만들어진다. 여기서 작가는 새로운 和의 관점을 설명했다. 다른 혼합 비율에 따라 다른 결과가 나오는 상황을 수치화된 기록으로 설명했다. 『천공개물』의 마지막에는 이렇게 기록되어 있다.

"凡硝見火還空, 其質本無 而黑鉛爲重質之物. 两物假火为媒 硝欲引鉛還空, 鉛欲留硝住世. 和同一釜之中, 透出光明形象, 此乾坤造化 隱現于地面."

"초석이 불을 만나면 솟아오르는데 원래 그런 성질은 없었다. 그러나 흑연은 솟아오르는 성질이 강한 물질이다. 두 물질을 불을 빌려 접하면 초석은 흑연을 흡인하여 솟아오르려 하고 흑연 역시 초석을 남겨두려 하는데 이들을 한 그릇에 두면 밝은 빛을 발하게 된다. 이는 천지의 조화이다."

이 또한 和의 기술관의 체현이다. 여기서 초석은 무질無質에 속하고 흑연은 중질重質에 속한다. 양자는 "硝欲引鉛還空, 鉛欲留硝

住世"의 상호 보완을 통해 새로운 물질인 유리를 만들어낸다. 바로 和라는 기술관의 체현이다(화쥐에밍, 『和의 철학—중서 금속 제련 기술의 차이로 보는 중국 문화』, 홍콩 『二十一世紀』 참조, 1996년 10월호).

和의 기술관은 중국 고대 기술의 창조와 발전, 그리고 동양의 특색을 띤 전통 기술 체계의 형성에 중요한 역할을 했다. 和자 속에는 원시 인류의 오랜 지혜가 담겨 있다.

중국과학원고고학연구소(中國科學院考古研究所), 『갑골문편(甲骨文編)』, 중화서국(中華書局), 1965년

룽겅(容庚), 『금문편(金文編)』, 중화서국(中華書局), 1985년(영인본)

후한(後漢)의 허신(許慎), 『설문해자(說文解字)』, 중화서국(中華書局), 1963년판(영인본)

청나라 단옥재(段玉裁), 『설문해자주(說文解字注)』, 상하이구지(古籍)출판사, 1982년판(영인본)

완원(阮元), 『십삼경주소(十三經註疏)』, 중화서국(中華書局), 1980년판

『중국어대사전(漢語大字典)』 편집위원회의, 『중국어대사전』 제1권~제6권, 쓰촨츠수(四川辭書)출판사, 후베이츠수(湖北辭書)출판사, 1886~1990년

까오밍(高明), 『중국고문자학통론(中國古文字學通論)』, 베이징(北京)출판사, 1987년

원샤오펑(溫少峰), 위엔팅동(袁庭棟), 『은허복사연구(殷墟卜辭研究) — 과학기술편(科學技術篇)』, 쓰촨성사회과학원(四川省社會科學院)출판사, 1983년

왕펑양(王鳳陽), 『고대단어구별(古辭辨)』, 지린원스(吉林文史)출판사, 1993년

저우사오리(鄒曉麗), 『기초한자형의사원(基礎漢字形義辭源)』, 베이징출판사, 1990년

왕홍위엔(王宏源), 『한자자원입문(漢字字源入門)』, 화위(華語)교육출판사, 1993년

마하이장(馬海江), 『신설문해자(新說文解字)』, 둥베이사범대학(東北師範大學) 출판사, 1997년
천웨이잔(陳煒湛), 『한자고금담(漢字古今談)』, 위원(語文)출판사, 1988년
장수옌(張書岩), 『간체자의 기원(簡化字溯源)』, 위원출판사, 1997년
장자오린(宋兆麟) 외, 『중국원시사회사(中國原始社會史)』, 원우(文物)출판사, 1983년
량쟈미엔(梁家勉), 『중국농업과학기술사고(中國農業科學技術史稿)』, 농업(農業)출판사, 1989년
천원화(陳文華), 『중국고대농업과기사도감(中國古代農業科技史圖譜)』, 농업출판사, 1991년
천웨이지(陳維稷), 『중국고대방직과학기술사(中國古代紡織科學技術史)』, 고대편, 과학(科學)출판사, 1984년
리우둔전(劉敦楨), 『중국고대건축사(中國古代建筑史)』, 제2판, 중국건축출판사, 1984년
양홍쉰(楊鴻勛), 『건축고고학논문집(建筑考古學論文集)』, 원우출판사, 1987년
마오이성(茅以升), 『중국고대가교기술사(中國古橋技術史)』, 과학출판사, 1996년
리원제(李文杰), 『중국고대도기공예연구(中國古代制陶工藝研究)』, 과학출판사, 1996년
화줴밍(華覺明), 『중국고대금속기술(中國古代金屬技術)』, 다상(大象)출판사, 1999년
위엑광밍(岳光明), 『중국역대도량형(中國歷代度量衡考)』, 과학출판사, 1992년
다이녠주(戴念祖), 『중국역학사(中國力學史)』, 허베이(河北)교육출판사, 1988년
리우용화(劉永華), 『중국고대동거마구(中國古代東與馬具)』, 상하이츠수출판사, 2002년
상하이조선사편찬실(上海造船史話編寫組), 『조선사(造船史話)』, 상하이커지

(科技)출판사, 1982년
후더쥔(後德俊), 『초나라과학기술사(楚國科學技術史稿)』, 후베이 과학기술출판사, 1990년
탄웨이스(譚維四), 『증후을묘(曾侯乙墓)』, 원우출판사, 2001년
주치신(朱啓新), 『설문담물(說文談物)』, 상하이 서점출판사, 2002년
주스리(朱世力), 『중국고대문방사우(中國古代文房用具)』, 상하이 문화출판사, 1999년
리정다오(李政道), 『과학과 예술(科學與藝術)』, 상하이 과학기술출판사, 2000년